로맨스가 가능해?

로맨스가 가능해?

Is the romance possible?

송정원

장편소설

2

목차

contents

6장

6장

밤사이 창밖에선 폭풍우가 몰아쳤었다. 이른 아침, 잠에서 깬 이다는 조용히 창밖을 확인했다. 하늘은 우중충하니 초저녁처럼 어두웠다. 이다는 옆에 누운 찬재에게로 시선을 옮겼다.

침대 위에서도 폭풍우가 쳤던 건지. 꼭 폭풍우가 지나간 자리처럼 찬재의 머리칼은 헝클어져 있었다. 그러나 그의 눈동자는 흐트러지지 않고 똑똑히 그녀를 바라보고 있었다.

“벌써 깼네. 안 피곤해?”

찬재는 신기한 듯 질문을 건넸다.

“피곤해.”

대답하며 이다는 머리 아래 팔베개에 손을 댔다. 머리를 받쳐 주는 굵고 단단한 찬재의 팔이 따뜻했다.

“근데 나 또 하고 싶은데. 할래?”

"피곤한데, 또 하고 싶다고?"

찬재가 되묻자 이다는 고개를 끄덕였다. 그 모습에 찬재는 몸을 일으켜 두 무릎을 이다의 양쪽 허리 옆에 대고 앉았다. 그리고 이다의 어깨 위로 두 손을 내렸다.

"그렇게 좋았어?"

질문하며 찬재는 이미 답을 아는 듯이 자신 있는 눈빛으로 씩 웃었다.

"이 좋은 걸 왜 이제 했나 싶다."

이다는 마주 웃어 보이면서 대답했다. 그러자 찬재는 정색하며 눈살을 찌푸렸다.

"야, 이거 나랑 해서 좋은 거다. 딴 놈하고 하면, 절대 좋지 않아."

"그야 뭐, 내가 직접 해 봐야 알 일이고."

"뭐?"

찬재는 더욱 험악하게 얼굴을 구겼다. 이다는 그런 그의 얼굴을 두 손으로 붙들었다. 그리고 똑똑히 눈을 보며 입을 열었다.

"딴 놈하고 할 일 없게, 네가 계속 잘해 봐."

이다는 찬재의 얼굴을 당겨 격려하듯 입가에 입술을 맞췄다.

"네가 잡은 물고기는 미꾸라지야. 언제 어디로 빠져나갈지 모르니까, 방심 말고 어장 관리 제대로 해."

코앞에서 이어지는 이다의 목소리에 찬재는 헛웃음을 쳤다.

"너 나한테 잡히지도 않았어. 내가 너한테 잡힌 거지."

"그런가?"

"네 어장에 나 좀 넣어 달라고, 사정사정해서 겨우 들어왔다, 내가."

"뭐……. 과정을 생각하면, 그렇기는 하지."

"네 어장 관리, 너 좋을 대로 해. 아무것도 안 해 줘도 난 거기 있을 거니까. 거기서 나 나가라고 하지만 마."

찬재는 당당한 눈빛으로 당부했다.

"물론 내가 계속 잘할 테니까, 넌 그럴 일이 없지."

자신 있게 장담한 뒤 찬재는 이다의 입술에 입술을 맞추었다. 자연스레 입술로 그녀의 입술을 열고, 손으로 가슴을 감싸 쥐었다.

이어지는 그의 몸짓은 신호였다. 다시 네 안으로 들어가겠다는.

이다는 기꺼이 몸을 움직여 그를 받아들였다.

다시 밤이 된 것처럼, 정신이 아찔하고 까마득해져 갔다.

* * *

열흘 후, 검찰의 예고대로 모발 검사의 결과가 나왔다.

당연하게도 이다의 검사 결과는 음성이었다. 다시 말해 그녀가 마약을 했단 증거는 나오지 않았다. 그런데 뜻밖에도, 최서한의 검사 결과 역시 음성이었다.

"마약 복용 무혐의. 대신 마약 소지죄로 벌금형. 그렇게 최서한 사건은 종결됐다는데."

식탁에 마주 앉은 찬재의 설명에 이다는 미간을 찌푸렸다.

"어떻게 최서한이 나하고 결과가 똑같을 수 있지?"

"최서한도 마약을 한 적이 없는 모양이야. 적어도 지난 반년 동안에는."

"그럼 적어도 지난 반년 동안은, 대체 그 마약을 다 어디다 썼단 얘기야?"

"호기심에 사 모았고 최근 분실했다. 그게 최서한 쪽 주장이야."

"그게 말이 돼?"

이다는 어처구니없단 얼굴로 물었다.

"그게 말이 된대. 검찰에서는."

찬재는 냉소하며 비꼬듯이 대꾸했다. 이다는 인상을 쓰고 팔짱을 꼈다.

"담당 검사 그렇게 안 봤는데. 내 앞에서만 깐깐한 척했던 건가?"

"깐깐도 판을 봐 가면서 해야지. 이건 깐깐하다 까일 판이잖아. 결정적 증거 나올 줄 알고, 윗선 압력 개무시했을 텐데. 어라, 증거가 안 나왔네? 그 검사 입장에선 이게 무슨 개망신이겠어? 아주 개털 된 거지."

이다는 쓴 입맛을 다셨다.

"어쨌든 그 덕분에, 최서한 이제 구치소는 나오게 됐어. 거기 틀어박혀서 우리 피할 수 없게 됐다고. 우리 입장에선 잘된 일이야."

찬재의 덧붙임에 이다는 잠깐 생각하다 고개를 끄덕였다.

"그래. 우리 입장에선 잘된 일이지. 이제 속 시원히 물어볼 수 있게 됐으니까."

이다는 고개 돌려 시계를 확인했다.

"지금 집에 있으려나?"

"뭐야, 설마 지금 가려고?"

찬재는 눈을 둥그렇게 뜨고 물었다. 그의 질문이 채 끝나기도 전에 이다는 몸을 일으켰다. 찬재는 얼른 따라 일어섰다.

"야, 아직 집에 도착도 안 했을 텐데."

"그러니까 지금 가잔 거야."

이다는 성큼성큼 침실로 이동하며 말했다.

"최서한이 집 안에서 문 잠그기 전에, 우리가 먼저 들어가 있어야지."

이다가 부연하자 찬재는 금세 말뜻을 알아듣고 그녀의 뒤를 따랐다.

최 회장의 본가 앞에 차를 세워 둔 채, 찬재는 차의 시동을 껐다. 이다는 옆자리에서 벨트를 풀며 다시금 강조했다.

"잊지 마. 내가 방에서 최서한 상대하는 동안, 넌 밖에서 최 회장 주의 끌고 있어. 내가 가짜 최혜주라는 거, 절대 아는 척하지 말고."

"너 혼자서 최서한 상대하는 거, 정말 위험하지 않겠어?"

"그 사람이 뭘 어디까지 알고 있는지. 난 모르는 상황이야. 이런 상황에선 나도 내 패를 감추는 게 제일 안전해."

이다는 담대하게 똑 부러지는 눈빛으로 대답했다.

"내가 네 패란 말이지?"

이 여자한테 내가 그런 존재가 되어 있다니.

어째 뿌듯한 기분이 들어 찬재는 입꼬리가 올라갔다.

"아니."

이다는 딱 잘라 말했다. 순간 찬재는 입꼬리를 뚝 떨어뜨렸다.

"그냥 너만 갖고 하는 얘기 아니야. 네가 내 편이고, 우리가 한패라는 게, 내가 가진 제일 좋은 패야."

이다는 진지하게 덧붙였다. 그러고는 싱긋 자신 있는 미소를 지어 보였다. 그러자 찬재는 이전보다 훨씬 크게, 그녀보다 더욱 활짝 함박웃음을 지었다.

한패. 같은 편.

정말이지 세상 다 가진 기분이었다.

"아, 그런데 말이야."

마주 웃던 이다가 문득 떠오른 생각을 내뱉었다.

"우리가 와 있는 걸 최서한이 알게 되면, 집에 안 들어올지도 몰라."

"그럼, 들어가는 거 보고 들어가자고?"

"아니. 들어갈 때 동시에 들어가자고."

이다의 대답에 찬재는 곧 고개를 끄덕였다.

"좋아. 최서한이 언제 오는지, 넌 한눈팔지 말고 앞만 봐."

찬재는 그들 앞에 있는 최 회장의 대문을 눈으로 가리키며 당부했다. 그리고 눈을 돌려 이다를 바라보며 덧붙였다.

"난 한눈팔고 너만 볼 테니까."

순간 이다는 낯이 간지러워 피식 실소했다.

그런데 그때, 대문 앞으로 차 한 대가 나타났다. 차는 정확히 대문 앞에 멈춰 섰다. 이어 운전석에서 내린 운전기사가 뒷문을 열었다.

"하여간 마음에 안 드는 캐릭터야."

찬재는 뒷문에서 빠져나온 최서한을 쏘아보며 뇌까렸다.

"빨리 와서 좋네, 뭐."

이다는 무덤덤한 얼굴로 말했다. 그러더니 불쑥, 찬재의 뺨에 빠르게 입술을 맞추고 떼어 냈다.

"빨리 끝내고, 둘만 있기 더 좋은 데로 가."

의미심장하게 덧붙인 뒤, 이다는 거침없이 차 문을 열었다. 그리고 성큼성큼 최서한에게로 향했다. 그녀의 입술이 닿았던 자리를 지그시 감싼 채, 찬재는 그녀를 따라 차에서 내렸다. 그의 입가는 귀에 걸려 있었다.

“오빠.”

최서한이 막 대문을 열었을 때, 이다는 그의 등 뒤에서 그를 불렀다.

잠시 멈칫한 최서한은 이윽고 뒤를 돌아봤다. 불과 몇 시간 전까지 구치소에 있던 사람이건만. 그는 믿기지 않을 만큼 말끔하고 단정한 모습이었다.

“혜주야.”

서한은 곤란한 표정을 지었다.

“여긴 뭐하러 와. 괜한 오해 사면 어쩌려고.”

이다는 아무런 반응 없이 서한의 눈을 빤히 바라봤다. 서한은 미안해하는 표정으로 그런 그녀의 눈을 마주 봤다.

“나 때문에 너까지 조사 받았다면서.”

“어차피 오빠도 나도, 둘 다 무혐의잖아. 이제 다 끝난 일이니까, 신경 쓰지 마.”

이다는 담담하게 말했다. 찬재는 그런 그녀의 옆에 다가섰다.

“고생 많으셨습니다, 형님.”

찬재는 넉살 좋게 서한에게 인사를 건넸다. 그리고 보란 듯이 이다의 허리에 오른팔을 둘렀다.

“이 사람이 형님 걱정을 워낙 많이 해서요. 형님 나오셨단 소식에 바로 달려왔습니다. 아! 피곤하실 텐데. 여기 서서 얘기할 게 아니라, 일단 안으로 들어가시죠.”

마치 자기 집 안으로 안내하듯 찬재는 왼팔로 대문 안을 가리켰다. 이어 서슴없이 이다를 이끌고 대문 안으로 걸음을 옮겼다. 말릴 새도 없이 제 앞을 지나쳐 간 찬재의 뒷모습에 서한은 인상을 썼다.

* * *

거실 소파에 앉아 있던 최 회장은 현관문이 열리는 소리에 시선을 옮겼다. 그리고 이내 눈을 의심하며 몸을 일으켰다.

"아버님, 저희 왔습니다."

당황한 최 회장의 눈앞에서 찬재는 꾸벅 인사를 했다. 찬재 옆의 이다는 무심히 최 회장과 눈을 마주치기만 했다.

"아니, 어, 어쩐 일로?"

최 회장은 눈을 깜빡거렸지만, 눈앞의 현실은 달라지지 않았다. 현관문을 열고 들어온 건 기다리던 둘째 아들이 아니라, 가짜 막내딸 내외였다.

"오면 온다고 연락을……."

최 회장이 말을 잇는 사이, 찬재는 성큼성큼 최 회장에게 다가가 와락 그를 끌어안았다.

"아버님! 제가 정말 면목이 없습니다!"

"으, 응?"

"둘째 형님 구치소에 계신 동안, 제가 아버님 자주 찾아뵈었어야 했는데. 저희 코가 석 자라서 그러지를 못했습니다."

"아, 뭐, 그야……."

찬재는 포옹을 풀고 최 회장의 눈을 보며 손을 꼭 붙잡았다.

"변명으로 들리시겠지만. 둘째 형님하고 집사람, 둘 다 의심 받는 상황에선 이게 최선이었습니다. 그 상황에 제가 아버님하고 만났다면, 기자들 괜한 상상력만 자극하지 않았겠습니까?"

"알지. 내 다 알지."

"아! 아버님, 일단 앉으시죠. 다리 불편하실 텐데, 편하게 앉으세요, 여기."

찬재는 최 회장을 부축하며 소파로 이끌었다. 그러면서 주방의 가사 도우미를 향해 입을 열었다.

"아주머니, 여기 차 좀 부탁드립니다. 네 잔으로요."

정말이지 집주인인 양 자연스러운 모습이었다. 이다는 그를 보며 내심 감탄했다. 그때, 서한이 그녀의 곁으로 다가왔다.

"아버지."

서한은 이다의 옆에서 최 회장을 향해 고개 숙여 인사했다. 그사이 찬재는 최 회장의 맞은편에 앉았다. 그리고 서한과 이다를 향해 고개 돌렸다.

"형님, 어서 와서 앉으세요 여보, 당신은 이리로 와."

찬재는 이다를 바라보며 제 옆자리를 손바닥으로 두드렸다. 그러자 서한이 입을 열었다.

"매제, 아무래도 난 좀 피곤해서 말이야."

순간 찬재는 표정이 어두워졌다.

"역시 형님은 이번 일로 저한테 서운한 게 많으시군요."

"아니, 그럴 리가 있나. 내가 매제한테 서운할 게 뭐가 있겠어."

"정말 서운할 거 없으면 같이 앉자, 오빠."

이다가 서한의 팔을 슬쩍 잡으면서 끼어들었다.

"내 남편이 저렇게 미안해하고 신경 쓰는데. 오빠가 같이 차 한 잔도 못 해 주면 내가 서운하지."

서한은 난감한 표정을 지었다. 그 모습에 찬재는 하아, 무거운 한숨을 내뱉었다. 최 회장은 그런 두 남자의 얼굴을 번갈아 보다 서한에게 시선을 멈추었다.

"그래, 너 때문에 발걸음 한 손님 아니냐. 앉아서 잠깐 차라도 한 잔하도록 해."

최 회장의 권유에 서한은 조용히 한숨을 쉬었다. 그리고 하는 수 없단 표정으로 걸음을 옮겼다.

네 사람이 둘러앉아 차를 마시는 동안, 찬재는 분위기를 주도했다. 화목한 가족인 양 친밀하게, 별일 없었던 양 자연스럽게. 서한은 별말 없이 차를 음미하며 이따금씩 미소로 찬재의 말에 화답했다. 그러나 차를 홀짝이는 속도는 은근하게 남들보다 빨랐다.

얼마 후, 서한은 빈 찻잔을 조용히 내려놓았다. 그때 그를 본 찬재가 입을 열었다.

"저, 아버님."

찬재는 아직 반도 비우지 못한 자신의 찻잔을 응시하며 조심스레 말을 이어 갔다.

"실은 제가 긴히 드릴 얘기가 있습니다. 아버님과 단둘이 해야 할 이야긴데. 잠시 시간 좀 내주시겠습니까?"

"지금 말인가?"

"예. 저희 아버님이……."

찬재는 면목 없단 표정으로 이다를 흘끗 봤다.

"이번 일로 저희 결혼에, 변수가 생겼다고 판단하신 모양입니다."

찬재는 다시 최 회장과 시선을 마주쳤다.

"이런 얘길 제 아내 앞에서 하긴 좀 그렇고……. 아버님과 단둘이 얘기하는 편이 좋을 것 같습니다."

찬재의 진지한 목소리에 최 회장은 마음이 무거워진 듯 한숨을 쉬었다.

"그럼 서재로 가도록 하지."

최 회장은 몸을 일으키며 말했다. 그리고 서한에게로 고개를 돌렸다.

"서한이 넌, 그만 올라가서 쉬도록 해."

"예, 아버지."

서한의 대답이 채 끝나기도 전에 최 회장은 등을 돌렸다. 찬재는 얼른 몸을 일으키고 이다에게 눈짓을 보냈다. 이다는 알겠다는 눈빛으로 살짝 고개를 끄덕여 보였다. 이윽고 찬재는 최 회장을 따라 이동했다. 서한은 마치 기다렸단 듯이 홀연히 자리에서 일어났다.

"난 오빠랑 할 얘기가 있어."

이다는 찻잔을 내려놓으면서 말했다. 그러자 서한은 멈칫 서서 이다를 내려다봤다.

"혜주야. 무슨 얘기인진 모르겠지만, 나중에 하자."

"오빠 피곤한 거 알아."

이다는 다 이해한단 투로 말하고서 몸을 일으켰다. 그리고 서한을 마주 보며 덧붙였다.

"그러니까 그냥 빨리 얘기하고 쉬어. 더 피곤해질 일 없게."

이다의 눈빛은 절대 물러나지 않을 것처럼 단호했다.

이다는 서한의 뒤를 이어 최혜주의 방에 들어섰다. 일전에 찬재와 함께 와 본 곳이지만, 다시 마주한 방의 분위기는 여전히 낯설기만 했다. 음울한 회색 벽지로 둘러싸인 방 안 공기는 바깥보다 서늘하게 느껴졌다.

서한은 뚜벅뚜벅 방 한가운데로 걸어갔다. 이다는 방문을 닫고 그와 같은 방향으로 이동했다. 잠시 후, 거실 한구석에 놓인 이젤 앞에서 서한은 우뚝 멈춰 섰다. 그리고 이젤에 놓인 스케치북을 응시하며 말했다.

"나 때문에 그런 일에 휘말린 건 정말 미안하게 생각해."

"오빠한테 그런 얘길 들으려고 온 건 아니야. 난 사과를 받으려고 온 게 아니라, 질문에 대답을 들으려고 온 거거든."

이다는 그와 몇 발자국 떨어진 곳에 서서 대꾸했다. 서한은 계속 스케치북에 시선을 고정한 채 침묵했다.

"검찰에서 CCTV를 봤어. 오빠 오피스텔 승강기에 내가 오빠하고 같이 있는 모습이 찍혀 있더라. 내 결혼식 5일 전에."

"……."

"내가 오빠한테 안겨 나가던데. 그때, 나 어디로 데려갔던 거야?"

서한은 잠시 더 침묵하다 뒤를 돌아봤다.

"혜주야."

흔들림 없는 눈동자로 두 눈을 마주 보며, 서한은 침착하게 말을 이었다.

"그 질문의 답은 네가 제일 잘 알잖아."

"아니. 나보다는 오빠가 더 잘 알 거야."

"왜 그렇게 생각해?"

서한은 의아한 눈으로 물었다.

"그 질문의 답은 오빠가 제일 잘 알 텐데?"

정말 모른다는 듯이, 서한은 눈을 깜빡였다. 이다는 그런 그를 빤히 주시하며 말했다.

"나 최혜주 아닌 거, 다 알잖아."

서한은 미간을 일그러뜨렸다.

"혜주가…… 아니라니?"

마치 믿을 수 없는 말을 들은 것처럼, 그는 심각해진 표정으로 고개를 갸웃 기울였다. 그리고 다시 질문을 던졌다.

"무슨 뜻이야, 그게?"

"진짜 최혜주한테라면, 최서한 씨는 그런 고백 안 했겠지. 널 사랑해서, 다른 남자와 결혼한 널 보는 게 힘들었다. 넌 몰랐겠지만, 이젠 알아야 한다. 난 너희 부부 다신 보지 않을 거다."

"……."

"CCTV에서 두 사람, 이미 아는 사이였어. 서로 어떤 마음인지, 절대 모를 리가 없겠던데. 그런데도 내 앞에선 전혀 몰랐던 사람처럼 연기했잖아, 최서한 씨."

서한은 굳은 얼굴로 이다를 지켜보기만 했다.

"뭐, 나도 진짜인 척 연기하긴 마찬가지였으니까. 피차 비겼다고 생각하고 지금부터 솔직해지죠."

이다는 어깨를 으쓱해 보였다. 그리고 담담한 눈빛으로 덧붙였다.

"최혜주, 지금 어디 있어요?"

"대체……."

서한은 인상을 찌푸렸다. 답답한 듯 깊은숨을 몰아쉬며 고개를 절레절레 저었다. 그러다 그는 고갯짓을 멈추고 이다에게 시선을 고정했다.

"혜주야, 난 이런 장난 재미없어. 특히 오늘 같은 날은, 네 장난 받아 줄 기분 아니야."

진지하게 정색하는 서한의 표정에 이다는 흥미로운 듯 팔짱을 꼈다.

"연기는 참 잘하시는데 생각을 잘못하셨네."

"최혜주."

"계속 그 이름으로 불러요, 그럼. 나도 그 이름으로 살아 줄게."

"장난 그만해라."

경고하듯 말하고서 서한은 이다를 지나쳤다.

"그래, 장난이었어."

이다는 그를 잡지 않고 그저 팔짱을 계속 낀 채 말을 이었다. 최혜주의 말투로.

"내가 최혜주가 아니라니. 웃기는 장난이지."

서한은 이다의 말에 개의치 않고 문을 향해 걸어갔다. 그러다 문고리를 잡았을 때, 이다의 목소리가 이어졌다.

"근데 오빠, 그때 나한테 왜 그랬어?"

순간 서한의 몸이 멈칫 굳었다.

"결혼식 5일 전에 말이야."

이다는 몸을 돌려 서한의 등을 주시하며 말했다.

"오빠 오피스텔에서, 오빠가 나한테 마약 줬었잖아."

"……."

"물론 난 받지 않았지만. 다른 사람들은 어땠을까? 나하고 똑같은 걸 선물 받은 다른 사람들 말이야."

의미심장한 목소리에 서한이 서서히 몸을 돌렸다.

"그게 무슨 소리지?"

서한은 무표정한 얼굴로 질문을 던졌다.

"오빠가 샀던 마약. 다른 사람들한테 선물했던 거, 나 다 봤잖아. 보통 그런 걸 중간업자라고 하던가?"

"……."

"도매업자한테 물건 사서, 주위 사람에게 퍼뜨리는 거. 그 물건이 마약일 땐 불법일 텐데. 오빠가 그 짓 한 거, 검찰에선 모르겠지? 하긴 그러니까 풀려났지. 증거 불충분으로."

증거 불충분. 다섯 글자에 힘을 주며 이다는 서한을 노려봤다. 마주 보는 서한의 눈에서도 날카로운 빛이 났다.

"만약 내가 증거가 되면, 오빤 어떻게 될까?"

"넌 증거가 될 수 없어."

서한은 냉정하게 대답했다.

"난 그런 일을 한 적이 없고, 넌 그런 일을 본 적이 없어. 내가 하지 않은 일을, 네가 봤다는 건 말이 안 되지."

"말이 되는지 안 되는지, 검찰에 물어볼게."

"허위 신고는 범죄야. 해 봤자 내가 아니라 네가 처벌 받게 돼."

"오빠가 아직 날 잘 모르는구나."

이다는 미소를 지어 보였다.

"내가 공평한 걸 아주 좋아하거든? 하나 얻으려면 하나 잃어야지. 그리고 남이 하날 포기하게 하려면, 나도 하나 포기해야겠지?"

"……."

"나 최혜주야. 오빠가 마약 사던 날 같이 있던, SJ 그룹 막내딸.

어디 한번 확인해 보자. 사람들이 내가 하는 말, 어떻게 받아들일지. 오빠 아주 귀찮아질 거야. 내가 오빠 재조사 받게 하고, 세상 시끄럽게 물고 늘어질 거거든."

못 할 거 없지. 내가 서이다라는 거, 알아야 할 사람은 다 아는 상황인데. 까짓 최혜주로 난장 한번 피워 줄게.

자신하는 이다의 눈동자에 서한은 표정을 일그러뜨렸다.

"오빠 비밀 포기하게 하려면, 내 이름 하나쯤은 포기해야지. 안 그래?"

"……."

"아, 물론 내가 잃는 것보다 오빠가 잃는 게 훨씬 많겠네."

"대체 원하는 게 뭐야?"

서한은 짜증 섞인 목소리로 질문을 던졌다.

"진짜 최혜주, 만나야겠어."

이다는 여전히 미소를 띤 얼굴로 대답했다. 아무것도 두려울 게 없는 것처럼, 자신만만하게.

* * *

"그래서? 진짜 최혜주는 내일 만나는 건가?"

차를 운전하며 이다의 이야기를 듣던 찬재가 질문을 던졌다.

"정확히는 몰라. 일단 최서한이 최혜주와 상의하고, 시간 장소 정해서 나한테 연락 준다는데. 그 연락은 내일 올 거야. 내일까지 연락 없으면, 내가 무슨 짓 할지 모른다고 조언해 뒀으니까."

"조언이 아니라 협박 같은데."

"나 때문에 곤란한 일 생길까 봐, 미리 알려 준 것뿐이야. 부드럽게, 친절하게."

조수석에서 이다가 태연하게 대꾸했다. 그러자 찬재는 피식 웃었다.

"나랑 최서한이 나눈 얘긴 여기까지야. 이제 너랑 최 회장이 나눈 얘기 시작해 봐."

"이쪽은 뭐 별거 없었어."

찬재는 아무렇지 않은 투로 운을 뗐다.

"우리 아버지께서 내가 당신 따님하고 이혼하길 원하신다. 사실 둘째 형님 사건, 여론이 너무 안 좋아졌다. 형님 이렇게 편법으로 풀려나신 거, 기업 이미지에 타격이 크다."

줄줄이 이어지는 찬재의 발언에 이다는 씁쓸하게 입맛을 다셨다.

이러다 이혼이면, 1년 채울 필요도 없어지는 건가?

진짜 최혜주도 아니면서, 강찬재와 이혼이란 생각에 마음이 묘하게 쓸쓸해졌다.

"장인어른께서도 최악의 경우를 생각하시고, 미리 대비해 두시는 게 좋을 것 같다. 그렇게 말씀드렸지."

"최악의 경우, 이혼이야?"

"장인어른 입장에선 그렇지. 그게 최악이지."

찬재의 대답에 이다는 고개를 끄덕였다.

"그래, 그렇겠지."

가짜 최혜주라도 내세워서 이 결혼 성사시키려던 최 회장이니. 당연히 그렇겠지.

이다가 속으로 덧붙이고 나자, 찬재의 목소리가 이어졌다.

"내가 고집 안 부리면, 정말 이혼하게 될 판이야. 지금 SJ 이미지, 아주 개판이거든."

"알아, 나도. TV에서 드라마만 나오는 거 아니니까."

"오, 나 없을 땐 뉴스 좀 보셨나 봐?"

찬재는 의외라는 듯이 농담했다. 덕분에 이다는 피식 웃음이 났다. 그런 이다를 흘끗 확인하고, 찬재는 그녀처럼 웃는 얼굴로 다시 앞을 봤다. 그리고 또다시 질문을 던졌다.

"나 고집 안 부려도 되지?"

"좋으실 대로."

"이혼해도 괜찮겠어?"

"괜찮아. 어차피 평생 최혜주로 살 것도 아닌데. 이제 곧 최혜주 만나 상황 정리할 건데. 너하고 최혜주, 호적 정리도 해야지."

까짓 이혼, 당연히 해야지. 내 이혼도 아니고, 최혜주 이혼인데.

이다는 그렇게 생각하며 씁쓸한 마음을 떨쳐 냈다.

* * *

불청객이 떠나고 난 뒤, 서한은 비로소 제 방 침대에 몸을 눕혔다. 그는 눈을 감고 고단한 듯 깊은숨을 내쉬었다. 두 눈 사이는 절로 구겨졌다.

그런데 얼마 안 가 문밖에서 최 회장의 헛기침 소리가 났다.

젠장…….

더욱 인상을 구기는데, 문이 열리는 소리가 이어졌다. 서한은 하는 수 없이 눈을 뜨고 몸을 일으켜 앉았다. 방에 들어선 최 회장이 지그시 문을 닫았다.

"아버지."

"다른 말은 필요 없다. 내가 묻는 말에 대답이나 해라."

최 회장은 딱 잘라 말하고서 탁상 의자에 가 앉았다. 심기가 몹시 불편한 표정이었다.

"도대체 혜주하고 너, 마약으로 뭘 했던 거냐?"

최 회장의 질문에 서한은 눈을 내리뜨고 체념한 듯 한숨을 내쉬었다.

"애비까지 속일 생각 말고, 사실대로 대답해야 한다."

"예. 그래야 한다는 거, 각오하고 나왔습니다."

서한은 무거운 마음으로 고개를 끄덕였다. 그리고 간절한 눈빛으로 최 회장을 바라보며 덧붙였다.

"저도 언제까지 숨겨야 하는 일인지……. 그동안 많이 고민했었습니다. 어쩔 수 없이 가족들 속이면서, 그게 최선이라 생각했는데……. 제 판단이 틀렸나 봅니다."

최 회장은 잠자코 서한의 말에 귀를 기울였다.

"실은…… 혜주가 마약을 했습니다."

서한은 면목이 없단 듯이 고개를 숙였다.

"지난 2년 동안 제가 혜주에게 마약을 구해 줬습니다."

"대체 왜?"

"혜주가 원했어요. 자기가 먹었던 우울증 치료제에 마약 성분이 있다는 걸 알고부터. 자꾸 더 강한 약이 필요하다고, 그걸 해야 살 수 있겠다고 부탁을 했었어요. 제가 그걸…… 들어주지 말았어야 했는데."

"그렇다고 마약을 구해다 줘……?"

최 회장은 기가 막히는 듯, 비난하듯 물었다.

"처음엔 그냥 한두 번 하다 말 줄 알았습니다. 그런데……."

"한두 번 하다 말 수 있는 거면, 그게 왜 불법이겠어?"

"……."

"도대체가……. 네가 그런 멍청한 짓을 했다니……!"

"정말 면목이 없습니다, 아버지."

최 회장은 낭패감에 마른세수를 했다. 서한은 슬그머니 고개를 들고 그를 관찰했다. 이윽고 최 회장은 얼굴에서 손을 내렸다. 그의 얼굴에서 여전히 낭패감은 씻기지 않은 채였다.

"그럼 CCTV에 혜주하고 찍힌 그날, 네가 마지막으로 마약을 샀다던 그날. 그때도 혜주 혼자 마약을 했던 게냐?"

"예."

"혜주 결혼식, 5일 전에 말이지?"

"아마 그럴 겁니다."

"그럼……."

최 회장은 인상을 쓰고 서한을 뚫어지게 봤다. 그의 속까지 꿰뚫어 보고 싶은 것처럼. 그렇게 시선을 고정한 채 최 회장은 말을 이었다.

"네가 혜주 빼돌려 둔 게냐?"

서한은 잠시 주저하다 고개를 끄덕였다.

"결혼 전에 마지막으로, 이번이 정말 마지막이라고, 혜주가 약속했었어요. 그래서 혜주하고 오피스텔에서 만났는데……."

끔찍한 기억을 되살려 보듯, 서한은 괴로운 표정으로 고개를 저었다.

"그날 너무 피곤해서……. 거실에 혜주 혼자 내버려 둔 게 잘못이었어요. 방에서 깜빡 잠이 들었다가 나왔더니……. 혜주가 이상했어요."

"이상하다니? 뭐가 어떻게 이상했단 소리냐?"

"쓰러져서 정신도 못 차리고, 숨도……. 숨도 못 쉬고 있었습니다."

"숨을 못 쉬어?"

최 회장은 심각해진 얼굴로 벌떡 자리에서 일어났다.

"설마……. 설마……?"

설마 죽은 거냐고. 최 회장은 차마 입 밖으로 뱉지 못할 말을 눈으로 하고 있었다. 그를 본 서한은 다급히 고개를 내저었다.

"바로 병원으로 옮겼는데. 다행히 생명에는 지장이 없었습니다. 몸에 마비가 와서, 자가 호흡이 불가능한 상태였다고……. 제가 잠든 사이에, 너무 여러 가지 마약을 함부로 섞어 쓴 게 문제가 된 겁니다."

"그럼, 살아는 있단 얘기지?"

"예."

최 회장은 안도의 한숨을 쉬었다. 그리고 긴장이 풀린 다리로 비틀비틀 자리에 앉았다.

"혜주는 지금 요양 중입니다."

"도대체가……. 그런 일이 있었으면 나한테 말을 했어야지……!"

"죄송합니다……. 하지만, 혜주가 원치 않았어요. 아버지께 그런 사실을 들킨다는 게……. 그리고 결혼도……."

"그렇다고 그런 짓을 벌여? 애비까지 속이고, 혜주 빼돌리고! 그러다 혜주 결혼식 망쳤으면, 이 애비 어떻게 될지 생각이나 했어?"

"……."

"네가 회사 망칠 작정이 아니고서야, 어떻게 그런 짓을 해! 그깟 입양아 하나 때문에, 대체 얼마나 손해를 볼 뻔했냐, 이 말이야!"

"전……. 그때 아버지께서 혜주 결혼식을 어떻게든 미루실 줄 알았습니다. 혜주가 없는데, 설마 결혼식을 추진하실 줄은……."

서한은 혼란스러운 눈빛으로 최 회장의 눈을 봤다.

"아버지, 대체 그 여자는 누굽니까?"

"……."

"지금 혜주 자리에 있는 여자……. 아버지가 데려오신 거죠?"

진짜 최혜주의 행방을 아는 녀석이니, 서이다가 가짜라는 사실쯤은 처음부터 알았겠지.

어차피 속일 수 없는 사실이기에, 최 회장은 고개를 끄덕였다.

"그래."

"대체 어떻게……. 어떻게 저렇게까지 똑같을 수 있죠? 어디서 저런 여잘 찾아오신 겁니까?"

질문한 뒤 서한은 지그시 어금니를 깨물었다.

대체 그년 정체가 뭐냐고. 화가 치밀어 소리치고 싶은 마음이었지만, 지금은 꾹 참아야 했다.

지금, 아버지 앞에서는.

* * *

찬재가 샤워를 마치고 나왔을 때, 이다는 침대에 앉아 TV를 바라보고 있었다.

"만약에 말이야."

찬재는 운을 떼며 침대 위로 올라앉았다. 막 샤워를 마친 몸에서 기분 좋게 시원한 향기가 났다. 이다는 고개 돌려 찬재를 마주 봤다. 그러자 장난스러운 미소와 함께 질문이 건너왔다.

"진짜 최혜주가 나타나서 너인 척하면 어쩌지?"

"어쩌긴. 나 아닌 거 한눈에 알아채야지."

"둘이 쌍둥인데. 작정하고 연기하면, 정말 너처럼 보일 수도 있잖아?"

"자신 없어?"

이다는 의외인 듯 눈을 동그랗게 뜨고 물었다.

"난 최혜주 실물은 본 적 없으니까."

"그래서, 자신 없다고?"

"응, 자신 없어."

찬재는 당당한 눈빛으로 대답했다.

"그러니까 자신 있게 만들어 줘."

"뭐?"

"어딜 봐도 너라는 거 알 수 있게, 나 너 공부 좀 하자."

"무슨 공부?"

찬재는 슬그머니 이다의 어깨를 잡았다. 그리고 뚫어지게 눈을 바라보며 말했다.

"열심히 보고 외워 둬야겠어."

"그래, 뭐. 본다고 닳는 것도 아닌데."

이다는 대수롭지 않게 어깨를 으쓱했다. 아예 두 손바닥을 턱 밑에 받치고서 찬재의 눈앞까지 들이밀었다.

"자, 봐 봐."

"나 얼굴만 말하는 거 아니야."

"그럼?"

"속속들이, 구석구석, 온몸 다."

찬재는 하나하나 또박또박 강조하며 대답했다. 더없이 진지한 눈빛으로.

"아, 그래?"

이다는 무덤덤한 표정으로 턱 밑에서 손을 내렸다. 그리고 태연하게 잠옷 단추를 풀어 갔다. 곧장 드러나는 상반신에 찬재는 눈이 휘둥그레졌다.

"야, 너, 막, 너무 쉽게 막 벗는 거 아냐?"

"보여 달래 놓고 왜 놀라? 처음 보는 것도 아니면서."

"큰맘 먹고 100억 달랬는데 바로 주면, 너 같으면 안 놀라겠어?"

"본 거 또 보는데 무슨 큰마음씩이나."

"본 거 또 본다고, 예쁜 게 안 예쁜 거 되냐?"

"예뻐만 해. 놀라지 말고."

이다는 미소를 띤 채 바지 허리춤을 잡았다. 그러자 찬재는 얼른 몸을 움직여 그녀의 정면으로 마주 앉았다. 그리고 바지 위의 손을 잡았다.

"이건 내가 할게."

말하고서 찬재는 스르르 그녀의 바지를 내렸다.

"그리고 나 안 놀라게 하려면, 네가 적당히만 예뻐야 돼."

부드러운 손길과 덧붙임에 이다는 싱긋 웃음이 났다. 이윽고 찬재는 그녀의 발목에서 바지를 완전히 벗겨 냈다. 그리고 곧게 뻗은 맨다리에 손을 얹었다. 따뜻하게 허벅지를 감싸는 그의 체온이 감미롭게 느껴졌다.

"보기만 하지 말고."

이번에는 이다가 찬재의 손을 잡았다.

"제대로 만지면서 봐."

이다는 그의 손을 움직여 자신의 살결을 부드럽게 쓸었다.

"보는 너만 기분 좋지 말고, 나도 같이 기분 좋게."

이다의 덧붙임에 찬재는 스스로 손을 움직였다. 그러면서 씩 웃는 얼굴로 대답했다.

"좋으실 대로."

찬재는 손이 있는 곳으로 입술을 내렸다. 매끄러운 다리를 손으로 어루만지면서, 손이 지난 자리마다 입술을 맞추었다. 그러다가 왼쪽 무릎에 다다랐을 때 찬재는 입맞춤을 잠시 멈추었다. 이다는 그가 바라보는 곳을 눈으로 확인했다. 찬재는 왼쪽 무릎 위의 흉터를 바라보고 있었다.

"아, 그게 있었네."

이다는 아무렇지 않게 말을 이어 갔다.

"그거 나한테만 있는 거야. 혹시 내가 점 찍고 돌아와도, 그거 보면 나인 줄 알아. 그거 없으면 나 아닌 거고."

잠자코 듣고 있던 찬재가 흉터에 손을 댔다.

"넌 뭐 이런 것까지 예쁘냐."

감탄하는 눈빛으로 말하면서 찬재는 흉터를 매만졌다. 그러다 고개를 내려 흉터에 입을 맞췄다.

천천히 음미하듯 정성스러운 키스가 이어졌다. 이다는 그런 찬재의 머리 위로 손을 올렸다. 이윽고 입술을 뗀 찬재가 그녀와 눈을 마주쳤다. 이다는 그야말로 예뻐 죽겠다는 듯이, 애정으로 가득 찬 눈빛이었다. 거울에 비친 것처럼 그의 눈빛 역시 마찬가지였다.

더 말할 것 없이, 누가 먼저랄 것 없이 두 얼굴이 가까워졌다. 두 입술이 마주 닿을 만큼, 서로 숨이 섞일 만큼. 그리고 오래도록 떨어지지 않았다. 서로 숨이 뜨거워져, 생각이 다 녹을 때까지.

* * *

자정이 넘은 시각, 서한은 조용히 혜주의 방에 들어섰다.

오래도록 주인이 찾지 않은 방은 어둠으로 가득 차 있었다. 서한은 불도 켜지 않고 저벅저벅 방을 가로질러 침대로 다가갔다. 방 안 공기는 싸늘하게 식어 있었다.

'혜주, 쌍둥이였다.'

최 회장의 목소리를 떠올리며, 서한은 침대 곁에 우뚝 섰다.

'보육원에서 데려올 때, 쌍둥이 중 하나만 데려왔었다.'

서한은 괴로운 눈으로 빈 침대를 응시했다.

혜주가 쌍둥이였다……. 가짜 최혜주가, 혜주의 쌍둥이 자매였다…….

사실 놀라운 일은 아니었다. 그 정도로 똑같으려면 쌍둥이거나, 도플갱어일 거라고 생각했으니까.

아버지 앞에서야 대단히 놀라는 척 연기했지만, 홀로 남아서까지 그런 표정을 지을 필요는 없었다. 서한은 냉철해진 얼굴로 물끄러미 침대를 바라봤다. 그렇게 혜주의 빈자리를 직면한 채, 더는 피하지 않으려 입술을 깨물었다.

'아버지, 그럼 그때 데려왔던 아이 대신, 남겨 놨던 아이를 새로 데려왔단 얘기…… 인가요?'

'그래.'

'그럼 혜주 대신……. 그 여자가 혜주로 사는 겁니까? 앞으로, 평생?'

'그렇게 둘 생각은 없었다. 세상에 영원한 비밀은 없는 법이니까. 오래 두면 둘수록, 그 애 정체가 탄로 날 위험만 높아져. 혜주 결혼으로 얻어 낼 수 있는 최대치만 얻어 내고, 1년 뒤엔 그 결혼 조용히 마무리할 생각이었다.'

'1년……. 하지만 아버지, 만약 그 여자가 더 욕심을 부린다면……. 일이 더 위험해지지 않을까요?'

'그게 무슨 말이냐?'

'평생 혜주로 살고 싶어 한다거나…….'

'그럴 생각은 없을 게다. 그 애도 딱 1년으로 계약했고, 떠날 때 받기로 한 돈이 있으니까.'

'아니면 1년 뒤에 아버지를 협박할 수도 있지 않습니까? 자기가 혜주 대신 결혼했었단 걸, 폭로하겠다고. 두고두고 돈을 요구할 수

도 있을 텐데요.'

'설마 그런 일은……. 없길 바라야지.'

'아버지…….'

'있다 해도, 가능한 한 맞춰 줄 생각이다. 그 애 욕심이 도를 넘지만 않는다면.'

'도를 넘으면요?'

'……그런 최악의 경우는 생각하고 싶지 않구나.'

불쾌한 듯 일그러진 최 회장의 표정이 눈앞에 아른거렸다. 서한은 그 표정의 의미를 짐작할 수 있었다.

하는 수 없이, 어쩔 수 없이, 최악의 조치를 취할 것이다.

인간이 할 수 있는 최악의 선택을, 해야만 할 것이다.

회상을 마친 서한은 혜주의 침대에서 시선을 뗐다. 정면을 바라보자 침대 너머 창문이, 거기 비친 제 얼굴이 희미하게 보였다. 기억 속 최 회장의 얼굴처럼, 그의 얼굴도 일그러져 있었다.

"혜주야……. 그런 일은, 나도 하고 싶지 않다."

서한은 차가워진 시선으로 조용히 중얼거렸다.

"그러니까 네가 도와. 그런 일이 없게. 걔, 네 쌍둥이잖아."

부탁하듯 말하고서 서한은 침대로 시선을 내렸다. 혜주가 늘 베고 자던 베개에 시선이 꽂혔다. 마치 거기 혜주가 있는 것처럼.

"그 애는…… 잘 살아야지."

걱정하는 목소리와 달리, 그의 표정에는 짜증이 섞여 있었다.

* * *

다음 날 아침 이다는 세시의 옥탑방으로 향했다. 이다가 도착했을 때, 세시는 평상에 대자로 드러누워 있었다.

"왔수, 누님?"

이다를 본 세시가 능글맞게 인사를 건넸다. 미리 이다의 연락을 받았던 터라, 놀라는 기색은 전혀 없었다.

"왜 밖에서 이러고 있어?"

이다는 질문하며 세시의 곁에 걸터앉았다.

"나 원래 이 시간엔 여기 잘 이러고 있어."

"그래?"

"남들 출근할 때 퍼질러 자는 맛에, 아침 햇살 조미료 좀 치는 거지."

세시는 기분 좋게 웃는 얼굴로 늘어지게 기지개를 켰다.

"그 출근하는 남들 중에 내가 있었지."

"있었지, 있었다마다. 네가 제일 자주 있었지. 아주 연중무휴로 매일 있었지."

"어디 나도 맛 좀 봐야겠네."

이다는 훌쩍 평상으로 몸을 눕혔다. 마주 보게 된 하늘이 눈부시게 맑았다.

"야, 너는 재벌 집 테라스에 선베드 깔고 누워야지. 뭘 여기서 저렴하게 조미료 맛을 보겠대."

"거기라고 더 좋은 맛 나는 거 아냐."

"아니긴. 뭐든 비싸고 좋은 재료 쓰면 좋은 맛 나는 게 진리고만. 거기 비싼 집에 좋은 가구에, 모로 봐도 여기보단 백배 나은데. 아, 당연히 거기 맛이 더 좋지, 인마."

"거긴 네가 없잖아."

"아아!"

세시는 손뼉을 치며 반색했다.

"그렇지, 내가 없지. 하긴 세상에 제비집만큼 귀한 재료가 또 어디 있냐?"

"그래, 귀한 김세시야."

이다의 부름에 세시는 고개 돌려 그녀를 쳐다봤다.

"나 지금 네가 필요하다."

"왜? 무슨 일 있어?"

"네가 내 얘기 들어 주면, 기분이 좀 나아질 것 같아."

이다는 눈을 내리뜬 채 허심탄회하게 대답했다. 그러자 세시는 아예 그녀를 향해 몸을 돌렸다.

"좀 아니라, 완전 나아질걸?"

장담하는 세시를 향해 이다도 몸을 돌렸다.

"정말 그렇게 되나, 확인해 볼까?"

반문한 뒤 이다는 피식 웃었다.

이다는 긴 이야기를 마치고서 세시의 얼굴을 봤다. 세시는 어느새 일어나 앉은 채로 미간을 마구 찡그리고 있었다.

"뭐야, 그럼 최혜주랑 최서한, 둘이 서로 사랑하는 사이였어? 그래서 최서한이 최혜주 숨겨 주고, 결혼 파투 내려 했던 건가?"

"아직 어느 쪽도 확실치는 않아."

이다는 대답하며 몸을 일으켜 앉았다.

"최혜주를 직접 만나 봐야, 뭐가 뭔지 확실히 알 수 있겠지."

덧붙이는 이다의 표정이 어째 어두웠다.

"왜? 최혜주 만나려니까, 기분 이상해?"

"이상해. 그리고 속상해."

이다의 대답에 세시는 고개를 갸웃거렸다.

"이상한 건 알겠는데, 속은 왜 상해?"

이다는 잠시 생각하다 입을 열었다.

"그 애가 잘 살고 있었으면, 날 만날 일이 있었을까?"

"……."

"아마 없었겠지. 자기가 쌍둥이인 것도 모르고, 알 필요도 없이, 그냥 계속 잘 살아갔겠지."

세시는 잠자코 이다의 말에 귀를 기울였다.

"마약에 손도 안 대고, 자기 결혼식에 자기가 입장하고. 그렇게 최혜주로 잘 살았으면 좋았잖아. 나 만날 일 없이, 행복하게."

"이제 너 만나서, 행복해지려고 그러나 보지."

"뭐?"

"지난 일은 생각해서 뭐하냐? 앞으로 좋은 게 좋은 거지."

세시는 이다의 어깨에 팔을 얹어 어깨동무를 했다. 그리고 찡긋 윙크를 건넸다.

"앞으로 어떻게 좋아지게 할지. 지금은 그 생각을 해야 할 때 아니냐?"

세시의 덧붙임에 이다는 살짝 미소를 띠었다.

"그래, 그러네. 네 말이 맞네."

"원래 제비 말을 잘 들으면, 자다가도 박씨가 생기는 법이야."

세시는 우쭐한 표정으로 보란 듯이 턱을 치켜들고 말했다. 그 모습에 이다는 한결 더 밝은 미소를 지었다.

"자! 이제 지나간 일 생각 말고, 지금 할 일 생각해 보자."

세시는 격려하듯 이다의 어깨를 탁탁 다독였다.

"지금 할 일……. 일단 최혜주를 만나야지."

"그거 최서한이 오작교 놔 줘야만 가능한 일이야?"

"그런 셈이지. 최혜주가 어디 있는지는 최서한만 아니까."

"난 그 인간 좀 거시기한데……."

세시는 찜찜한 얼굴로 중얼거렸다.

"말로만 들으면 좀 거시기하지? 실제로 겪으면 더 거시기해."

"그치? 너도 거시기하지? 아니, 진짜 최혜주 어디 있는지 뻔히 알면, 네가 가짜란 거 처음부터 뻔히 알았을 텐데. 완전 감쪽같이 속인 거잖아, 전혀 모르는 척, 너한테 속아 주는 척."

"근데 피차일반이긴 해. 나도 진짜 최혜주인 척 최서한 속이고 있었으니까. 그 인간 입장에선 내가 거시기한 인간일걸."

"그런가……. 거시기들끼리의 만남인가……."

"서로 쉽지 않은 상대 만난 거지."

이다는 가볍게 어깨를 으쓱했다.

"근데 그놈이 더 거시기해. 넌 네가 가짜인 거 털어놨는데, 그놈은 끝까지 잡아떼려 했었잖아. 네가 가짜인지 전혀 몰랐던 척하면서."

"진짜 최혜주가 어디 있는지, 최서한은 철저히 숨기고 싶었던 것 같아. 내가 가짜란 걸 전혀 몰랐던 척하면, 그게 가능하잖아."

"둘이 사랑하는 사이라서 그렇게까지 숨겨 주는 거면, 눈물겨운 순애보네. 아주 세기의 사랑이다, 세기의 사랑. 근데 세기의 사랑으로도 극복 안 되는 게, 재벌가 정략결혼인가? 그냥 둘이 살림 차리고 배 째면 될 것을. 뭘 굳이 도망가고 숨겨 주고."

"정말 그런 걸까……."

이다는 뭔가 마음에 걸리는 듯 미간을 찌푸렸다.

"그런 거면 다행인데……."

조용히 혼잣말을 덧붙이는데, 주머니에서 휴대 전화가 울렸다. 이다는 말을 멈추고 주머니에 손을 넣었다.

기다리던 최혜주의 연락일까?

짐작하며 이다는 휴대 전화를 꺼내 액정 화면을 확인했다.

* * *

똑똑, 문을 두드리는 소리에 찬재는 고개를 들었다. 사무실 문이 열리고 태건이 안으로 들어섰다.

"이사님, 손님이 와 계신데요."

"손님?"

"예, SJ 그룹……."

"많이 바쁜가, 매제?"

태건의 말이 채 끝나기 전, 서한의 목소리가 들려왔다. 이어 태건의 등 뒤에서 서한이 걸어 들어왔다.

“아, 형님 오셨습니까?”

찬재는 책상에서 몸을 일으켰다. 그리고 읽고 있던 서류 파일을 덮었다. 서한은 책상을 사이에 두고 찬재의 앞에 마주 섰다.

“매제하고 둘이서 할 얘기가 있어서 말이야. 실례인 거 뻔히 알면서, 이렇게 불쑥 찾아오게 됐어. 미안해.”

서한은 천연덕스럽게 미소를 띠며 사과를 전했다. 여느 때와 다름없는 정갈한 모습으로, 차분한 목소리로. 그런 서한의 앞에서 찬재 역시도 평소처럼 시원스레 미소를 지어 보였다.

* * *

이 타이밍에 윤 비서의 연락이라…….

이다는 잠시 휴대 전화 액정 화면을 지켜보다 전화를 받았다. 그러자 수화기 너머에서 윤 비서의 목소리가 들려왔다.

[저, 회장님께서 찾으십니다.]

조심스러우면서도 일면 사무적인 말투였다.

“무슨 일이죠?”

질문하는 이다의 옆에서 세시가 수화기를 향해 귀를 바짝 들이댔다.

[직접 만나서 할 얘기가 있으시답니다.]

“지금요?”

[예. 계신 곳이 어딘지 말씀해 주시면, 제가 데리러 가겠습니다.]

“아니요. 회장님이 이쪽으로 오시는 게 좋을 것 같은데요.”

이다는 초연하게 대꾸했다. 그러자 세시가 이다의 눈앞으로 엄지를 척 들어 보였다.

[아, 그건…….]

"저도 회장님 댁에 몇 번 갔었는데. 회장님도 한 번쯤은 저희 집에 오셔야죠."

[집이라면……. 펜트하우스 말입니까? 거기 회장님이 방문하시면, 강 이사님 귀에 바로 들어갈 텐데요…….]

"아니요. 거기 말고, 서이다가 살던 집이요."

이다는 무심한 표정으로 대답했다.

[예? 설마 그……. 그 옥탑방이요?]

"예. 그 옥탑방이요."

[아니, 어떻게 그, 그런 데로 회장님을…….]

"오세요."

[서이다 씨…….]

윤 비서는 곤란한 듯 말끝을 흐렸다. 그러나 이다는 물러서 줄 수 없었다.

"여기 아니면 어디서도, 회장님하고 얘기할 일 없을 거예요."

이다는 딱 잘라 말하고서 전화를 끊었다.

"와우."

옆에서 세시가 두 손으로 엄지를 들어 보였다.

"대체 무슨 일이지……?"

이다는 휴대 전화를 바라보며 중얼거렸다.

"무슨 일이긴, 구린 일이지. 최 회장이 CCTV 내용 다 아는데. 자기 아들한테 확인 안 해 봤겠냐? 최서한, 최 회장. 둘이 뭔가 얘길 했겠지. 그래 놓고 너한테 할 얘기가 있다? 그거 얘기 아닐걸? 행동일걸? 야, 너 절대 걔네가 오라는 데로 가지 마라. 너 불러다 뭔 짓 할지 누가 알아?"

"그러니까 이리 오라고 한 거야."

세시의 신신당부에 이다는 고개를 끄덕이며 대꾸했다. 그때, 다시 이다의 휴대 전화가 울렸다.

찬재의 전화였다.

레스토랑 화장실의 세면대 앞에 선 채, 찬재는 휴대 전화로 통화를 시작했다.

"어디야?"

[밖에 나와 있어. 안 그래도 할 말 있었는데. 전화 잘했어.]

수화기 너머 이다의 대답에 찬재는 빙긋 웃음이 났다.

"무슨 할 말인데?"

[최 회장이 지금 만나자고 해서. 만날 생각이야.]

거울 속 찬재의 얼굴에서 웃음기가 사라졌다.

"설마 지금, 너 혼자서 만날 생각이야?"

[그건 아니니까 걱정 마.]

[형님! 걱정 놓으십쇼!]

끼어드는 세시의 목소리에 찬재의 얼굴이 확 구겨졌다.

"뭐냐, 너 지금 그 제비랑 있냐?"

[예! 저 그 제비입니다! 제가 옆에 딱! 지키고 있겠습니다요!]

"아, 왜 하필 그 자식이야!"

찬재는 저도 모르게 욱하고 언성을 높였다.

[너는 지금 근무 시간이잖아. 네가 못 올 상황이니까, 얘가 있어 주는 거지.]

"걔 말고, 다른 사람 없어?! 누구 딴 사람 좀 불러!"

[너 빼고 얘밖에 없어. 이 상황에 내가 믿을 사람.]

이다는 타이르듯 침착하게 대꾸했다. 찬재는 눈을 감고 후우, 깊은숨을 내쉬었다.

"그래, 내가 못 갈 상황이면 그 제비라도 있는 편이 낫겠지."

찬재는 고개를 끄덕이며 체념 조로 말했다. 그러다 눈을 뜨고 정면을 바라보며 덧붙였다.

"내가 웬만하면 갈 텐데 지금은 못 갈 상황이니까. 열은 받지만, 어쩔 수 없지."

[근무 중에 오긴 어딜 와. 일할 때는 일에 집중해야지.]

"일 때문이 아니라, 최서한 때문이야."

[뭐?]

"지금 최서한이 와 있거든. 나한테 할 말 있다고."

[최서한이, 너한테?]

"갑자기 찾아와서, 일단 조용히 얘기할 만한 장소로 안내해 뒀어. 너한테는 연락하지 말라던데. 이 와중에 최 회장은 널 만나러 간다? 이거 이상하네."

[뭐지……. 최 회장하고 최서한, 합동 작전인가?]

어려운 문제를 마주한 채 찬재는 눈살을 찌푸렸다.

"그럴 수도 있겠지만, 아닐 수도 있겠지. 일단 양쪽 얘길 다 들어 보는 수밖에."

[맞아. 지금은 그 수밖에 없겠네.]

"아, 젠장……. 그러니까 지금은, 그 제비랑 꼭 붙어 있어."
찬재는 싫어 죽겠는 표정으로 당부했다.
싫어도 하는 수 없다, 마음을 내려놓은 줄 알았는데. 거울에 비친 미간은 짜증으로 잔뜩 일그러져 있었다.

전화를 끊은 찬재는 레스토랑의 밀실로 돌아갔다. 그가 문을 열었을 때, 서한은 자리에 앉아 그를 기다리고 있었다.
"기다리게 해서 죄송합니다, 형님."
찬재는 멋쩍은 표정으로 사과하며 서한의 맞은편에 앉았다. 서한은 힘없이 옅은 미소를 띠어 보였다.
대체 저 얼굴을 하고, 머릿속으로는 무슨 생각을 하고 있으려나?
찬재는 느긋한 눈빛으로 서한을 바라보며 의문했다.
"일단 식사부터 하실까요? 아니면 얘기부터?"
찬재의 질문에 서한은 고개를 내저었다.
"식사는 어려울 것 같아."
"아……. 그러십니까?"
찬재가 아쉬운 투로 반응하는데, 노크 소리가 났다. 곧이어 밀실 문이 열리고 메뉴판을 든 직원이 나타났다.
"D 코스로 둘."
찬재는 직원을 향해 말했다. 서한이 뜻밖이란 표정을 짓는 찰나 찬재는 주문을 덧붙였다.
"먹은 걸로 칠 테니까. 요리는 준비할 필요 없습니다."
"예?"

"다른 사람 방해 안 받고, 둘이서만 얘기할 데가 필요해서 그럽니다. 자릿세다 생각하고, 바깥 카운터에 계산서만 준비해 줘요. 안에는 아무것도 들이지 말고."

"아……. 네, 알겠습니다."

직원은 고개를 끄덕인 다음 문밖으로 물러났다. 직원이 문을 닫고 떠나자 찬재는 서한에게로 시선을 돌렸다.

"이제 편히 얘기하시죠, 형님."

찬재의 권유에 서한은 흘끗 문을 응시했다. 문은 꼭 닫혀 있었다. 잠시 후 서한은 조용히 몸을 일으켰다.

"아니, 왜……."

찬재가 의아한 눈으로 서한을 올려다봤다. 서한은 테이블 옆으로 발을 옮겼다. 그리고 찬재를 마주한 채 서서히 무릎을 꿇었다. 얼마 안 가 두 무릎이 바닥에 닿았다.

"미안해."

서한은 고개 숙여 사과했다. 그 모습에 찬재는 눈을 커다랗게 떴다.

"형님, 갑자기 이게 무슨……?"

"매제한테, 아니, 강찬재 씨한테 내가 정말 용서 받지 못할 짓을 했어."

"……."

"나하고 혜주, 서로 사랑하는 사이야."

찬재는 눈살을 찌푸렸다.

"결혼 전부터……. 이미 그런 사이였어. 그래서 혜주, 결혼하게 둘 수 없었어."

"……."

"혜주도 도망치고 싶어 했고, 난 혜주가 불행하게 사는 모습을 보고 싶지 않았어."

서한은 괴로운 목소리였다. 그러나 찬재는 동요하지 않고 차분하게 입을 열었다.

"대체 그런 얘길 지금 왜 하는 겁니까?"

찬재의 질문에 서한은 서서히 고개를 들었다. 그리고 미안한 눈빛으로 찬재의 눈을 바라봤다.

"두 사람은 사랑하는 사이니까, 빨리 이혼이라도 해 달라는 얘깁니까?"

찬재가 질문을 덧붙이자 서한은 고개를 저었다.

"혜주는, 결혼하지 않았어."

의미심장한 대답에 찬재는 미간을 좁혔다.

"진짜 혜주는……. 결혼 전에 도망쳤어."

그래. 진짜 최혜주는 도망쳤지.

뻔히 아는 사실이지만, 찬재는 처음 듣는 얘기인 양 믿을 수 없단 표정을 지었다.

"혜주 결혼식엔……. 혜주하고 똑같이 생긴, 가짜가 참석했지."

"가짜……?"

"그때부터 지금까지, 강찬재의 아내인 척 살고 있는 여자. 실은 가짜야. 진짜 최혜주가 아닌, 가짜 최혜주."

서한은 고백하며 괴로운 듯 눈썹을 일그러뜨렸다. 그를 보는 찬재의 표정은 심각해졌다.

* * *

최 회장을 모시고 온 윤 비서는 자연스레 옥탑방 바깥에 대기했다. 얘기 중에 다른 사람들이 들이닥칠지도 모를 일이라서, 이다는 세시에게 현관 바깥을 지키도록 했다.

그렇게 세시와 윤 비서를 밖에 두고, 이다는 최 회장을 옥탑방 안으로 안내했다. 최 회장은 인상을 구긴 채 옥탑방 거실에 들어섰다. 그의 앞에서 이다는 신발을 벗고 거실로 걸어갔다.

"앉으세요."

이다는 거실 바닥을 가리킨 뒤 먼저 자리에 앉았다. 그러나 최 회장은 다리를 꿈쩍도 하지 않고 입만 열었다.

"그만하고, 여기서 접도록 해라."

이다는 가만히 최 회장의 눈을 지켜봤다. 이윽고 최 회장이 다시 입을 열었다.

"혜주하고 강 이사, 이제 이혼 수속 밟게 될 거다. 넌 더 이상 혜주인 척할 것 없고, 네가 받을 돈만 받고 떠나면 돼."

"강 회장님이 결국 이혼을 결정하신 모양이네요."

"그래. 그쪽에서 이 결혼, 끝내고 싶어 한다."

"최 회장님도 이 결혼, 끝내고 싶으신가요?"

이다는 무덤덤한 태도로 의문을 제기했다. 최 회장은 침묵했다.

"가뜩이나 아드님 일로 회사 상황 곤란하다 들었는데. 태강 그룹 사돈 자리마저 잃는 거, 괜찮습니까?"

"괜찮지 않아도, 하는 수 없는 일이지."

"괜찮지 않다면, 이 결혼 끝내지 않게 해 드리죠."

이다는 태연하게 눈을 보며 장담했다.

"뭐?"

"최 회장님은 괜찮지 않지만, 강 회장님이 끝내고 싶은 거라면. 제가 강 회장님 생각 바꿔 놓겠다는 얘기예요."

최 회장은 불쾌한 듯 오만상을 찌푸렸다.

"네까짓 게 무슨 수로……."

"될지 안 될지는 두고 보면 알 텐데요."

"쓸데없는 생각 말고, 그냥 조용히 떠나기나 해라."

최 회장의 강경한 태도에 이다는 씩 미소를 지었다.

"가짜 최혜주 내세울 만큼 중요한 결혼이었는데. 이젠 그리 중요하지 않은가 봐요. 강 회장님 생각 바꿀 노력조차 없이, 그냥 이혼이라니."

"……."

"결혼 유지할 방법이 있다 해도, 쓸 생각이 없는 거죠.

"……."

"바로 최 회장님 본인이 이 결혼 깨고 싶은 모양인데. 그럼 강 회장님 핑계는 빼고 얘기하죠."

최 회장은 탐탁지 않은 얼굴로 헛기침을 했다.

"뭐, 이해할 수 있습니다. 뭔가 더 중요한 게 생기면 덜 중요한 걸 포기하기 마련이니까. 아마 최 회장님은 이 결혼을 유지하는 것보다, 제가 조용히 떠나는 게 더 중요해졌겠죠. 어떤 이유에서건."

"긴말할 거 없다. 1년 계약 다 채우지도 않고 10억 챙기는데. 그냥 감사하고 떠날 것이지. 왜 이렇게 말이 많아?"

"10억 줘도 안 떠날 거니까요."

"뭐야?"

최 회장은 험악해진 얼굴로 언성을 높였다. 그러나 이다는 눈도 깜짝 않고 담담하게 그를 마주 봤다.

"난 최혜주부터 만나야겠어요. 최혜주 만나기 전엔, 10억 아니라 100억 줘도 안 떠날 겁니다."

* * *

"혜주는 원래 쌍둥이였어. 혜주 어머니가 돌아가시면서, 혜주에게 그 사실을 알려 줬지."

"설마 그 쌍둥이가, 최혜주인 척 내 아내 역할을 하고 있다, 이 얘깁니까?"

찬재는 믿기 힘든 척, 설마 하는 표정으로 질문했다. 서한은 무겁게 고개를 끄덕였다.

"그래. 내가 그 쌍둥이를 찾아내서, 부탁했어. 최혜주인 척 살아 달라고. 그러면 돈은 얼마든지 주겠다고."

"……."

"가짜 최혜주는, 그 여자 진짜 이름은 서이다야. 혜주하고 똑같이 생겼지만, 전혀 다른 삶을 살고 있었지. 천애 고아에 대학도 못 다니고, 배운 거 없이 몸으로 먹고사는 그런 인생이었어."

몸으로 먹고사는…….

부러 추한 상상력을 자극하려는 표현에 찬재는 주먹을 꽉 쥐었다. 그 주먹을 휘두르지 않으려고 인내하며, 냉정한 목소리를 냈다.

"그 여자를, 나하고 결혼시켰다?"

"미안해, 정말……. 하지만 그땐 그게 모두에게 최선이라 생각했었어."

"날 속이는 게, 최선이었다고요?"

"사실 강 이사한테 필요한 건, 진짜 최혜주가 아니잖아. 최혜주와의 결혼이 가져다주는, 사업적 이익이지."

서한은 호소하는 눈빛으로 대답했다.

그야 그랬지…….

찬재는 속으로 생각했다.

"그런데 그 결혼식에, 신부가 나타나지 않았다고 생각해 봐. 그랬다면……. 누구보다 강 이사 입장이 우스워지지 않았겠어?"

"……."

"그래서……. 그래서 가짜 최혜주를 구한 거야. 어차피 남들 보여 주기 위한 결혼이니까. 아예 결혼이 취소되느니, 그렇게라도 유지되는 게 강 이사에게도 좋으니까."

"그러니까 감사라도 하란 겁니까?"

찬재는 비꼬듯이 차갑게 물었다. 그러자 서한은 고개를 푹 떨구었다.

"미안해. 몇 번을 말해도 소용없겠지만. 정말 미안하게 됐어."

"이제 와서 이런 얘길 털어놓는 이유는 또 뭡니까?"

"그건……."

서한은 잠시 뜸을 들였다가 다시 말을 이어 갔다.

"강 이사도 알다시피, 이제 두 사람 결혼은 강 이사에게 득이 될 게 없어. 아니, 오히려 짐이지. 그래서 강 회장님도 이혼……. 고려하고 계신 거겠지. 우리 집안에선 강 회장님 의견 받아들일 생각이야. 우리도 염치가 있으니까……. 강 이사와 최혜주는 이혼하고, 대신 이혼의 모든 책임은 우리 쪽에서 지기로 했어. 두 회사가 협력해서 추진하던 모든 사업도, 태강이 단독으로 진행할 수 있게 물심양면으로 지원할 계획이야."

서한은 넌지시 고개를 들어 찬재와 눈을 마주쳤다.

"강 이사도 이혼, 원하는 거지?"

"물론 그렇기야 합니다만."

찬재는 입맛이 쓴 표정으로 무뚝뚝하게 대답했다.

"그런데 문제가 생겼어."

서한은 난처한 얼굴로 말했다.

"문제?"

"가짜 최혜주가 이혼을 원치 않아."

무슨 개소리야, 이게…….

찬재는 입을 꾹 다물고 다음 말을 기다렸다.

"태강 그룹 며느리 자리, 절대 물러날 수 없단 거야. 이제 SJ 그룹에서 뜯어낼 수 있는 것보다, 태강에서 누릴 수 있는 게 훨씬 많을 테니까. 강 이사 옆자리, 어떻게든 차지하고 살겠다고 말이야."

서한은 진저리가 난다는 듯 고개를 절레절레 저었다.

"아무리 말려도 듣질 않아……. 오히려 날 협박하고 있어. 강 이사 이혼 막으라고. 못 막으면 나하고 혜주 비밀, 다 폭로하겠다고."

찬재는 헛웃음을 쳤다.

"그러니까 가짜 최혜주랑 이혼하지 말아 달라. 그래야 당신네들이 비밀 지키면서 살 수 있다. 나한테 그따위 부탁이나 하러 왔습니까?"

"아니. 더는 그 여자한테 휘둘리지 않으려고, 강 이사한테 먼저 자백하는 거야."

서한은 절박하게 찬재를 바라보며 덧붙여 갔다.

"나하고 혜주 때문에, 강 이사 이혼 막는 짓은 절대 안 해. 지금까지 속인 것도 미안해서 미칠 지경인데. 이제라도 내가 끝내야지, 이 결혼."

"잠깐, 최서한 씨."

찬재는 조용히 하라는 듯 검지를 들어 보였다. 그러자 서한은 말을 멈추었다. 찬재는 천천히 턱을 매만지며 생각에 빠져들었다. 뜨거워진 가슴과 달리 머릿속은 차가워졌다.

잠시 후, 찬재는 다시 입을 열었다.

"그 여자가 진짜 최혜주든 아니든. 난 내가 원하면 얼마든지 이혼할 수 있습니다. 이 결혼 끝내는 데 당신 도움 필요 없을 것 같은데. 굳이 당신이 참견해서, 나한테 더 이득일 게 뭐가 있을까요?"

질문을 던지고서 찬재는 냉정한 시선으로 서한을 지켜봤다.

"강 이사는 가짜 최혜주, 그 여자의 진짜 모습을 몰라."

서한은 심각한 목소리로 말했다.

"그 여자 진짜 모습 보면 알 수 있어. 없이 산 것들이 돈맛을 알면 얼마나 추해지는지. 손에 쥔 거 놓지 않으려고, 얼마나 악을 쓰는지."

"……."

"그냥 내가 처리할게. 강 이사는 신경 쓸 일 없게, 아주 깨끗이."

"처리?"

찬재는 인상을 구겼다.

"강 이사는 모르는 척하고만 있어. 그 여자를 진짜 최혜주로 아는 것처럼, 딱 며칠만 참고 있어 줘. 그럼 그 여자는 강 이사 앞에 얼씬도 못 하게 될 거야. 그 여자가 누구한테 어떤 말을 떠들어도, 아무도 믿어 주지 않을 거고."

"……."

"사람들은 혜주에게 치명적인 문제가 있었다고 믿게 될 거야. 도저히 강 이사의 노력으로 극복할 수 없는 문제가 있었다고. 두 사람 이혼, 전부 혜주 잘못이라고."

서한은 약속하듯 힘주어 말했다.

"내 식대로 계산기 한번 돌려 보죠."

찬재는 무표정한 얼굴로 서한을 응시하며 팔짱을 꼈다.

"결혼으로 발생했던 사업적 이익은, 이혼 시 태강이 전부 가진다. 이혼으로 발생하는 개인적 손해는 모두 최혜주가 진다. 결론, 잃을 건 없고, 가질 건 많다."

서한은 절박한 눈으로 고개를 끄덕여 보였다. 그러자 찬재는 길게 한쪽 입꼬리를 늘려 비딱한 미소를 걸쳤다.

"뭐, 좋습니다. 그럼 최서한 씨 계획대로 하죠."

"고마워. 정말, 정말 고마워, 강 이사."

눈물까지 글썽이는 서한의 모습에 찬재는 그만하라는 듯 한 손을 들어 보였다. 그리고 딱 잘라 말했다.

"인사는 됐고, 설명이나 들읍시다. 대체 어떻게 할 계획인 건지."

* * *

사무실로 돌아오는 찬재의 표정이 험악하게 구겨져 있었다. 복도에서 그를 마주친 태건은 어째 심상찮은 분위기에 그의 뒤를 따랐다.

“왜요, 왜? 최서한 씨하고 뭐 안 좋은 얘기라도 나눴습니까?”

찬재는 벌컥 사무실 문을 열고 안으로 들어갔다. 태건은 얼른 따라 들어가며 문을 꼭 닫았다.

“설마 싸우신 건 아니죠? 예?”

“싸웠다.”

찬재가 책상 곁에 우뚝 선 채 대답했다.

“예?! 아니, 웃으면서 나가시더니! 왜 싸우고 들어와요? 무슨 일로?”

“최서한 말고.”

찬재는 인상을 쓰고 목 아래 셔츠 단추를 풀었다.

“최서한 말고? 그럼 누구요?”

“그놈 패고 싶은 나 자신하고 싸웠다.”

“예?!”

당황하는 태건을 외면하고, 찬재는 후우 거친 숨을 몰아쉬었다.

‘그 여자 진짜 모습 보면 알 수 있어. 없이 산 것들이 돈맛을 알면 얼마나 추해지는지. 손에 쥔 거 놓지 않으려고, 얼마나 악을 쓰는지.’

서한의 목소리가 떠오르자 찬재는 더욱 얼굴을 구겼다. 열이 화끈 올라 소매까지 휙휙 걷어붙였다. 당장 누구라도 칠 것 같은 분위기에 태건은 흠칫 뒤로 물러섰다.

"빌어 처먹을 개자식이, 사람 빡 돌게 하네."

"……."

"누구더러 개소리야, 개새끼가!"

찬재는 벼락 치듯 버럭 큰소리를 내질렀다. 순간 움찔했다가, 태건은 황급히 몸을 돌려 문을 향해 뛰었다.

"저, 저는 이만 가 보겠습니다."

태건은 말을 채 끝내기도 전에 문밖으로 빠져나갔다. 곧이어서 문이 닫혔다. 그러거나 말거나 찬재는 주먹을 불끈 쥐고 책상 위를 힘껏 내리쳤다.

쾅, 소리가 요란하게 귓전을 때렸다.

아직 분이 안 풀리는지 찬재는 어깨가 들썩거릴 만큼 숨을 씩씩거렸다.

그러고 있는데, 주머니 속에서 휴대 전화가 울렸다. 찬재는 휴대 전화를 꺼내 발신자를 확인했다. 액정 화면에 새겨진 '내 아내'란 세 글자에 찬재는 크게 심호흡을 하며 이성을 다잡았다.

잠시 후, 그는 침착해진 표정으로 전화를 받았다.

찬재가 옥탑방 앞에 도착했을 때, 이다는 평상에 누워 있었다. 미동도 없이 눈을 감은 모습으로 보아 잠이 든 모양이었다. 그녀 옆에 앉아 있던 세시가 찬재를 발견했다.

"엇, 혀……!"

세시가 반갑게 손을 번쩍 드는데, 찬재는 험악해진 얼굴로 입술 앞에 검지를 세웠다. 조용하란 경고 같아 세시는 얼른 두 손으로 입을 틀어막았다. 그러자 찬재는 턱짓으로 옥탑방을 가리켰다. 들어가란 의미인 걸 찰떡같이 알아듣고, 세시는 후다닥 옥탑방으로 달려갔다. 세시가 사라지는 사이, 찬재는 이다에게로 다가갔다.

"이 여자는 어떤 경우에도 참……."

찬재는 이다 앞에 멈칫 서서 중얼거렸다.

"태평하게 잘도 자네."

남편 홀로 신혼여행 보내 놓고, 태연하게 잘도 자던 모습이 떠올라 찬재는 피식 웃었다.

"어디 가도 잠은 잘 자고 살 여자야."

찬재는 가볍게 평상 위로 두 무릎을 올렸다. 이다의 허리를 두 무릎 사이에 두고서. 그리고 이다의 어깨 위로 손을 내렸다.

홀로 신혼여행에서 돌아왔던 그날, 자고 있던 이다를 마주했을 때. 딱 그때처럼 자세를 갖추고서 찬재는 이다를 빤히 내려다봤다.

"예쁘게도 잔다."

찬재는 감탄하는 시선으로 바라보다 고개를 내렸다. 이내 이다의 뺨으로 입술을 붙였다. 서늘한 뺨의 부드러운 촉감이 사랑스럽게 느껴졌다. 촉촉 닿는 입술의 온기에 이다는 스르르 눈을 떴다.

"……왔네."

이다의 목소리에 찬재는 입술을 떼고 눈을 마주했다.

"왜 그러고 있어?"

이다는 잠이 덜 깬 몽롱한 눈빛으로 물었다.

"나 그렇게 혼자 두고, 두 다리 뻗고 자게 둘 줄 알아?"

찬재는 의미심장한 시선으로 되물었다.

"뭐지, 이 기시감은……."

어째 전에도 겪어 본 듯한 상황에 이다는 물끄러미 찬재를 바라봤다. 그러다 잠시 만에 빙그레 미소를 지었다.

"그럼 같이 자."

"뭐?"

이다는 손을 뻗어 찬재의 목덜미를 감싸 잡았다.

"너도나도 두 다리 뻗고 같이 자자고."

대답한 뒤 이다가 손을 끌어당겼다. 제 입술에 찬재의 입술이 닿도록. 그러자 찬재는 슬그머니 이다의 머리를 붙잡았다. 그리고 포개어진 입술을 움직였다. 함께 움직이는 두 입술 사이에서 저릿저릿 달콤한 맛이 났다. 한참을 맛보다가 찬재는 잠시 입술을 뗐다.

"좋아. 같이 자."

찬재는 쪽 소리가 나게 살짝 입술을 맞췄다가 떨어졌다. 그리고 눈을 마주한 채 한 손으로 이다의 얼굴을 어루만졌다.

"여기 말고, 우리 집, 우리 침대에서."

찬재의 덧붙임에 이다는 선뜻 고개를 끄덕였다.

"그래, 그럼."

말 끝나기 무섭게 이다가 몸을 일으키려 했다. 찬재는 자연스레 일어나며 그녀를 부축했다. 두 사람 다 평상 바깥으로 일어섰을 때, 찬재는 옥탑방으로 시선을 옮겼다.

"여기가 네가 살던 집이……."

여기가 네가 살던 집이냐고, 그렇게 물을 참이었는데. 찬재는 말을 멈췄다. 빼꼼 열린 문틈으로 이쪽을 훔쳐보고 있는 세시 때문에.

"여기가 너랑 그 제비가 살던 집이지……."

찬재는 잔뜩 미간을 좁힌 채 문틈을 쏘아보며 뇌까렸다. 그러자 세시는 흠칫 놀라 덜컥 문을 닫았다. 문소리가 나자 이다는 그쪽으로 시선을 돌렸다. 그렇게 찬재와 같은 곳을 바라보게 된 채 입을 열었다.

"그래서, 싫어?"

"싫을 게 뭐가 있는지, 가서 한번 봐야겠어."

"좋으실 대로."

전혀 거리낄 것 없다는 듯 이다는 가볍게 어깨를 으쓱했다. 그리고 선뜻 옥탑방을 향해 발걸음을 옮겼다.

* * *

찬재가 이다의 뒤를 따라 옥탑방에 들어섰을 때, 세시는 거실 겸 주방의 싱크대 앞에 서 있었다. 그는 싱크대 위에 머그잔 두 개를 올려놓은 채, 믹스 커피를 뜯던 참이었다.

"어라, 형님!"

찬재를 본 세시는 눈을 크게 뜨고 반색했다.

"제가 형님 드릴 커피 타고 있는 건 또 어찌 아셨대? 아유, 잘 오셨어요."

훔쳐보다 걸린 일은 아예 기억에 없는 양, 세시는 해맑고 싹싹하게 눈웃음을 쳤다.

"그 커피, 아이스로 되나?"

찬재는 무뚝뚝한 얼굴로 머그잔을 응시하며 질문했다.

"Of course! Sure! Why not? 전요, 형님이 원하시면 아이스 핫 커피도 타 드릴 수 있습니다요."

"핫은 빼고 그냥 아이스로 해. 너 보니까 열 뻗쳐서, 핫 추가는 필요 없어."

"옙!"

세시는 흔쾌히 대답하고서 이다에게로 시선을 옮겼다.

"너도 아이스?"

"아무거나. 너 편할 대로."

대답하며 이다는 신발을 벗었다. 찬재는 그녀의 옆에서 함께 신발을 벗고, 그녀와 나란히 거실로 발을 옮겼다.

"여기서 둘이 살았다고?"

찬재는 좁은 거실을 둘러보며 물었다.

"그랬지. 저기가 세시 방, 여기가 내 방. 그리고 저긴 화장실."

이다는 손으로 방을 가리켜 가며 간단하게 안내했다.

"네 방, 들어가 봐도 돼?"

"좋으실 대로."

시원스레 대답한 이다가 성큼 자신의 방으로 걸어갔다. 찬재는 그녀를 따라 이동했다. 몇 걸음도 가지 않아 두 사람은 방에 다다랐다.

"커피는 방에 갖다 드릴게요오."

방 바깥에서 세시가 콧소리 가득한 목소리를 냈다. 이다는 세시를 향해 손으로 OK 사인을 만들어 보였다. 그사이 찬재는 방 안으로 더 깊숙이 발을 옮겼다. 그러나 고작 몇 걸음 만에 발을 멈추었다. 방은 거기까지가 전부였다.

우리 집 침대도 이것보단 넓겠는데…….

생각하는 찬재의 곁으로 이다가 다가섰다.

"뭐 딱히 볼만한 건 없어."

"잠은 여기서 잤어?"

찬재는 바닥의 대부분을 차지하고 있는 매트리스를 가리켰다.

"응."

이다가 대답하자마자 찬재는 매트리스에 털썩 앉았다. 그러더니 금세 몸을 벌렁 눕혔다.

"뭐 하는 거야?"

"네가 쓰던 침대에 등 도장 찍으려고."

찬재는 세상 다 가진 듯 미소를 띠고 답했다. 이다는 그런 그를 신기하게 바라봤다.

"누가 보면 달나라에 발 도장 처음 찍은 사람인 줄 알겠어."

"달나라에 발 도장 찍는 것보다 여기 등 도장 찍는 게 훨씬 감격적인 일이야. 여긴 네 허락이 있어야만 들어올 수 있는 거니까."

"그래?"

이다는 찬재의 곁에 걸터앉았다.

"내 침대에 등 도장 찍는 것보다 더 좋은 도장도 있지."

장담하고서 이다는 찬재의 이마 위로 입술을 꾹 눌러 붙였다. 잠시 후 입술을 뗀 이다가 다시 찬재와 눈을 마주했다.

"아……. 아주 온몸으로 도장 찍고 싶어지네."

"어디에다?"

"온몸에다."

찬재는 녹일 듯이 열렬한 눈빛으로 대답했다. 누구의 온몸에다를 뜻하는 건지, 설명은 필요 없었다.

"나도."

이다는 거울처럼 그의 눈빛과 똑같아진 눈빛으로 말했다. 그리고 또 그를 향해 고개를 내렸다. 이번에는 찬재의 입술로 입술이 닿았다. 그런데 갑자기, 옥탑방 현관에서 문을 두드리는 소리가 났다.

"어라? 누구세요?"

방 밖에서 세시의 목소리도 들려왔다. 순간 이다는 입술을 떼어내고 고개를 돌렸다. 그러자 방 앞을 스쳐 가는 세시가 보였다. 문을 열기 위해 현관으로 향하는 모양이었다.

"누구지?"

이다는 몸을 일으켰다. 찬재 역시 따라 일어났다.

"넌 여기 있어. 나오지 말고."

"왜?"

"여긴 서이다 집이잖아. 최혜주 남편이 와 있는 거, 굳이 남 보여줄 필요는 없지."

이다의 대답에 찬재는 하는 수 없단 표정으로 고개를 끄덕였다.

"다녀올게."

이다는 가볍게 어깨를 으쓱이고 문을 향해 걸어갔다.

이다가 방을 빠져나왔을 때, 현관으로 들어선 방문자는 윤 비서였다.

"윤 비서님?"

이다는 의아한 표정으로 그에게 다가갔다.

"서이다 씨……."

윤 비서는 눈물이 그렁그렁해진 눈으로 이다를 마주 봤다. 윤 비서와 이다 사이에서 세시는 이쪽저쪽 눈치를 살피느라 고개를 두리번거렸다.

"무슨 일이세요?"

"서이다 씨한테 할 말이 있어서요."

"윤 비서님이요?"

"예. 제가 개인적으로……. 마지막……. 마지……. 마지막……."

윤 비서는 울컥 목이 메어 입을 틀어막았다. 그리고 고개를 푹 떨어뜨렸다.

"윤 비서님, 울어요?"

"흐윽, 흐으으윽!"

마치 대답하는 듯한 오열이 터져 나왔다.

"우시네……."

이다는 들썩이는 윤 비서의 어깨를 바라보며 중얼거렸다. 평소라면 아니라고 부정부터 했을 텐데. 눈물은 흘릴지언정 우는 건 아니라고 우겼을 텐데. 윤 비서의 이런 반응은 뜻밖이었다.

"어라, 왜, 왜, 왜? 왜 이러시지?"

당황한 세시가 이다를 향해 물었다.

"너 잠깐 방에 가 있어."

"응? 아, 어, 어."

세시는 쪼르르 이다를 지나쳤다. 그리고 찬재가 있는 이다의 방으로 쏙 들어갔다.

이다의 방 안에서 찬재는 문 바로 옆의 벽에 팔짱을 끼고 서 있었다. 벽 하나를 사이에 둔 채, 이다의 곁에 서 있는 셈이었다. 세시는 그런 찬재와 눈을 마주치자마자 손으로 바깥을 가리켰다.

'윤 비서, 윤 비서.'

과장된 입 모양으로 고발하며 세시는 문을 닫았다. 그리고 찬재의 옆에 다가가 두 주먹을 눈 아래에 대고 우는 시늉을 해 보였다.

'엉엉, 엉엉.'

입 모양도 함께 움직였다. 열심히 바깥 동태를 알려 주는 세시건만, 찬재는 감흥 없는 눈빛으로 그를 지켜볼 뿐이었다. 그도 그럴 것이…….

"윤 비서님, 이왕 우시는 거 앉아서 편히 우세요."

벽 너머의 목소리는 선명하게 건너오고 있었다. 문을 닫았음에도 불구하고.

* * *

갓길에 차를 세워 둔 채 서한은 운전석에서 전화를 받았다. 휴대전화 수화기 너머에서 최 회장의 목소리가 들려왔다.

[어디냐?]

"잠깐 밖에 나와 있습니다."

[무슨 일로?]

"그냥……. 집에만 있기 답답해서요."

[쓸데없이 사람들 눈에 띄는 짓 하지 마라. 자숙하고 있도록 해.]

최 회장의 엄한 목소리에 서한은 인상을 찌푸렸다.
"예, 아버지."
표정과 달리 서한의 목소리는 고분고분했다.
[혼자 있는 게냐?]
"예, 혼자 있습니다. 말씀 편하게 하세요."
[오늘 그 가짜 혜주하고 만났다.]
"그러셨군요……."
서한은 면목이 없는 듯이 힘없는 목소리로 반응했다.
[그 애한테 이혼하고 떠나라고 했다.]
"말을…… 듣던가요?"
[혜주하고 만나게만 해 준다면, 그렇게 하겠다더구나.]
"……."
[어려운 일도 아니니까. 한번 만나게 해 줘라.]
기어이 혜주를 물고 늘어지시겠다?
서한은 앞을 노려보며 냉소했다.
"그럼요. 만나게 해 줘야죠. 24년 만에 찾은 핏줄인데. 한 번쯤은 만나고 떠나야죠."

* * *

앉으라는 권유를 마다한 채 윤 비서는 애써 눈물을 삼켰다. 그리고 고개 들어 이다와 눈을 마주쳤다.
"그, 그냥 인사나 나누려고 온 겁니다."

"인사요?"

"저, 사표 썼습니다."

"예?"

"이제 회장님 볼 일도, 서이다 씨 볼 일도 없을 겁니다. 그러니까 마지막……. 마지막 인사하러……. 흐윽!"

마지막이란 단어에 감정이 복받쳤는지, 윤 비서는 다시 입을 틀어막고 눈물을 쏟았다.

"그동안 마음고생 많으셨나 보네요."

이다는 위로하듯 윤 비서의 어깨를 살살 두드렸다.

"서, 서이다 씨 1년 계약 채우는 데, 이렇게까지 변수가 많을 줄은 몰랐습니다."

윤 비서는 소매로 눈물을 훔치며 하소연했다.

"결혼식 날부터 시작해서……. 제가 정말 심장이 몇 번이나 철렁거렸는지."

"하긴, 기절도 하셨었죠. 저하고 바람피운 걸로 오해 받으셨을 때."

이다의 대꾸에 윤 비서는 혀를 내둘렀다.

"서이다 씨도 보통 아닙니다만, 강찬재 씨는 더……. 아니, 아니. 그냥 둘이 똑같습니다. 둘 다 보통 아니에요."

그 보통 아닌 둘이, 지금 여기 다 있는데……. 알면 또 기절하시려나.

이다는 벽 너머의 찬재를 의식하며 목덜미를 긁적였다.

"그, 그렇다고 오해는 마십시오. 저, 서이다 씨 때문에 그만두는 건 아닙니다. 저 서이다 씨한테…… 정 많이 들었습니다. 믿기 어려우시겠지만."

"아뇨, 믿어요. 그래 보여요."

이다는 눈물 젖은 소매를 바라보며 말했다.

"근데 왜 그만두시는 거예요? 혹시 최 회장 지시인가요?"

"아, 아닙니다. 제가 선택한 겁니다. 이제 이다 씨가 혜주 씨 만나고, 이혼 수속 밟으면 계약 종료인데……. 근데 그때까지 못 버티겠어서요. 자꾸 뭔가, 또 뭔가 변수가 터질 것만 같고……. 저 아무래도, 변수 노이로제 걸린 것 같습니다."

윤 비서는 진저리를 쳤다.

"그러실 만하죠. 이해해요."

1년도 못 채운 계약 기간 동안, 무슨 놈의 변수가 그렇게 많았는지. 이다는 새삼 되새겨 보며 고개를 끄덕였다.

"아무튼……. 모쪼록 혜주 씨도 잘 만나고, 안전 이혼하시고. 오래오래 행복하십시오."

윤 비서는 꾸벅 고개를 숙여 인사했다. 윤 비서가 고개를 들자 이번에는 이다가 고개를 까딱 숙였다가 들었다.

"윤 비서님 그동안 수고 많으셨습니다. 앞으로는 눈에 땀 나는 일 없이, 잘 지내시길 바랄게요."

인사를 마치고서 살짝 다물어진 이다의 입술에 싱긋 미소가 번졌다. 그 모습에 윤 비서는 왠지 발그레 뺨을 붉혔다.

"저……. 마지막인데. 포옹 한 번……. 하면 어떨까요? 마지막…… 이니까요."

윤 비서는 조심조심 느릿느릿 질문을 건넸다.

"뭐, 괜찮겠네요."

이다는 시원스레 대답했다.

"그, 그럼 잠시 실례 좀……."

윤 비서가 쭈뼛쭈뼛 다가오자 이다는 아무렇지 않게 두 팔을 벌렸다. 그런데 그때, 벽 너머에서 세시의 목소리가 났다.

"혀, 형님, 왜……!"

이다가 멈칫하고 뒤를 돌아봤다. 순간 문이 벌컥 열리더니, 무언가에 떠밀린 듯 세시가 우당탕 튀어나왔다.

"뭐냐, 너?"

이다는 황당한 눈초리로 세시에게 물었다. 세시는 대답 대신 고개 돌려 억울한 표정으로 방 안을 쳐다봤다. 문턱 너머에서 찬재가 눈을 부릅뜨고 세시를 지켜보고 있었다. 이글대는 찬재의 눈빛에 세시는 불에 덴 듯 흠칫했다. 그는 얼른 윤 비서에게로 시선을 옮겼다. 그리고 윤 비서와 눈을 마주치자마자 크게 소리쳤다.

"아, 형님! 왜!"

"예? 저요?"

윤 비서는 어리둥절해진 얼굴로 자신을 가리켰다.

"아, 여기 형님이 형님밖에 더 있습니까? 얘는 누님인데?"

세시는 퉁명하게 대꾸하며 두 사람에게 다가갔다.

"그리고 얘는요, 임자 있는 여자거든요?"

"예?"

"아니, 임자 있는 여자한테, 이거 왜 이러십니까?"

세시는 이다의 옆에 선 채 팔짱을 끼고 따졌다. 그러자 윤 비서의 눈이 휘둥그레졌다.

"이, 임자 있는 여자요?"

윤 비서가 이다를 향해 묻자 세시도 이다를 향해 입을 열었다.

"야, 너는 네 남자가 떡하니 한 공간에 있는데! 딴 남자랑 이거 왜 이러셔? 뭐, 포옹?"

강찬재를 의식한 게 틀림없는 발언이었다. 아니, 강찬재를 의식하라는 게 틀림없는 발언이랄까.

이다는 세시의 의중을 알아차리고서 쯧쯧 혀를 찼다.

남의 연애에 끼어서, 너도 참 고생이다.

"설마 두 사람 그런 사이였습니까? 아, 그래서, 그래서 강찬재 씨 마음 끝까지 안 받아 준 거였군요?"

윤 비서의 추측에 이다는 떨떠름한 표정을 지었다. 그러나 굳이 부정하지는 않았다. 최 회장에게 알리기 싫은 비밀은 그에게도 알리지 않는 편이 안전하니까.

부정하지 않는 이다의 반응을 긍정으로 파악하고, 윤 비서는 물끄러미 세시를 봤다.

아무리 계약 문제가 있다지만, 어떻게 강찬재 씨 같은 남자를 그렇게 철벽으로 밀어낼 수 있나 싶었더니. 바로 이 남자 때문에……. 강찬재 씨를…….

"의외네요……."

윤 비서는 아무리 봐도 믿기지가 않아 중얼거렸다.

"뭐가요?"

"강찬재 씨 마다하고, 이분 선택하신 거요."

이다의 질문에 윤 비서가 대답했다.

"에이! 이 형님이 나를 너무 잠깐 보셨네!"

세시가 끼어들어 윤 비서의 어깨를 찰싹 때렸다.

"계속 보면 아시겠지만, 나 완전 선택 받을 남자거든요? 나 매력

좔좔, 님 코피 펑펑. 보다 보면 You will know."

세시는 손짓을 넣어 가며 랩을 하듯 주장했다.

"……글쎄네요."

윤 비서는 씁쓸하게 대꾸한 뒤, 이다에게 시선을 돌렸다.

"어쨌든 애인분이 싫다고 하시니까. 마지막 인사는 포옹 대신 악수로……. 그건 괜찮겠지요?"

질문하며 윤 비서는 흘끗 세시를 확인했다. 그러자 세시가 반응하기 전에 이다가 먼저 입을 열었다.

"그 정도도 안 괜찮은 꽉 막힌 남자면, 내가 이 정도로 사랑할 리가 없죠."

또박또박 벽 너머까지 들리도록 말하고서, 이다는 윤 비서에게 손을 내밀었다.

윤 비서가 옥탑방을 떠나자마자, 세시는 쪼르르 이다의 방으로 달려갔다. 찬재는 때마침 방을 빠져나오려다 문턱에서 세시와 마주쳤다.

"형님, 저 해냈습니다! 제가 윤 비서 포옹 막았습니다! 들으셨죠? 저 잘했죠?"

"그래, 잘했다, 잘했어."

찬재는 어쩐 일로 씩 웃으며 세시의 머리를 토닥여 줬다.

"어? 어어!"

세시는 믿을 수 없는 듯이 눈을 커다랗게 떴다.

"앞으로도 오늘처럼만 해."

찬재가 덧붙이는 사이, 이다가 세시의 뒤에 나타났다.

"그새 둘이 친해졌나 보네."

이다를 보자마자 찬재는 세시의 어깨를 잡아 옆으로 휙 치워 냈다.

"너랑 윤 비서만큼은 아닐걸?"

찬재는 유감이란 눈빛으로 대꾸했다.

"나랑 윤 비서야 뭐, 제법 자주 붙어 있었으니까."

"그렇다고 포옹을 해?"

"어떤 나라에선 악수만큼 흔한 인사법이야."

"그 나라가 네 나라냐?"

"내 나라 남의 나라가 어디 있어? 요즘 같은 글로벌 시대에."

"내 가슴에 다른 여자 안겨도 똑같은 말 할래?"

"나랑 윤 비서 같은 사이라면, 뭐. 사심 없이 인사만 하는 거니까."

이다는 대수롭지 않은 투로 어깨를 으쓱해 보였다. 그러자 찬재는 이다의 손을 잡고 제 가슴에 가져다 얹었다. 그리고 의미심장한 눈빛으로 말했다.

"과연 내 가슴에 사심 없을 여자 있을까?"

"……."

"없다가도 생길 것 같지 않아? 안겨서 느껴 보면?"

"딴 여자 느끼게 하면 너 죽는다."

이다는 찬재의 가슴팍을 노려보며 경고했다.

죽는다는 협박인데 뭐가 좋은지. 찬재는 씰룩씰룩 입꼬리가 올라갔다.

"내 마음이 그 마음이야."

대꾸하고서 찬재는 이다를 끌어안았다. 그리고 아주 입꼬리를 귓가에다 씩 걸어 둔 채 다시 입을 열었다.

"너도 속에 열불 났을 텐데. 시원하게 커피나 한잔할까?"

순간 이다의 등 뒤에서 세시가 아차 하는 표정으로 외쳤다.

"아! 아이스커피!"

세시는 헐레벌떡 싱크대로 달려갔다.

"으아, 얼음 다 녹았어!"

윤 비서가 우는 동안, 아이스커피 속 얼음들도 온몸으로 울고 있었던 모양이다. 세시는 싱겁게 물이 많아져 버린 아이스커피를 바라보며 울상을 지었다.

"형님, 커피 다시 타야겠는데요."

세시는 시무룩하게 말하며 이다의 방 앞으로 돌아왔다.

"좀 기다려……."

좀 기다려 달라고. 그렇게 말할 생각이었는데. 세시는 생각을 바꾸게 되었다.

무르익어 가는 키스 타임에 커피 따윈 필요 없을 테니까.

"와우……."

저도 모르게 감탄사를 흘리고서, 세시는 조용히 문을 닫았다.

* * *

몇 시간 후, 옥탑방을 나선 찬재와 이다는 찬재의 차에 올라탔다.

배웅 나온 세시가 차 앞에서 천진하게 손을 흔들어 댔다. 운전석에 앉은 찬재가 시동을 거는 사이, 이다는 옆자리에서 세시를 향해 가볍게 손을 흔들었다. 그런데 어쩐 일로 찬재도 손을 올려 보였다. 흔들지는 않았지만, 가벼운 손 인사인 건 분명했다. 그를 본 유리창 너머 세시의 눈이 휘둥그레졌다. 찬재는 금세 손을 내리고서 핸들을 돌려 운전을 시작했다.

"오늘 웬일로 세시한테 열을 안 올리네?"

차가 세시를 지나칠 때, 이다는 의아한 눈으로 찬재에게 물었다.

"여기 와서 보니까, 열이 안 나."

"그래?"

"세상 흉흉한데. 이런 데서 혼자 살면 위험하지. 그렇다고 아무 남자하고나 같이 사는 건 더 위험하다만."

찬재는 흘끗 백미러로 세시를 응시했다.

"저런 녀석이면 괜찮지."

"저런 녀석이 어떤 녀석인데?"

"나한테 10억 받아서 너한테 주는 녀석."

"아……."

"아, 10억 만 원이지."

찬재가 정정하자 이다는 피식 웃었다.

"나 없이 사는 동안, 저런 친구가 네 옆에 있었던 게 다행이다 싶어."

덧붙임에 이다의 미소는 더욱 깊어졌다.

"좋다. 네가 내 친구 좋아하게 돼서."

"좋아하는 것까진 아니고. 싫지 않은 정도지."

"보다 보면 좋아질걸. 개 매력 쫠쫠, 님 코피 펑펑."

이다는 무덤덤한 목소리로 장담했다. 순간 찬재는 폭소를 터뜨렸다.

"뭐, 좀 귀여운 거 같긴 해. 네가 훨씬 귀엽지만."

"보다 보면 완전 귀여워. 나도 네가 훨씬 귀엽지만."

여전히 무덤덤한 이다의 목소리에 찬재의 입가에선 웃음이 떠날 줄을 몰랐다. 이다는 그런 그를 물끄러미 바라보다 입을 열었다.

"근데 너, 나한테 화 안 나?"

"뭐가?"

"윤 비서하고 내 얘기, 벽 너머로 다 들렸잖아."

"그랬지."

"그럼 이제 너도 아는 거잖아."

"너한테 최혜주 대역 의뢰한 사람, 최혜주가 아니라 최 회장이라는 거?"

찬재는 아무렇지 않은 얼굴로 물었다.

"역시 알았네."

"이미 짐작하고 있었어. 아까 최서한이 찾아와서 개소리 지껄여 댈 때, 뭔가 이상하다 생각했거든."

찬재는 최서한을 떠올리며 살짝 미간을 찌푸렸다.

"최서한이 뭐라던데?"

이다는 그보다 더 미간을 찌푸리고 질문했다.

"그 얘기는 집에 가서 하자."

급할 거 없단 듯이, 불안할 거 없단 듯이. 찬재는 부러 느긋한 목소리로 대답했다.

7장

7장

펜트하우스에 도착한 때는 오후였지만, 미리 연락해 둔 덕분에 도우미들은 모두 퇴근하고 없었다. 현관으로 들어선 이다는 도우미들의 신발이 없다는 걸 확인했다. 뒤따라 들어온 찬재가 현관문을 닫자, 이다는 신발을 벗으며 운을 뗐다.

"이제 본론으로 들어갈까?"

이다는 맨발을 복도에 딛고 찬재를 향해 몸을 돌렸다.

"대체 최서한이 무슨 말을 하고 갔어?"

"앉아서 얘기하자."

찬재는 무거운 목소리로 대답하며 이다의 손을 잡았다. 이어서 신발을 벗고 거실로 향했다. 이다는 그를 따라 이동하며 입을 열었다.

"아까부터 왜 이렇게 뜸을 들여?"

"아까처럼 운전 중에 할 얘기는 아니었고, 지금처럼 서서 할 얘기도 아니니까."

"꽤 심각한 얘기인가 보네."

"심각하다기보단."

거실 소파에 다다르자 찬재는 우선 이다를 앉혔다.

"최대한 편안하게 하고 싶은 얘기지."

마치 별일 아닌 것처럼 덧붙이며, 찬재는 이다의 옆에 앉았다. 이다는 그를 향해 몸을 돌려 앉았다.

"얘기 듣기 전에, 사과부터 할게. 최혜주가 시킨 일이라고, 거짓말한 거 미안해."

"넌 네가 거짓말한 것만 기억하나 본데. 너 이런 말도 했었어. 최혜주를 대신하는 계약, 그 계약하고 관련된 건 원래 나한테 말해선 안 되는 비밀이었다고. 그래서 가짜란 걸 고백하면서도, 계약 내용에 대해서는 솔직하게 다 말하지 않았다고. 그리고 앞으로도 계약에 대해서만은, 제대로 대답해 줄 수 없어 미안하다고."

"그러기는 했었지만."

"나한테 숨기는 게 있다는 건 그때 이미 고백하고 사과했어. 뭘 숨기고 있는 건지, 끝까지 못 숨긴 건 사과할 일이 아니지."

"……."

"내가 지금이라도 알게 된 건 잘된 일이야. 정말, 아주 잘된 일이야."

정말이지 아무렇지 않아 하는 반응에 이다는 잠시 할 말을 잃었다. 찬재는 그런 이다의 입술에 살짝 입을 맞추었다 떼었다.

"그럼 이제 내 얘기 시작한다?"

"아니……. 어떻게 이렇게 아무렇지 않아?"

그냥 이렇게 넘기고, 본론으로 들어가자고?

이다는 믿기지 않는 눈으로 되물었다.

"아무렇지 않은 거 아니야. 고마워하고 있어."

"뭐?"

"네가 최혜주 대역이라는 거, 나한테 고백하기 얼마나 어려웠을지. 이제야 제대로 실감이 나."

"……."

"최 회장이 엮여 있어서, 더 힘들었겠지. 내가 너라도 전부 사실대로 말할 수는 없었을 거야."

다 이해한다는 표정으로 찬재는 고개를 끄덕거렸다.

"최혜주가 시킨 일이라면, 그건 최혜주 개인의 잘못으로 끝날 수 있는 문제지만. 최 회장이 시킨 일이라면, 이건 기업 간의 문제가 될 수 있으니까. 그것만이라도 숨겨야 했을 거야. 나 하나 선택하겠다고 계약 저버리는 마당에, 최 회장 비밀까지 폭로할 순 없으니까. 그래서 최 회장 비밀은 빼고, 네 비밀만 말한 거지?"

"맞아……."

나 아직 한마디도 설명 안 했는데. 어쩜 이렇게 정확하게 꿰뚫고 있지?

이다는 감탄하는 눈빛으로 대답했다.

"그렇게라도 해서 나 받아 줬으니까. 그거면 됐어. 난 네가 나 받아 주기만 하면, 다른 건 아무래도 상관없었으니까. 어떻게든 나 받아 준 거, 고맙게 생각해."

"그렇게 생각해 주면, 다행이고……."

내가 강찬재 입장이라도, 이렇게 생각할 수 있을지.

이다는 입장을 바꾸어서 상상해 보았지만, 자신할 수 없었다. 대체 어느 정도 마음이면 이럴 수 있는 건지. 감이 오질 않아 멍하니 바라보는데, 찬재의 표정이 단호해졌다.

"그런데 말이야. 지금부턴 최 회장 입장, 봐주지 마."

싸늘해진 목소리에 이다는 금세 직감했다. 이제 최서한 얘기가 나올 차례구나. 짐작하자마자 그녀는 예리한 눈빛으로 찬재의 말에 집중했다.

"이제 최 회장에 관한 거, 뭐든 나한테 숨기지 말란 뜻이야. 우린 한편이고, 최 회장은 최서한 편이니까. 최 회장 입장 봐주느라 나한테 비밀 만들지 마. 그래야 우리 편 손발이 제대로 맞지."

"알아. 이제 너한테 숨기는 일 없을 거야."

"좋아. 그럼 믿고 시작한다."

찬재는 차분하게 팔짱을 꼈다.

"최서한이 자백했어. 네가 가짜 최혜주라고."

"오……. 그래?"

어디 한번 들어 보잔 듯이 반응하며, 이다는 찬재처럼 팔짱을 꼈다.

"최혜주는 나와의 결혼을 원치 않았고. 최혜주와 최서한은 서로 사랑하는 사이고. 그래서 최서한은 최혜주의 쌍둥이인 서이다를 최혜주인 척 나와 결혼시켰고. 이게 최서한 쪽 주장이야."

"최서한이 나를 고용했다? 최혜주 대역으로?"

"이게 1차 개소리지."

이다는 가볍게 실소했다.

"그런데 알다시피 최서한, 최혜주는 마약 스캔들에 휘말렸고. 무혐의가 되긴 했는데. 사람들 사이에선 재벌 봐주기 수사라는 의혹이 들끓고 있지. 이 와중에 나는 최혜주하고 이혼할 계획이고 말이야."

"이건 개소리가 아닌데?"

"서이다는 나하고 이혼할 생각이 없대. 무슨 수를 써서라도 최혜주인 척, 내 옆에서 재벌가 안주인 역할 계속하겠다는 거지."

"아, 이게 2차 개소리네."

"그렇지. 그래서 서이다는 최서한을 협박하고 있고. 최서한은 서이다를 정리할 생각이야. 내 도움을 받아서."

"서이다를 정리하는 데, 강찬재를 끌어들이겠다?"

"여기서부터 3차 개소리인데."

찬재는 흥분하지 않으려고 잠시 심호흡을 했다. 그렇게 마음을 다잡고서 침착하게 다시 입을 열었다.

"최서한은 널 정신 병원에 가둘 계획이래. 자기가 서이다라고 믿는 정신 착란에 빠진 최혜주로."

"……."

"그럼 서이다가 누구한테 어떤 말을 떠들어도, 아무도 믿어 주지 않을 테니까. 서이다는 평생 거기 있게 될 거라고."

찬재는 팔짱을 풀고 항복하듯 어깨 위로 두 손을 들어 보였다.

"자, 개소리는 여기까지."

별 얘기 아니었단 듯이 가벼운 목소리였다.

"재미있네."

이다 역시 가벼운 목소리로 반응했다. 그리고 팔짱을 풀어 찬재의 얼굴로 손을 뻗었다.

"고생했어, 개소리 들어 주느라."

이다는 찬재의 뺨을 쓰다듬어 주며 다정하게 미소를 지었다.

자신을 두고 어떤 파렴치한 음모가 설계됐는지, 전혀 듣지 못한 사람처럼. 아무런 불쾌감도, 불안감도 없는 표정이었다.

"이딴 얘기 들었는데, 기분 괜찮아?"

찬재는 조심스러운 눈빛으로 질문했다.

"괜찮은데?"

이다는 뭐가 문제냐는 투로 반응했다. 그러자 찬재는 믿기지 않는 얼굴로 눈을 커다랗게 떴다.

"아니, 어떻게 이렇게 아무렇지 않아?"

"너도 아무렇지 않잖아."

"난 아무렇지 않지 않아!"

찬재는 버럭 이성을 잃고 외쳤다.

"널 정신병자 취급하는 곳에 감금하겠다는데! 내가 괜찮으면 내가 미친놈이지!"

"……좀 전엔 괜찮아 보였는데."

"그건 네 앞이라 그런 거고!"

"……지금은 내 앞 아니고?"

이다는 의아한 표정으로 질문했다.

"아니! 어떻게 내가 아무렇지 않을 거라 생각할 수 있어!"

"뭐?"

"내가 아무리 아무렇지 않아 보여도! 내 속은 아무렇지 않을 수가 없다는 걸 왜 몰라!"

"그럼 왜 괜찮은 척했던 건데?"

이다는 정말이지 궁금한 눈빛이었다.

"나는 열 받더라도, 너는 열 받지 말라고! 그깟 놈 개소리, 아무렇지 않게 넘기라고!"

"……그래. 덕분에 아무렇지 않게 넘겼어. 근데 뭐가 문제야? 왜 이렇게 열을 내?"

이상한 듯 눈을 깜빡이며 이다는 찬재의 가슴에 손을 올렸다. 울화가 치솟은 가슴 위에 이다의 손이 닿자 찬재는 후우, 뜨거운 숨을 내쉬었다.

"미안, 나 고삐 풀렸나 봐."

"무슨 뜻이야?"

"좀 전까진 잘 참았는데. 이제 안 참아도 될 것 같아졌어. 그놈 개소리, 네가 아무렇지 않게 넘겼으니까. 방언처럼 그 새끼 욕 떠들어 대고 싶어졌어."

찬재는 이를 갈며 험악하게 인상을 구겼다.

"그럼 해. 참지 말고, 좋으실 대로."

이다는 시원스레 고삐를 풀어 주듯 찬재의 가슴을 탁탁 두드렸다.

"야, 나 진짜 많이 참았거든? 그 자식 죽여 버리고 싶었는데! 죽을힘을 다 써서 꾹 참았다, 내가!"

찬재는 울분을 터뜨리며 목 아래의 셔츠 단추를 풀어 헤쳤다.

"개자식이, 감히 누굴 어쩐다고?!"

거기 최서한이 있기라도 한 것처럼, 찬재는 이다의 어깨 너머 허공을 뜨겁게 노려봤다. 단추 하나가 벌어진 셔츠 틈에서 찬재의 쇄골이 씩씩 들썩거렸다.

"어디 가둘 수 있는 여자면, 내 집에다 가두고 말지. 내 집에도 못 가두는 여잘, 감히 얻다 가둬?!"

생각할수록 열이 끓어올라 찬재는 단추 하나를 더 풀었다. 쇄골 아래로 가슴골이 반쯤 드러났다.

“꿈 깨기 전에 머리부터 깨 줘야 돼, 그런 새낀!”

“그래……. 그렇지.”

이다는 찬재의 셔츠 틈 속 가슴골을 주시하며 고개를 끄덕끄덕했다. 거칠어진 호흡을 따라 셔츠 틈이 벌어졌다 좁아졌다 반복했다.

아……. 이거 감질나네.

꼴깍 침을 삼키는데, 찬재의 목소리가 이어졌다.

“그 새끼 내가 감방에 가둘 거다! 꼭 가두고 만다!”

“그래, 그 새끼는 가두는 게 좋겠는데……. 이건 푸는 게 좋겠어.”

이다는 찬재의 가슴골을 눈으로, 손으로 가리키며 중얼거렸다.

“뭐?”

찬재는 시선을 내려 이다가 보고 있는 곳을 확인했다. 찬재의 시선이 자신의 가슴골에 닿았을 때, 이다의 손은 가슴골 바로 아래, 잠겨 있는 셔츠 단추에 닿있다.

“강찬재 씨, 이거 벗고 얘기하자.”

이다는 셔츠 단추를 풀며 말했다.

“야, 이걸 지금, 왜?”

“어우, 여기 몸에 열나는 것 좀 봐. 너 완전 타고 있어.”

금세 복근까지 단추를 풀어 버리고서, 이다는 찬재의 복근에 손을 대고 혀를 내둘렀다.

“마, 만지지 마! 거기 막, 야!”

여기저기 만져 보는 손길에 찬재는 몸을 비틀었다. 그러다 이다의 손을 붙잡고 정색했다.

“너 지금 이럴 때가 아니잖아!”

“내가 뭘?”

이다는 무슨 뜻인지 모르는 척 눈을 동그랗게 뜨고 물었다.

"아, 지금! 내가 지금 그 새끼 생각으로 열 터져 돌겠는데! 너 이렇게 막 만지면!"

"만지면?"

"젠장, 좋아 죽겠잖아!"

찬재는 발끈 터질 듯이 열을 올리면서 외쳤다. 말 끝나기 무섭게 찬재의 입술이 이다의 입술을 덮쳤다. 분노의 열기에서 정염의 열기로, 열의 종류가 확 달라져 있었다.

입안으로 밀려드는 뜨거운 움직임에 이다는 눈을 감았다. 입술을 벌린 채로 미끄러운 그의 혀를 혀로 만졌다. 한데 엉킨 예민한 살덩이가 서로를 더 뜨거워지게 자극했다. 혀끝이 짜릿해지는 맛에 이다는 황홀한 신음을 흘렸다.

이윽고 눈을 떴을 때, 이다는 취했다가 깬 것처럼 머릿속이 어지러웠다. 어느새 이렇게 된 건지, 자신은 누워 있었다. 눈앞에서 찬재가 자신을 내려다보고 있었다.

"고삐 풀고 그 새끼 욕 떠들어 댈 작정이었는데. 젠장, 이제 네 생각밖에 안 나."

앞만 보고 달려 대는 경주마가 된 것처럼, 찬재는 곧장 다시 달려들었다. 맞부딪친 입술을 삼키고, 옷 속으로 두 손을 밀어 넣었다. 어디가 어딘지도 구별 않고 열띤 손길이 온몸을 휩쓸었다. 몰아치듯 빠르고 격정적인 자극에 이다는 숨이 차올랐다.

"잠깐……!"

고개 돌려 입술을 뗀 이다가 재빨리 외쳤다. 그러자 찬재는 입술을 놓아둔 채 이다의 허리춤을 잡았다. 가쁜 숨을 몰아쉬는 배가 오르락내리락 파도처럼 일렁였다. 찬재는 그 배가 훤히 드러나도록 상의를 말아 올렸다.

"싫으면 지금 얘기해. 좀 있으면 아무 생각 없을 거니까."

찬재가 눈을 보며 말하는 사이, 이다의 상의는 목 끝까지 올라왔다.

"달리려면 나쁜 쪽으로보단 좋은 쪽으로 달리는 게 좋지."

이다는 대꾸하며 손을 뻗어 찬재의 목덜미를 감싸 잡았다.

"나한테 달리라는 말이야."

덧붙이자 찬재는 천군만마라도 얻은 듯이 활짝 웃음을 걸쳤다. 이다는 그런 찬재의 목덜미를 살살 두드렸다.

"이왕 고삐 푼 거, 제대로 달려."

채찍질 같은 한마디에 찬재는 덥석 눈앞의 입술을 입에 물었다. 격렬한 손놀림으로 맨살을 탐닉했다. 이내 가열한 흥분으로 몸이 타올랐다. 만지는 몸도, 만져지는 몸도 같은 불길에 휩싸였다. 못 견디게 뜨거워져 두 사람 다 정신없이 옷을 벗어 던졌다.

마침내 맨몸이 된 두 몸이 하나로 이어졌다.

질주는 지금부터였다.

* * *

이다는 소파에서 몸을 일으켜 앉아 바닥으로 발을 내렸다. 그리고 허리 숙여 바닥에 쓰러져 있던 속옷을 집어 들었다. 그녀가 속옷을 입는 사이, 찬재는 주방에서 그녀를 향해 걸어왔다.

"더 누워 있지. 벌써 일어나?"

"배고파. 밥 먹을래."

이다의 앞에 다다른 찬재는 상반신을 탈의한 채 바지만 입은 모습이었다. 그는 손에 들고 온 생수병을 이다에게 내밀었다.

"마셔."

"잠깐만, 나 옷 좀 마저 입고."

이다는 소파 앞의 바닥을 살펴봤다. 어디로 벗어 던진 건지, 자신의 바지는 보이지 않았다.

소파 뒤에 떨어졌나……?

생각하다 귀찮아져서 이다는 대충 찬재의 셔츠를 집어 들었다.

"그거 내 옷인데?"

"알아."

이다는 대답하며 아무렇지 않은 얼굴로 셔츠 소매에 팔을 끼웠다.

"어차피 밥만 먹고 또 벗을 텐데. 옷 다 입기 귀찮잖아."

이다는 단추를 잠그면서 소파에서 일어났다. 커다란 셔츠가 그녀에겐 헐렁했다. 허벅지를 살짝 가릴 정도였다. 짧은 원피스 같은 차림새에 찬재는 시선을 집중했다. 다시 속이 더워지는 기분에 냉수를 홀짝였다. 시선은 계속 같은 곳에 꽂혀 있었다.

"오케이. 바지는 패스."

셔츠 단추를 모두 채운 이다는 혼잣말하며 고개를 들었다. 맞은편의 TV와 그 너머의 벽이 보였다. 그러자 비로소 눈에 들어오는 변화가 있었다.

"어라……? 저기 있던 결혼사진, 어디 갔어?"

이다는 텅 빈 벽을 가리키며 질문했다. 바로 어제까지는 최혜주와 강찬재의 결혼사진이 걸려 있던 곳이었다.

"치웠어."

"언제?"

"오늘. 최서한 만나고 와서, 너 데리러 가기 전에."

찬재의 대답에 이다는 고개 돌려 그를 봤다.

"아직 이혼한 것도 아닌데. 벌써?"

"미리부터 슬슬 떡밥 제공해야지. 갑자기 이혼하는 건 매너 아니야. 알다시피 이 결혼, 사업으로 엮인 건데. 이 사업에 투자했던 사람들, 눈치채고 대처할 시간 줘야지."

"그런가?"

이다는 결혼사진이 걸려 있던 곳으로 도로 시선을 옮겼다. 묘하게 허한 기분이 들었다.

배도 허한 것 같고…….

꼬르륵거리는 배를 힐끔 내려다본 뒤 이다는 주방을 봤다.

"밥은 뭐 먹지?"

이다는 질문하며 주방으로 발걸음을 향했다. 사뿐사뿐 움직이는 매끈한 다리 위에서 셔츠 밑자락이 살랑거렸다. 살짝살짝 더 드러나는 속살이 엉덩이까지 이어질 듯 말 듯 했다. 찬재는 그곳에서 눈을 떼지 못한 채로 대답했다.

"냉장고에 반찬 있고, 국은 데우기만 하면 돼."

이다는 가스레인지 앞으로 다가갔다. 냄비 뚜껑을 열고 안을 확인하는데, 살짝 숙인 허리를 따라 셔츠 밑자락이 올라갔다. 그러자 길게 뻗은 다리 전체가 탄력적인 곡선을 자랑했다.

지켜보던 찬재가 감탄하는 눈빛으로 휘파람을 불었다.

"왜 그래?"

이다는 의아한 눈으로 찬재를 돌아봤다. 그의 시선이 어디에 꽂혀 있는지는 확연해 보였다.

"내 다리에 볼일 있어?"

"많지."

무덤덤하게 묻는 말에 찬재는 시원스레 답을 줬다. 이다는 미소를 그린 입술로 대꾸했다.

"그럼 가까이서 보든가. 뭘 그렇게 멀찍이서 보고 있어?"

"어디서 보든 다 예쁜데, 뭐. 여기서 보면 이렇게 예쁘고, 저기서 보면 저렇게 예쁘고."

그렇게 말해 놓고 찬재는 이다를 향해 걸음을 뗐다.

"물론 보기만 하는 것보단."

찬재는 이다의 곁에 우뚝 서서 손을 내렸다.

"만질 수도 있는 게 제일 좋지."

찬재의 손이 이다의 허벅지에 닿았다. 손이 살살 살결을 어루만졌다. 그러자 이다는 상반신을 다 드러낸 찬재의 가슴 위에 손을 올렸다.

"그건 나도 공감이야."

이다의 반응에 찬재는 씩 웃었다. 이다는 잠시 마주 웃다가 냄비로 고개를 돌렸다.

"근데 나 오늘 집밥 별로야. 저거 안 땡겨."

"그래? 그럼 뭐 다른 거 먹을까?"

이다는 고개를 끄덕였다.

"먹고 싶은 거 있어? 아, 스테이크?"

틀릴 리가 없을 줄 알았는데. 예상외로 이다가 고개를 저었다.

"나가기 귀찮아."

"귀찮아? 그럼 내가 사다 줄게."

"그러지 말고, 그냥 나랑 있어."

이다는 허리를 끌어안으면서 말했다. 순간 어찌나 좋은지, 찬재는 함박웃음에 광대가 다 뻐근할 지경이었다.

"어쩐다. 태건이 지금 외근 중인데. 거기서 사 오라고 하면 시간 걸릴 테고."

찬재는 싱글벙글 웃는 얼굴로 잠시 궁리하다 해결책을 떠올렸다.

"그럼 내가 요리해 줄까?"

"요리……. 해 본 적은 있고?"

"아니."

단박에 대답하는 찬재의 표정은 자신만만했다.

"그냥 치킨 시켜 먹자."

대꾸하는 이다의 표정은 단호했다.

"왜?"

"나 오늘 맛있는 거 먹고 싶어."

"내가 한 게 맛있을 것 같지 않아?"

"확신할 수 없잖아. 그건 모험이야."

"맛있을 거야."

"그건 추측이고. 치킨은 언제나 맛있어. 이건 진리야."

이다는 찬재의 코앞까지 엄지를 척 들어 보였다.

* * *

현관에서 배달된 치킨 상자를 받아 들고 찬재는 거실로 돌아왔다. 소파에 앉아 있던 이다가 그를 보고 반색했다. 찬재가 소파 앞 테이블에 치킨을 내려놓는 동안, 이다는 재빨리 맥주 캔 두 개를 따서 치킨 옆에 놓았다.

“TV 켤까?”

찬재가 치킨 상자를 열며 질문했다.

“아니.”

이다는 오매불망 치킨 상자를 바라보며 답했다. 그리고 상자가 열리자마자 냉큼 손을 뻗어 닭 다리를 낚아챘다.

“왜? 드라마 보면서 먹는 거 좋아하잖아.”

찬재는 이다의 옆에 앉으면서 뜻밖인 듯 물었다. 이다는 책상다리를 하고 앉으며 입을 열었다.

“지금은 드라마보다 우리 얘기 뒷부분이 더 궁금해.”

대답을 내뱉고 난 입술이 덥석 닭 다리를 물었다.

“치킨 맛이 제일 궁금한 거 아니고……?”

이다는 대답할 새 없이 오물오물 야무지게 턱을 움직였다.

“얘기, 듣고는 있는 거지?”

다시 묻자 이다는 끄덕끄덕, 고개를 움직이다 이내 닭 다리를 내려놓았다. 노릇노릇한 튀김옷은커녕 뽀얀 속살까지. 모두 흔적 없이 홀딱 벗겨져 닭 다리는 뼈만 앙상히 남아 있었다.

"내가 지금 제일 궁금한 건 말이야."

이다는 닭 날개를 집어 들며 운을 뗐다.

"최서한이 대체 왜 그렇게까지 날 없애고 싶어 하냔 거야."

덧붙인 뒤 닭 날개를 입에 물려는데, 찬재의 손이 휙 낚아챘다.

"이건 내가 먹는다."

"왜?"

"날개 먹으면 바람난단 얘기 몰라?"

"뭐래……. 그럼 네가 먹고 바람피우겠다고?"

"내가 피울 일은 절대 없으니까. 이건 내가 먹는 게 안전해."

딱 잘라 말하고서 찬재는 닭 날개를 한입 뜯었다.

"뭐야, 나는 피울 일 있다는 거야?"

"너 나만큼 확신해? 평생 다른 남자 거들떠도 안 보고, 딴 놈 생각 1초도 안 하면서 살 거다, 자신해?"

찬재는 당당하게 이다의 눈을 똑바로 보며 반문했다.

"네가 지금처럼만 평생 하면, 당연히 나도 그렇게 살지."

이다 역시 만만치 않게 당당한 눈빛이었다.

"그럼 뭐, 나머지 하난 네가 먹어."

찬재는 만족스러운 미소를 띤 채 다른 닭 날개를 집어 건넸다.

"그래. 아무튼 최서한 말이야."

이다는 닭 날개를 받아 들며 다시 본론으로 돌아갔다.

"그냥 최혜주 한번 만나게 해 주는 게, 그렇게 힘든 일인가? 내가 요구한 건 그것뿐인데."

"그냥 만나게 해 준다고 끝날 일인지, 나름대로 계산기를 두드렸겠지."

"만나게 해 준다고 끝날 일이 아니다. 그렇게 판단했단 건가?"

"소설 한번 써 볼까?"

제안한 뒤 찬재는 닭 날개를 크게 한입 베어 물고 두어 번 씹어 삼켰다.

"최서한은 지금 사활을 걸었어. 최혜주를 사랑해서 널 대신 최혜주로 내세웠다고, 나한테 그딴 개수작을 부릴 만큼 그놈 지금 절박해. 죽어도 너한테 최혜주 만나게 할 생각, 없단 뜻이야."

찬재는 날개 뼈를 빈 접시에 내려놓고 맥주 캔을 들었다. 이어서 시원하게 맥주를 들이켰다.

"이 소설에서 최혜주의 역할이 뭔지, 상상해 보자고."

"최혜주는……. 어쩌면 최서한하고 한편일 수 있겠지. 최서한을 사랑해서 결혼 전에 도피했고, 최서한은 도피처를 제공했고. 근데 그렇다고 해도, 날 피할 이유가 있나?"

"최혜주가 사랑에 눈먼 철부지 역할이라면, 혈육 따윈 상관없고 오직 최서한의 말만 듣고 있겠지. 다른 말로 표현하자면, 최소한 자기 의지대로 행동할 수는 있는 역할이랄까. 그런데 다른 역할일 가능성도 있지. 자기 의지대로 행동할 수 없는 역할."

이다는 최혜주의 모습을 떠올렸다. CCTV에 남아 있던, 취한 듯이 몸도 제대로 못 가누던 최혜주의 모습을.

"약에 취해 살고 있든, 어딘가에 갇혀 있든……. 어떤 식으로든 자기 의지대로 행동할 수 없는 역할."

찬재의 추론에 이다는 찜찜한 기분으로 미간을 좁혔다.

"결국 최혜주가 자기 의지대로 행동할 수 있든 없든. 날 만나는 건 최서한의 결정에 달려 있단 거네."

"그래. 이 상황에서 최서한은 두 사람을 못 만나게 하고 있어. 근데 나는 상상이 잘 안 가. 최혜주가 사랑에 눈먼 철부지 역할이라면, 최서한을 너무 사랑해서 자기 의지로 그놈하고 도망쳤던 여자라면. 널 만나도 그놈 편을 들지, 그놈 탓을 할 일은 없을 텐데. 대체 뭐가 무서워서 못 만나게 꽁꽁 숨기는지. 이유가 상상이 안 간다고."

찬재는 고개를 젓고 맥주를 벌컥벌컥 삼켰다.

"나도 그건 상상이 안 가. 최혜주가 원해서 숨어 있는 거면, 혈육 따윈 상관없고 오직 최서한의 말만 듣고 있는 거면. 날 만나도 최서한한테 유리한 말만 할 텐데. 자기가 불리해질 게 없는 상황에서, 굳이 이렇게까지 최혜주를 숨길 이유가 대체 뭔지."

생각할수록 석연치가 않아 이다는 입맛이 쓰게 느껴졌다.

"그래서 상상이 가는 대로, 이유가 설명되는 소설을 써 봤어."

찬재는 맥주 캔에서 입을 떼고 말했다. 그리고 최혜주의 사진이 붙어 있던 텅 빈 벽을 응시했다.

"지금 최혜주는 자기 의지대로 행동할 수 없는 상황인 게 아닐까, 하고 말이야."

자기 의지대로 행동할 수 없는 상황…….

이다는 찬재의 말을 곱씹으며, 그와 같은 곳을 바라봤다.

"약에 취해 살고 있든, 어딘가에 갇혀 있든. 어떤 식으로든 자기 의지대로 행동할 수 없는 상황 말이지?"

이다의 질문에 찬재는 고개를 끄덕였다.

"내 생각도 그래. 인정하기 싫지만, 아니었으면 좋겠지만."

이다는 씁쓸한 목소리로 고백하고 맥주 캔을 들었다. 그러다 불현듯 떠오른 생각에 멈칫했다.

"근데 오늘 최 회장은 왜 그랬을까? 최혜주 만나게 해 줄 것처럼, 왜 나한테 약속한 거지? 거짓말이었나?"

"거짓말이거나, 뭘 몰라서 한 말이거나."

찬재는 어느 쪽이거나 상관없단 투로 어깨를 으쓱해 보였다.

"최 회장이 뭘 어디까지 알고 있는지는 중요하지 않아. 최서한의 계획대로 네가 없어져도, 널 찾지 않을 사람이라는 게 중요하지. 정말 그런 일이 벌어지면, 아마 다행이라 여기면서 두 다리 뻗고 잘걸."

"……반박 못 하겠네."

"그런 늙은이를 뭐가 좋다고, 어찌나 감싸 주시던지."

찬재는 아니꼬운 표정으로 가슴께에 팔짱을 꼈다.

"서이다 씨는 대리 결혼 의뢰인이 최혜주라질 않나. 최서한이는 자기라질 않나. 아주 이 소설에서 제일 사랑 받는 주인공이셔."

비꼬듯이 흘린 농담에 이다는 맥주 캔을 내려놓았다.

"네가 쓴 소설에선 그렇겠지."

이다는 두 팔을 찬재의 어깨 위에 올리고, 그의 목 뒤에다 손깍지를 채웠다.

"근데 현실에선 안 그래."

도장 찍듯 입술을 맞춘 다음, 이다는 살짝 물러났다. 그리고 닿을 듯 말 듯 찬재의 입술 가까이에서 입술을 달싹였다.

"내가 사랑하는 사람 너밖에 없어."

입술을 간질이는 고백에 찬재는 입꼬리가 절로 올라갔다.

"그럼 소설 그만 쓰고, 현실 똑바로 봐야겠네."

이번에는 찬재가 이다의 입술에 입을 맞추었다. 그리고 이다의 눈을 똑바로 바라보며 덧붙였다.

“최 회장이 거짓말을 한 거든, 뭐든. 현실에선 너 잘못될 일 전혀 없어. 그런 일은 절대 없어. 그게 현실이야.”

자신하는 찬재의 목소리에 이다는 마음이 한결 편안해졌다.

“고마운 현실이네.”

흐뭇하게 미소를 짓고 다시 입을 맞추려는데, 어디선가 휴대 전화의 벨 소리가 울렸다. 순간 찬재는 방해 받은 기분에 미간을 찡그렸다.

“누구 전화지?”

이다는 금세 소리 나는 방향을 파악하고 몸을 일으켰다. 그리고 성큼성큼 소파 뒤로 향했다. 찬재가 얼른 따라 일어서는 찰나 이다는 허리 숙여 바닥에서 자신의 바지를 집어 들었다. 휴대 전화는 바지 주머니에 있었다. 이다는 휴대 전화를 꺼내 발신자를 확인했다.

“최서한이네.”

무덤덤한 이다의 목소리에 찬재는 오만상을 찌푸렸다.

“개자식이 얻다 전화질이야.”

찬재가 이를 갈며 뇌까렸다.

“나 전화 받을 건데. 너 흥분 안 할 거지?”

이다가 슬쩍 걱정되는 눈초리로 질문했다.

“안 해. 조용히 듣고만 있을 거니까, 걱정 말고 이리 와서 받아.”

여전히 험악한 표정이었지만, 찬재의 목소리는 침착해져 있었다.

“숨소리도 내면 안 돼, 절대. 알았지?”

“당연히 그래야지. 나 못 믿어?”

“넌 믿지만, 네 혈기가 걱정이다. 너 이상하게 나만 관련되면 흥분이 헤프잖아.”

“최서한이 듣는 데선 흥분 안 해. 나 오늘 최서한 안 죽이고 잘 참은 거 봐.”

찬재의 장담에 이다는 잠시 생각하다 고개를 끄덕였다.

“그래, 인정. 믿는다, 너.”

이다는 찬재에게로 걸어갔다. 그리고 그와 함께 나란히 소파에 앉았다. 아직 휴대 전화 벨 소리는 계속 울리고 있었다. 이다는 전화를 받았다.

“여보세요?”

찬재는 한 팔로 이다의 허리를 안고 휴대 전화에 가까이 귀를 댔다.

[혜주 만나게 해 달라고, 내 아버지한테 부탁을 했다던데.]

수화기에서 흘러나오는 서한의 목소리에는 짜증이 배어 있었다.

“부탁은 아니었고, 협상이었죠.”

[혜주 만나게 해 주면, 잔말 없이 떠나시겠다고?]

“최혜주 만나기 전엔, 안 떠난다고 했죠. 정확히 말하자면.”

[알겠으니까. 사람 성가시게 굴지 말고 며칠 기다려. 혜주하고 날짜 정해서, 자리 마련할 테니까.]

귀찮게 들러붙는 파리라도 대하는 듯한 말투였다.

이 새끼가 누구한테…….

찬재는 주먹을 꽉 그러쥐고 욕지거리를 참아 냈다. 반면 이다는 개의치 않는 무심한 표정이었다.

“왜 며칠이나 걸린다는 건지, 이해가 안 가네요.”

[일주일까진 안 가. 고작 며칠이야. 며칠 못 기다릴 만큼 급한 일은 아닐 텐데?]

"그럼 목소리라도 먼저 듣죠."

[…….]

"정말 최혜주가 날 만나려는 게 맞는지. 최혜주하고 통화부터 해 보자고요."

[그건 불가능해.]

"왜죠?"

[혜주……. 지금 한국에 없어.]

"전화기는 한국에만 있는 최첨단 기기가 아닐 텐데. 한국에 없다는 게, 통화 못 할 이유는 아니죠."

[비행기 안에 있다는 게, 통화 못 할 이유지.]

"비행기 안?"

[혜주 지금 비행기 타고 한국 오는 중이야. 한국 도착하면 통화하게 될 테니까, 말꼬리 잡지 말고 얌전히 기다리기나 해.]

이다가 뭐라 반응할 새도 없이 서한은 그대로 전화를 끊었다. 이다는 귀에서 휴대 전화를 떼고 액정 화면을 봤다. 그렇게 통화가 끝났다는 사실을 확실하게 확인한 뒤 혼잣말했다.

"끊었네."

"아무래도 이 자식 명줄을 끊어야겠어."

찬재는 이글대는 눈으로 휴대 전화를 노려보며 다짐했다. 그러나 이다는 태연하게 휴대 전화를 내려놓고, 치킨 상자로 손을 뻗었다. 그리고 하나 남은 닭 다리를 잡아 찬재에게로 내밀었다.

"너 오늘 열량 소모 너무 많다. 많이 먹어."

"넌 열도 안 받냐?"

"네가 대신 화내 주니까. 난 화가 안 나."

이다는 가만히 보고만 있는 찬재의 손에 닭 다리를 쥐여 주며 대답했다.

"그럼 다행이고."

찬재는 분이 풀리지 않은 얼굴로 닭 다리를 와작 씹었다.

"최혜주가 비행기에 있단 얘긴 또 하나의 개소리겠지?"

"통화 내용 전체가 개소리의 향연이지. 넌 그냥 개하고 통화한 거야. 그놈 한 말 중에, 믿을 거 아무것도 없어."

찬재는 단호하게 말하고서 살코기를 꽉 물어뜯었다.

"며칠 기다려라 방심시켜 놓고, 뒤통수 때릴 모양이네."

"앞에선 너 만날 날짜 최혜주하고 정하는 척하면서, 뒤에선 너 입원시킬 날짜 나하고 정하겠단 거지."

이다는 헛웃음을 쳤다. 그리고 맥주를 한 모금 삼켰다.

"그래서, 강찬재 씨는 그 날짜를 언제로 정할 예정이래?"

"최서한이 입원 준비 다 마치고 연락 준다던데. 최혜주 보호자로서, 배우자 사인이 필요하니까. 입원 날짜는 그때 정하기로 돼 있어."

뼈만 남은 닭 다리를 내려놓고, 찬재는 테이블 위 물티슈를 한 장 뽑았다.

"서이다 씨는 그 날짜를 언제로 하고 싶으신가?"

여유로운 목소리로 질문하며 찬재는 물티슈로 손을 닦았다. 이어서 느긋한 미소와 함께 시선을 건넸다.

"그러게……. 언제가 좋으려나?"

이다는 찬재와 눈을 마주한 채 천천히 턱을 매만졌다. 그러면서 생각에 잠겼다. 그처럼 여유로운 태도로, 그가 내 편이라는 든든한 마음으로.

* * *

자정이 넘은 시각, 잠결에 뒤척이던 찬재가 어째 허전한 기분에 눈을 떴다. 그러자 팔베개 위에 있어야 할 이다의 얼굴이 보이지 않았다. 아니, 아예 옆자리가 텅 비어 있었다. 찬재는 몸을 일으켜 주위를 둘러봤다. 침실 어디에도 이다는 없었다.

"뭐야, 이 시간에?"

찬재는 잠이 덜 깬 눈을 찌푸린 채 성큼성큼 침실 문에 다다랐다. 문을 열고 나서자 맞은편 헬스 공간의 불이 켜져 있었다. 이다는 그곳에서 러닝머신 위를 달리고 있었다.

정말 뭐지……? 이 시간에?

찬재는 이상한 듯 이다의 뒷모습을 응시했다. 그녀에게 한밤중이란 잠을 즐길 시간이지, 운동을 즐길 시간은 아닐 텐데. 왜 이러고 있는 건가 싶어 찬재는 그녀에게로 걸어갔다. 놀라지 않게 적당한 인기척을 내다 가까이에서 넌지시 목소리를 냈다.

"안 자고 뭐 해?"

"자려고, 뛰는 중이야."

"자려고?"

"몸, 피곤하면, 잠이 잘, 오겠지."

이다는 계속 달리면서 숨 가쁘게 대답했다. 앞만 보는 그녀의 옆얼굴에서 찬재는 혼란한 눈빛을 읽어 냈다.

"잠이 안 왔던 모양이네."

찬재의 추측에 이다는 고개를 끄덕였다.

"그럼 잠 안 자고 나 깨워서 놀면 되지. 이렇게 몸 고생시키면서 굳이 자야 하나?"

"깨어 있으면, 자꾸 생각을 하게 되잖아."

"생각?"

"빨리, 자고 싶어. 그래야, 생각을 안 하니까."

이다는 무덤덤한 말투였지만, 찬재로서는 그냥 넘길 수가 없는 대답이었다.

"무슨 생각인데 그래?"

찬재가 걱정스러운 표정으로 물었다. 그런데 이다는 한동안 말없이 뛰기만 했다. 말을 하기 쉽지 않은 것처럼, 고심하고 고심하는 얼굴이었다. 찬재는 그녀를 잠자코 바라보며 기다렸다.

얼마 후, 이다는 러닝머신 정지 버튼을 눌렀다. 그리고 멈춰 선 채 거친 숨을 몰아쉬었다.

"설마 나 의심하는 건 아니지?"

찬재는 서글서글하게 웃는 얼굴로 농담을 던졌다.

"내가 최서한하고 한편 먹고, 너 뒤통수치는 거 아닌가. 내가 병원에서 너 안 꺼내 주면 어쩌나. 설마 그런 걱정해?

분위기를 풀려는 장난인 게 뻔해서, 이다는 희미하게나마 미소를 보였다.

"그런 걱정 들 남자면, 선택도 안 했어."

"그럼 대체 무슨 생각 때문이실까?"

찬재는 땀이 맺힌 이다의 이마를 소매로 닦아 주며 질문했다. 이다는 찬재의 손길을 내버려 둔 채 눈을 내리떴다. 그리고 조금 더 생각을 가다듬고 나서 마침내 답을 꺼냈다.

"자꾸 최악의 상황을 의심하게 돼."

"어떤 상황?"

"설마 최혜주가……. 죽은 건 아닐까 하고."

어렵사리 말을 내뱉으며 이다는 괴로운 마음에 얼굴을 일그러뜨렸다. 그러자 찬재의 손길이 멈칫했다. 그러나 얼마 안 가 찬재는 다시 손을 움직였다.

"그런 생각은 하지 말자."

찬재는 소매로 어루만지듯이 이다의 뺨을 닦았다. 그럼에도 이다의 표정은 풀어지지 않았다. 이다는 무거운 입을 애써 열었다.

"최서한이 그렇게까지 하는 이유가, 어쩌면 그래서일지도 모르잖아."

이다가 불길한 눈빛으로 찬재를 보자 그는 고개를 저어 보였다.

"이유가 뭔지는, 곧 알게 되잖아. 지금은 그 이유를 알아내는 과정에 집중하는 게 우선이야. 미리부터 최악의 상황을 생각하진 마. 널 불안하게 하는 생각은 너한테 도움 될 게 없어."

차근차근 다정한 목소리에 이다는 그의 허리를 끌어안았다. 그리고 그의 어깨에 턱을 기대었다.

"나도 그런 생각하기 싫은데. 잘 안 돼. 자꾸 머리가 생각을 해."

찬재는 그녀는 마주 안았다.

"빨리 재우는 게 답이겠어."

혼잣말과 함께 등을 쓸어내리는 손길이 이어졌다. 목 뒤에서 허리로, 다시 목 뒤에서 허리로. 반복해서 어루만지는 손길이 온기를 점점 더했다. 근심을 녹이는 듯한 온기에 이다는 눈을 감고 한숨을 내쉬었다.

* * *

평소처럼 이른 아침 펜트하우스로 출근한 가사 도우미들은 주방에서 아침을 준비했다. 반면 찬재는 평소보다 조금 늦게 침실에서 빠져나와 주방으로 건너왔다.

"좋은 아침이죠?"

가볍게 인사하며 찬재는 식탁으로 향했다. 찬재가 자리에 앉자 가사 도우미가 밥솥에서 밥을 펐다. 그녀는 찬재의 밥그릇을 가득 채우고서 쟁반에 내려놓았다. 이어 이다의 밥그릇을 채우려고 들자, 찬재가 그녀를 향해 입을 열었다.

"밥은 제 것만 준비하시면 됩니다."

"사모님은요?"

"오늘 늦잠을 잘 모양이네요."

찬재는 대수롭지 않은 투로 답했다. 그리고 식탁 위에 놓인 신문을 펼쳤다. 태연하게 행동하는 그였지만, 잠을 설친 듯이 안색은 좋지 않아 보였다.

"아……. 네……."

가사 도우미는 밥솥을 닫으며 찬재의 눈치를 살폈다. 쟁반을 들고 식탁으로 다가간 그녀는 찬재의 앞에 밥그릇을 놓았다. 심각한 기사라도 읽는 건지, 살짝 인상을 쓴 그의 미간에는 주름이 잡혀 있었다. 그 모습에 가사 도우미는 슬그머니 거실의 동료와 시선을 교환했다.

진짜 이혼할 생각인가?

그녀가 눈빛으로 말하자, 동료는 거실 벽을 향해 턱짓했다. 저것 보면 모르냐는 듯이, 결혼사진이 걸려 있었던 빈자리를 향해서.

* * *

잠에서 깬 이다는 침실 침대에서 눈을 떴다. 천장의 전등은 꺼져 있었지만, 햇살 덕에 시야는 밝았다.

뭔가 꿈을 꾼 것 같은데……. 기억이 안 나네…….

이다는 가물가물한 기억을 살려 보려다 인기척에 고개를 돌렸다. 그러자 욕실을 빠져나오는 찬재와 눈이 마주쳤다.

"깼어?"

찬재는 넥타이를 매지 않은 정장 차림으로, 출근 준비를 모두 마친 모습으로 이다에게 다가왔다.

"많이 못 자 놓고, 벌써 깼네. 혹시 배고파서 깬 건가?"

찬재는 침대에 걸터앉아 이다의 머리에 손을 올렸다. 지그시 머리를 쓰다듬는 손길에 이다는 꿈을 기억해 냈다.

"아니, 배는 안 고파. 너 보려고 깼어. 보고 싶어서."

대답이 끝나기 무섭게 찬재의 입술이 입술에 와 닿았다. 막 양치를 마쳤는지, 그의 입술에서 청량한 향기가 났다. 이다는 두 손으로 그의 얼굴을 붙잡고서 한참 입맞춤을 이어 갔다. 그런데 갑자기 배에서 꼬르륵, 소리가 났다. 그 소리에 찬재가 멈칫하더니, 살짝 입술을 떼었다.

“뭐야, 배고파서 깬 거면서.”

찬재는 피식 웃는 얼굴로 귀엽다는 듯이 이다를 봤다.

“아니야. 진짜 너 보려고 깬 거야.”

억울한 듯 대꾸하는데 배에서 또다시 꼬르륵, 소리가 났다.

“배는 지금 고픈 거고……. 너 보고 싶은 건 꿈에서부터였거든.”

이다는 얼른 덧붙였다.

“꿈에서 넌 뒷모습만 보였는데. 네가 떠나려고 해서, 저 문 열고 나가려고 해서. 내가 너 잡으려고 손 뻗다가 깼어.”

“악몽이네. 무서웠겠어.”

찬재는 등 아래로 손을 비집어 이다를 끌어안았다.

“아니, 무섭지는 않았는데.”

“하긴 너무 현실성이 떨어지니까. 무서울 린 없었겠다. 악몽 아니라 개꿈이네.”

귓가에서 찬재가 속삭이자 이다는 입가에 꽃처럼 미소를 피웠다.

“내가 가긴 어딜 가. 너 두고 나가 봤자, 출근하러 아래층 가는 거지. 십 리도 못 가고, 십 시간도 못 지나서 너한테 돌아갈 건데.”

찬재는 촉촉한 입술로 부드럽게 뺨을 눌렀다. 순간 이다는 떨어지기 싫은 마음에 사로잡혀 그를 꽉 껴안았다.

“그래. 돌아올 거 아니까, 그런 개꿈 안 무서운 거야. 돌아올 거 아니까, 보내 주는 거고.”

이다는 단단한 목소리로 말했다. 그리고 이번에는 자신이 찬재의 뺨에 입을 맞추었다.

“안 돌아오면 죽는다.”

이다가 귀에 대고 덧붙이자 찬재는 피식 웃었다.

"어차피 너 안 보면 내가 못 살아."

찬재는 숨이 막힐 만큼 빠듯하게 이다를 마주 안았다. 마주 닿은 가슴속이 넘칠 듯이 가득해지는 느낌이라 이다는 안도했다. 그러나 가득 채워진 마음과 달리, 배에서는 또다시 꼬르륵 소리가 울렸다.

"못 산다, 진짜."

찬재는 장난스레 중얼거리면서 포옹을 풀고 허리를 세웠다. 어이없는 동시에 사랑스러워하는 눈길로 이다를 내려다봤다.

"밥 먹고, 더 자. 잠 안 오고 불안한 생각 들면, 나한테 전화하고."

당부한 뒤 찬재는 다시 껴안다시피 해서 이다를 일으켜 앉혔다.

"밥보다 이게 더 좋은데."

이다는 찬재의 입술을 가리켰다. 그리고 자신의 입술을 가져다 댔다. 배에서 나는 소리는 들리지도 않을 만큼, 깊고 신한 키스가 오래도록 이어졌다.

* * *

태강 타워의 아침 시찰을 마치고서 찬재는 에스컬레이터에 올라탔다. 태건은 그의 곁에 나란히 서서 주위를 살펴봤다. 둘의 대화가 들릴 만한 거리에는 아무도 없었다. 그럼에도 태건은 조심스럽게 목소리를 낮추어 질문을 건넸다.

"진짜 이혼……. 하실 겁니까?"

"누구랑?"

"누구긴요? 사모님이지! 뭐 어디 이혼할 부인, 또 있습니까?"

"서류상 부부 관계인 사람하곤 해야지, 이혼."

찬재는 사무적인 말투로 대답했다.

"서류상 부부 관계……. 그 이상인 줄 알았는데요? 이사님 마음은."

"지금 상황에서 최혜주 이름으로 결혼 유지할 마음은 없어."

서이다 이름이면 모를까.

찬재는 앞만 보며 속으로 생각했다.

"사랑의 이름으로 결혼 유지할 마음은 있으신 줄 알았는데."

태건은 고개를 흔들면서 쯧쯧 혀를 찼다.

"사모님 마음 얻겠다고 난리를 칠 땐, 아주 죽을 때 된 사람인 양 안 하던 짓을 그렇게 해 대시더니."

"안 하던 짓?"

"나 싫다는 여자한테 매달리고 집착하는 짓거리요."

태건의 대답에 찬재는 헛웃음을 쳤다.

"왜요? 나 싫다는 여잔 니가 처음이라, 안 생기던 집착이 생기십디까? 근데 막상 내 거 됐다 싶으니까, 예전 버릇 살아나신 겁니까?"

"글쎄? 그런 거려나?"

찬재는 장난삼아 반문하며 어깨를 으쓱해 보였다. 그러자 태건은 기가 막힌 얼굴로 혀를 내둘렀다.

"와, 씨! 저요, 오늘부로 사모님 재혼 응원하겠습니다. 똥차 가고 벤츠 오시라고요."

"뭐?"

웃고 있던 찬재의 얼굴이 한순간에 구겨졌다.

"이사님처럼 휘딱휘딱 마음 뒤집어지는 똥차 말고! 일편단심 벤츠 만나 백년해로하시라고요!"

태건은 소리치며 쿵쾅쿵쾅 에스컬레이터 위를 내달렸다. 급속도로 도망치는 태건의 뒷모습을 찬재는 기막힌 표정으로 지켜봤다.

휘딱휘딱 뒤집어지긴 누가 뒤집어졌단 건지.

억울해져 당장 뒷덜미를 붙잡고 싶었지만, 참아야 했다. 나와 결혼해서 살고 있던 여자 이름이 실은 서이다였다고. 최혜주가 아니라 그녀의 쌍둥이였다고. 섣불리 사실대로 말하기엔 아직 위험한 시기니까.

"저걸 잡아서 혼을 낼 수도 없고……."

찬재는 속 터지는 마음에 그저 혼잣말이나 터뜨렸다. 그때 주머니에서 휴대 전화가 울렸다. 휴대 전화를 꺼내 액정 화면을 확인하자 찬재의 표정은 더없이 험악해졌다.

최서한.

액정 화면 속 세 글자를 태울 듯이 노려보다가 전화를 받았다.

"무슨 일이죠?"

[중요하게 할 얘기가 있어. 바쁘겠지만, 오늘 시간 좀 내줄 수 있을까?]

수화기 너머 최서한의 목소리는 몹시 조심스러웠다. 어제저녁, 서이다와 통화할 때와는 전혀 다른 사람처럼.

강찬재의 사무실 소파에 홀로 앉은 서한은 손목시계를 확인했다. 이곳에 도착한 지 벌써 40여 분이 지나 있었다.

여기까지 오랄 때는 언제고, 대체 언제까지 기다리란 건지.

서한은 불쾌한 기분에 미간을 찌푸리며 식어 빠진 차를 홀짝였다. 마른입을 조금이나마 적시고 찻잔을 내려놓는 찰나, 사무실의 문이 열렸다. 곧이어 사무실로 들어선 찬재가 서한과 눈을 마주쳤다.

"미안하게 됐습니다."

찬재는 빳빳하게 고개를 세운 채로 마음에 없는 사과를 전했다.

"갑자기 일이 생겨서, 좀 늦었네요."

덧붙이며 찬재는 성큼성큼 서한의 맞은편으로 걸어갔다. 서한은 다 이해한다는 듯 너그러운 미소를 지었다.

"아니, 괜찮아. 바쁠 텐데, 나까지 시간 뺏어서 오히려 내가 미안하지."

"그 말도 일리는 있네요."

찬재는 대충 대꾸하며 서한의 맞은편에 앉았다.

건방지기는…….

하긴 이게 강찬재 본모습이겠지. 더는 이용 가치 없는 SJ의 둘째 아들. 금방 내다 버릴 마누라의 오빠 따위한테 잘 보일 이유는 없으니까. 처가 식구 대할 때의 가식은 차릴 필요를 못 느끼나 보지.

서한은 애써 미소를 유지한 채 쓴입을 다셨다.

"그럼 이제 얘기해 보시죠. 뭘 어떻게 준비했단 건지."

찬재는 느긋이 팔짱을 끼고 의자에 등을 편히 기대었다.

"적당한 병원하고 얘기가 잘 끝났어. 당장에라도 전화 한 통이면, 병원에서 사람들을 보낼 거야. 강 이사 집에서 그 여자 치워 줄 사람들 말이야."

"그렇게 뭉뚱그려 대충 말하면 난 못 알아듣습니다."

찬재는 강한 목소리로 또박또박 말했다.

"뭘 어떻게 하겠다는 건지. 진짜 믿고 맡길 만한 계획인지. 제대로 알아듣게 말합시다."

"좋아. 하나하나 차근차근 설명하지."

서한은 찻잔을 들어 목을 축였다. 그리고 찻잔을 내려놓으면서 다시 입을 열었다.

"이런 일을 전문으로 하는 정신 병원이 있어. 서울에서 멀리 떨어진 곳에 있는 아주 작은 병원이지. 돈만 주면 평생 그 여자 가둬 둘 수 있는 곳이야. 거기 원장이 이미 그 여자 진단서도 준비해 뒀어. 물론 최혜주 이름으로. 우울증에 알코올 중독, 망상증까지. 입원하기 충분한 진단이지."

"본 적도 없는 여자 진단서를, 벌써 끊었다?"

찬재는 짐짓 의아한 척, 못 미더운 표정으로 질문을 던졌다.

"어려운 일 아니야. 많이들 그렇게 한다더군. 중요한 건 보호자 동의서인데. 그야 강 이사가 준비해 줄 테고."

"동의서에 내 사인이 들어가는 이상, 문제 생기면 내 책임도 생기는 겁니다. 문제가 안 생긴단 보장, 지금 확실하게 하세요."

"문제가 생길 일은 없어. 거긴 외부하고 철저하게 차단된 밀폐 병동이고, 그 안에서 환자들은 매일 약에 취해 있으니까. 그 여잔 늙어 죽을 때까지 거길 못 빠져나와. 누가 꺼내 주지 않는 이상, 절대로."

"저도 나름 알아본 게 있습니다. 정신 병원 강제 입원은, 주기적으로 재심사가 필요하다던데. 재심사 때 그 여자가 정상인 게 밝혀지면, 어쩔 겁니까?"

"재심사는 없을 거야. 그 안에서 서류 조작쯤은 일도 아니거든."

"정확히 말하자면?"

"입원할 땐 강제 입원이지만, 재심사 직전에 퇴원한 걸로 서류가 조작될 거야. 그리고 얼마 후엔 재입원 처리가 되지. 자기 발로 찾아와서 자기 손으로 사인하고, 본인이 원해서 입원한 것처럼. 그럼 강제 입원이 아니니까, 재심사는 필요 없게 돼."

"아하……."

이제 알겠다는 듯이, 찬재는 고개를 끄덕거렸다.

"좋습니다. 준비는 충분한 것 같군요."

"남은 건 실행뿐이야."

서한은 무거워진 목소리로 의미심장하게 말했다.

* * *

침실 문을 두드리는 노크 소리에 이다는 예, 하고 침대에서 몸을 일으켰다. 문이 열리더니 가사 도우미가 한 발짝 안으로 들어섰다.

"사모님, 저희 이만 퇴근하겠습니다."

"벌써요?"

이다는 시계를 확인하고 뜻밖인 표정으로 물었다. 퇴근 시간까지는 몇 시간이나 남아 있었기 때문이다.

"예. 이사님이 그만 퇴근하라고 전화를 주셔서요."

"그래요?"

금시초문인 게 분명한 이다의 반응에 가사 도우미는 괜히 미안해져 난처한 미소를 지었다.

"죄송해요, 사모님. 저녁도 못 차려 드리고 가서."

"괜찮아요. 제가 알아서 먹을 수 있으니까, 신경 쓰지 마세요."

이다는 대수롭지 않은 투로 말했다.

"그럼 내일 또 뵙겠습니다."

"네, 수고 많으셨어요. 조심해서 들어가세요."

인사를 마친 가사 도우미가 방을 빠져나가며 문을 닫았다. 이다는 다시 시계를 확인하고 고개를 갸웃거렸다.

"이 시간에 무슨 일이지?"

이다는 이상하다 싶어 침대에 걸터앉아 휴대 전화를 꺼내 들었다. 그리고 찬재에게 전화를 걸었다. 신호음이 꽤 오래 흐른 후에야 찬재가 전화를 받았다.

"무슨 일이야? 가사 도우미들 왜 벌써 퇴근시켰어?"

[좀 있다가 손님이 도착할 예정이거든.]

"손님?"

[그 사람들 도착했을 때, 당신 혼자 있는 게 좋을 것 같아.]

당신?

평소답지 않은 호칭에 이다는 눈살을 찡그렸다.

"그 사람들이라……. 손님은 혼자가 아닌 모양이네."

[중요한 손님들이야, 일단 안으로 모셔. 나도 여기 급한 일 끝내자마자 올라갈 테니까.]

사무적인 말투로 딱 잘라 전달하고서 찬재는 전화를 끊었다. 이다는 휴대 전화를 내려 액정 화면을 눈앞에 마주했다. 혹시나 했는데 역시나 전화는 끊긴 상태였다.

"뭐지, 이건……."

이다는 혼잣말하며 나름대로의 추측에 빠져들었다.

전화를 끊은 찬재가 맞은편의 서한을 봤다. 굳은 얼굴로 통화 내용에 귀를 기울이고 있던 서한은 참고 있던 숨을 내쉬었다.

"혹시 모르니까, 펜트하우스 비밀번호를 알려 드리죠."

찬재는 서한을 향해 말했다.

"말은 이렇게 해 뒀지만, 이 여자가 내 말 다 듣는 타입도 아니고. 그냥 알아서들 문 열고 들어가는 편이 쉬울 겁니다."

"그래 주면 나야 고맙지. 정말 고마워."

서한은 진심인 양 절절한 눈빛으로 감사를 표했다. 찬재는 그런 그를 외면하듯 금세 시선을 옮겼다. 탁자로 내려간 시선은 거기서 메모지를 찾아냈다. 펜을 쥔 찬재의 손이 메모지 위에 비밀번호를 휘갈겼다.

"그 여자 데려갈 사람들은 언제쯤 도착한답니까?"

"내가 전화만 하면, 금방 도착하게 돼 있어."

"그 병원, 서울에서 멀리 떨어진 병원이라고 하지 않았나요? 어떻게 금방 온단 거지?"

"환자 옮길 사설 구급차는 서울에도 있으니까."

"아, 그런가요?"

찬재는 비밀번호가 적힌 메모지를 손가락으로 툭 밀었다. 서한은 제게로 미끄러진 메모지를 손에 쥐었다.

"여기 바로 위층이 펜트하우스란 건 잘 알고 계실 테지만. 여기 직원들이 생각보다 귀가 아주 예민하다는 건 전혀 모르실 겁니다."

서한은 무슨 소린가 싶은 얼굴로 찬재를 마주 봤다.

"위층에서 새는 소리 없게 하십시다. 여기까지 잡음 내려오지 않게. 아무도 못 듣게, 아무도 모르게."

찬재가 낮은 목소리로 당부하자 서한은 주저 없이 고개를 끄덕였다.

"그 점은 걱정하지 않아도 돼. 나야말로 이 일, 누구에게도 알리고 싶지 않으니까."

"좋습니다. 아, 그리고 구급차는 내가 이 건물을 빠져나간 뒤에 부르는 게 좋겠군요."

"그게 언제쯤이지?"

"일 하나만 해결하고 나갈 겁니다. 일단 주차장에 가 계시죠. 제가 나가는 건 거기서 보실 수 있으니까."

차갑게 대답하며 찬재는 자리에서 일어났다.

"이제 더 할 말은 없으실 테고. 일 끝나면 언제 한번 밥이나 먹죠."

찬재는 무뚝뚝한 눈빛으로 서한을 내려다보며 말했다. 그의 말이 진심이 아니란 것쯤은 누구라도 알 수 있을 태도였다. 이건 그저, 용건이 끝났으니 그만 나가라는 의미일 뿐이었다. 그러나 서한은 그를 알아차리지 못한 척, 불쾌한 기분을 숨긴 채 미안한 표정으로 몸을 일으켰다.

"몇 번을 말해도 부족하겠지만, 정말 미안하게 됐어. 이런 번거로운 일에 휘말리게 해서, 진심으로 미안하게 생각해. 이 신세 꼭 갚을 테니까. 혹시 내가 도와 줄 일이 있으면, 언제든 연락해 줘."

"그러죠."

찬재는 서한의 사과에 건성으로 대답했다. 그리고 성큼성큼 걸어가 문을 열어 보였다.

아주 높은 곳에서 가장 낮은 곳으로, 태강 타워 지하 주차장에 도착한 서한은 자신의 차 운전석에 앉았다. 문을 닫고 등받이에 등을 기대자 한숨이 절로 새어 나왔다.

어쩌다 이런 처지가 된 건지.

서한은 불쾌감에 온 얼굴이 일그러졌다. 자신을 대하던 강찬재의 표정하며, 말투하며. 시종일관 건방졌던 태도가 아직 눈앞에 보이는 것처럼 생생했다.

그 여자만 아니었어도…….

그 여자가 일을 이따위로 꼬아 놓지만 않았어도…….

머릿속 강찬재의 모습을 서이다의 모습으로 덮어 버리며, 서한은 이를 갈았다.

그 여자만 나타나지 않았어도 모든 일은 계획대로 흘러갔을 거다.

혜주는 정략결혼을 피해 도망쳤다고, 모두 그렇게 믿고 넘겼을 테지. 대체 혜주가 어디 있느냐고, 나한테 묻는 인간은 단 한 명도 없었겠지.

서한은 운전대를 꽉 끌어 잡았다.

'최혜주, 지금 어디 있어요?'

기억에서 이다의 목소리가 되살아나자 식은땀이 솟구쳤다.

하필 그런 똑같은 얼굴을 하고, 그걸 묻다니…….

나한테 무슨 짓을 한 거냐고. 꼭 혜주가 묻는 것만 같았다.

"재수도 더럽게 없지, 최서한……."

앞을 노려보며 혼잣말을 하다 절레절레 고개를 저었다.

아니……. 내 재수가 그렇게까지 없진 않지. 서이다가 나타나지 않았어도, 마약 문제는 터졌을 테고. 서이다라도 없었다면, 검찰은 나한테 혜주 행방을 물었을 테니까.

"그래, 차라리 서이다가 묻는 편이 나아. 검찰을 상대하는 것보단 그 여자 하날 상대하는 편이 쉬우니까."

서한은 똑똑히 알아 두자는 듯이 또렷한 목소리로 말했다. 그리고 주차장 승강기가 있는 곳을 향해 시선을 집중했다.

"그 여자 하나만 없애면, 다 끝나니까."

그새 손바닥이 축축해져 있었지만, 서한은 운전대에서 손을 떼지 않았다. 강찬재가 나타날 때를 기다리며, 승강기에서 시선 또한 절대 떼지 않았다.

* * *

이다는 바지 주머니에 두 손을 찔러 넣은 채 드넓은 펜트하우스 거실을 슬렁슬렁 거닐었다.

아무래도 옆에 누군가가 있었던 모양인데. 역시 최서한이겠지?

머릿속을 맴도는 질문을 떨치려고 이다는 고개를 절레절레 저었다. 어차피 혼자서는 정답을 알 수 없는 질문이다. 정답을 알 수 있는 사람은 찬재니까, 그가 답을 줄 때까지 그냥 편하게 기다리자.

통화할 상황이 되면 어련히 알아서 전화하겠지. 이다는 그렇게 스스로 마음을 다스렸다.

얼마쯤이 지났을까. 예상대로 찬재의 전화가 걸려 왔다. 이다는 시간을 확인한 뒤 전화를 받았다. 그러자 뭐라 말할 틈도 없이 찬재가 먼저 말을 꺼냈다.

[아깐 미안했어. 옆에 손님이 있었거든.]

"손님 누구?"

[지금 네가 짐작하는 그 사람.]

"아까 통화한 지 30분이 지났는데. 여태 같이 있었어?"

[그건 아니고. 지금까진 내가 따로 할 일이 좀 있었어.]

"할 일?"

[아까 내가 펜트하우스로 손님들이 도착할 거라고 했지?]

"그랬지."

[그거 사실이야. 곧 도착할 테니까, 준비하고 있어.]

"무슨 손님인데?"

질문하는 찰나, 현관에서 초인종 소리가 울렸다.

[아, 도착했나 보네. 일단 문부터 열어 줘.]

찬재는 시간에 쫓기는 듯이 빠르게 말했다. 시간 끌 일이 아니겠다 싶어 이다는 일단 인터폰으로 향했다. 현관 바깥을 보여 주는 화면에 건장한 남자 여럿이 보였다.

"남자들인데, 맞아?"

[맞아. 일단 문 열어 주고, 최혜주로 행동해. 별일 없을 테니까, 나 믿고.]

수수께끼 같은 대답에 이다는 고개를 갸웃거렸다. 그러나 별걱정은 되지 않았다. 이내 이다는 현관문으로 발걸음을 재촉했다. 그리고 잠시 후, 현관문을 열었다.

문을 열고 보니, 문밖의 남자는 세 명이었다. 모두 사복 차림이었으나 어째 유니폼을 입은 것처럼 비슷한 차림이었다. 활동성이 좋아 보이는 점퍼와 바지, 운동화. 어두운 색상마저 다들 비슷비슷했다.

"최혜주 씨 본인 되십니까?"

맨 앞에 선 남자의 질문에 이다는 귀에서 휴대 전화를 내렸다.

"네. 전데요."

"남편분 성함이 강찬재 씨, 맞으시죠?"

"맞아요."

"남편분께 연락 받고 왔습니다."

남자는 주머니에서 신분증을 꺼내 들어 보였다.

"강남 경찰서……."

이다는 신분증 하단의 글자를 조용히 소리 내어 읽었다. 그리고 신분증 중앙의 사진과 남자의 얼굴을 비교해 보았다.

어쩐지 옷차림이 이쪽 계통 같더라니.

"형사신가 봐요?"

이다의 질문에 남자는 고개를 끄덕였다. 그 모습에 이다는 돌아가는 상황을 빠르게 알아차릴 수 있었다.

"제 남편 연락이라면, 저희 오빠 얘길 들으셨겠네요."

이다는 지난밤 찬재와 나누었던 계획을 곱씹으며 말했다.

설마 그 계획을 오늘 바로 쓰게 될 줄이야. 최서한도 참, 어지간히 급했나 보네.

"예. 최혜주 씨를 정신 병원에 강제 입원시키려는 시도가 있었다는데. 아래층에서 남편분께 대강 설명은 들었습니다만. 최혜주 씨 얘기를 자세히 듣고 싶어서요. 시간 좀 내주시겠습니까?"

"그럼요. 들어오세요."

이다는 기꺼이 문을 활짝 열어 보였다.

"그럼 실례 좀 하겠습니다."

남자는 살짝 고개를 숙여 보인 다음 안으로 발을 옮겼다. 나머지 두 남자도 그의 뒤를 따랐다. 세 형사가 모두 현관 문턱을 넘고 나자 이다는 문을 닫았다.

"뭐 마실 거라도 한 잔씩 드릴까요?"

이다는 신발장 앞에서 신발을 벗는 세 형사를 지나치며 질문했다.

"아닙니다. 그럴 여유는 없을 것 같습니다. 남편분께서 많이 급한 일이라고 하시던데요."

"그래요?"

그렇게까지 빨리 움직여야 한단 말이지…….

이다는 찬재의 재촉을 간접적으로 느끼고서 시계를 확인했다. 그리고 형사들을 향해 다시 입을 열었다.

"그럼 이쪽으로 오세요. 바로 얘기 시작하죠."

거실 소파가 이렇게 작아 보인 적이 있었나…….

소파에 앉아 이야기를 마친 이다는 맞은편 소파를 바라보며 생각했다. 건장한 남자가 셋이 모여 앉아 있으니, 소파가 꽉 차 보이는 탓이었다. 처음 이다에게 말을 걸었던 형사가 우두머리 격인지, 세 남자 중 중앙에 앉은 채로 입을 열었다.

“남편분이 녹음하신 대화 내용을 들어 봐도, 그 둘째 오빠 되시는 분이 최혜주 씨를 강제 입원시킬 의도는 확실해 보입니다만.”

“다만……?”

“의도가 있다는 사실만으로는, 범죄가 성립되기 어려워서……. 거 왜 우리가 흔히, 죽이고 싶다는 말을 많이 하잖습니까? 근데 그 말을 했다고 해서, 살인 미수죄로 체포할 순 없거든요.”

“그 여자 정신 병원에 처넣고 싶다. 그 한마디였으면 저희도 체포해 달라 신고하지 않죠. 근데 오빠는, 아니, 최서한 씨는 구체적인 계획을 제시했어요. 병원을 매수했고, 평생 날 가둬 둘 수 있다 약속까지 했어요.”

이다는 오빠라고 불러 주기도 싫단 투로 차갑게 말했다.

“예, 압니다. 하지만 병원을 매수했다는 건 아직 확실치가 않아요. 그게 그저 말뿐인 허풍일 수도 있고……. 그 병원이 어디라는 건지도 확실치가 않고. 이러다 그냥 장난이었다고 해 버리면 저희도 어쩔 수가 없습니다. 최혜주 씨 본인에게 그런 일이 실제로 벌어지지는 않았으니까요.”

“실제 피해가 발생해야만, 처벌을 할 수 있다. 그 얘기군요?”

“그렇습니다.”

이다는 알겠다는 듯이 고개를 끄덕였다.

“그래요. 하긴 그럴 가능성이 있단 사실만으로, 경찰이 사람 함부로 잡을 수는 없죠. 아직 일어나지도 않은 일로 말이에요.”

또박또박 차분한 목소리로 말하고서 이다는 슬쩍 눈을 내리떴다. 탁자에 두었던 휴대 전화를 확인한 뒤, 시선을 들어 형사의 눈을 또렷이 마주 봤다.

“그럼 만약 제가 이날 이후 실종이 된다면, 저희 둘째 오빠가 가장 유력한 용의자로 조사를 받겠군요. 형사님들께선 제가 갇혀 있을지도 모를 전국의 정신 병원을 수색해 주시겠죠?”

“그……. 그렇게 할 겁니다. 정말 그런 일이 생긴다면요.”

“그럼 이런 경우는 어떻게 되나요?”

이다는 눈을 동그랗게 뜨고 눈동자를 반짝였다.

“어, 어떤 경우 말입니까?”

“지금 형사님이 보는 앞에서, 그런 일이 생긴다면요.”

“그야…….”

왜 그런 걸 묻느냐는 듯이, 형사는 어리둥절한 표정으로 입을 열었다. 그러나 제대로 답을 잇기 전에 소음이 들려왔다. 현관에서 문이 열리는 소리였다.

“아, 제 남편이 도착한 모양이네요.”

이다는 대수롭지 않게 반응했다.

“앉아들 계세요.”

덧붙인 뒤 이다는 일어서서 현관으로 향했다. 현관으로 이어지는 복도에 다다랐을 때, 구조 대원 유니폼을 입은 남자 셋이 성큼성큼 복도를 가로지르는 모습이 보였다. 그들은 이다를 마주하자 멈칫섰다. 세 남자 중 선두에 선 남자가 입을 열었다.

“최혜주 씨 되십니까?”

“그런데요? 누구시죠?”

이다는 눈살을 찡그리고 세 남자를 훑어봤다.

“저, 잠깐 병원에서 검사 좀 받으실 게 있어서요. 저희가 모시러 왔습니다.”

“병원이요?”

이다는 어이없다는 표정으로 팔짱을 꼈다. 그리고 선두에 선 남자의 눈을 빤히 봤다.

“난데없이 쳐들어와서 무슨 헛소린지 모르겠네요.”

“일단 가 보시면 압니다.”

이다가 덧붙이자 남자는 불친절하게 대꾸했다. 이어서 남자의 손이 덥석 이다의 팔을 붙잡았다. 순간 거의 동시에 이다의 손이 남자의 손목을 붙잡았다. 그리고 곧장 남자의 손목을 돌려 꺾었다. 남자가 으앗, 비명을 터뜨리자 옆에 있던 남자가 밧줄을 꺼내 들었다. 그가 다가오자 이다는 그를 향해 내던지듯이, 팔을 잡고 있던 남자를 힘껏 떠밀었다. 두 남자가 부딪치는 찰나 이다는 뒤를 돌아봤다.

“좀 전에 못 들은 대답, 마저 들을게요. 형사님들.”

형사님들. 이다는 또박또박 강조했다. 그러자 소파에서 멍하니 보고 있던 형사들이 벌떡 일어났다.

“지금 형사님이 보는 앞에서, 그런 일이 생겼는데. 이런 경우는 어떻게 되나요?”

* * *

태강 타워의 지하 주차장, 차 안에서 서한은 초조하게 시계를 확인했다.

뭐가 이렇게 오래 걸리는 건지…….

서한은 승강기가 있는 방향으로 시선을 옮겼다. 때마침 승강기에서 누군가가 내렸다.

남자 하나와 여자 하나.

잠시 지켜보던 서한은 여자의 얼굴을 알아봤다. 서이다였다. 그녀는 주차장 초입에 멈춰 섰다. 함께 내린 풍채 좋은 남자가 그녀의 곁에 딱 붙어서 섰다. 올려 보낸 병원 직원 중 한 사람인 듯했다. 그가 주차 된 사설 구급차를 가리키며 서이다에게 무어라고 말을 했다. 그러자 그녀는 순순히 고개를 끄덕이다 걸음을 뗐다. 남자는 그녀의 곁에 바짝 붙어 함께 이동했다.

드디어 끝난 모양이군. 반항하다 묶여서 끌려 나올 줄 알았는데. 의외로 포기가 빨랐던 건가?

서한은 어째 순순히 주차장을 가로지르는 이다의 모습이 뜻밖이면서도 다행스러웠다.

"하긴 반항해 봐야 꼴이 우습기만 하지. 남자 셋을 무슨 수로 이기겠어. 끌려 나오느니, 저러는 게 자존심은 덜 상하지."

혼잣말하며 차에 시동을 걸려다가, 서한은 멈칫했다.

잠깐……. 왜 옷이 바뀌었지?

서한은 이다의 옆에 있는 남자를 주시했다. 몸집으로 보아 병원에서 보낸 남자 중 하나라고 생각했었는데. 옷차림이 달랐다. 사설 구급차가 이곳에 도착했을 때 얼핏 스쳐보기만 해 얼굴은 확실치 않았지만, 구급차에서 내린 남자들의 의상만은 확실히 기억났다. 그들은 구급 대원 유니폼을 입고 있었다. 그리고 인원은 세 사람이었다.

그런데 지금 보이는 남자는 사복 차림이었다. 게다가 단 한 사람뿐…….

"설마 다른 놈인가?"

서한이 불안한 눈으로 의심하는 사이, 주위를 두리번거리던 이다의 눈길이 그에게 닿았다. 이다는 곧장 발걸음을 돌려 그에게로 걸어왔다. 그 모습에 서한은 등골이 서늘해졌다.

어떻게 해야 할지, 판단을 내리기도 전에 이다가 운전석 옆에 다다랐다. 사복 차림의 남자도 함께였다. 남자가 운전석의 차창을 두드렸다.

"저, 말씀 좀 묻겠습니다."

조심스러운 남자의 말에 서한은 일단 태연하게 창문을 내렸다.

"무슨 일이시죠?"

남자가 서한의 코앞으로 형사 신분증을 들어 보였다.

"강남 경찰서에서 나왔습니다. 최서한 씨 맞으시죠?"

"예, 맞습니다만. 무슨 일이시죠?"

서한은 도무지 영문을 모르겠단 표정으로 형사의 눈을 봤다.

"최혜주 씨 신고를 받고 왔습니다. 최서한 씨가 최혜주 씨 불법감금을 시도하셨다는데. 사실인지 확인 좀 해야겠습니다."

서한은 눈살을 일그러뜨렸다.

설마 그놈들, 붙잡혀서 신고당한 건가? 셋이서 여자 하날 못 당해서?

재빨리 가능성을 짐작한 뒤, 서한은 표정을 관리했다. 어이가 없단 듯이, 불쾌하단 듯이.

"불법 감금이요?"

서한의 시선이 이다에게로 향했다.

"한쪽 말만 듣고 오해를 하신 모양인데. 그런 거 아닙니다."

"오빠가 보낸 사람들이 다 털어놨어. 오빠가 나 정신 병원에 가두라고 했다는 거."

이다는 냉정한 태도로 반박했다. 그러자 서한은 한숨을 내쉬었다.

역시 그놈들이 잡힌 거군.

일이 성가셔져 짜증이 치솟았지만, 서한은 꾹 참으며 차 문을 열었다. 그는 차 밖으로 빠져나와 형사와 마주 섰다.

"제가 병원에서 사람들을 보낸 건 사실입니다. 가족 문제라서 얘기하기 곤란합니다만. 제 동생은 치료가 필요한 상태거든요."

"정신과 치료 말입니까?"

"예. 이미 몇 년 전에 우울증 치료를 받은 적이 있는데. 상태가 더 심각해졌습니다. 아무래도 안 되겠다 싶어서, 동생을 입원시키기로 결정한 겁니다."

"난 동의한 적 없는데. 그걸 왜 오빠가 결정하지?"

이다는 날카로운 목소리로 끼어들었다. 그러나 서한은 들은 체도 하지 않았다.

"동생 남편도 동의한 일입니다. 이렇게 가족 두 사람의 동의가 있으면, 본인이 원치 않더라도 정신 병원 입원 치료가 가능합니다. 이건 불법이 아니란 거, 형사님께서 더 잘 아실 텐데요?"

"남편?"

이다는 기가 막힌 듯이 눈을 찌푸렸다. 이어 믿을 수 없단 투로 덧붙였다.

"내 남편이 동의한 일이라고?"

둘 사이에서 형사는 슬쩍 이다를 훑어보고 서한에게로 시선을 되돌렸다.

"최혜주 씨, 아주 멀쩡해 보이는데요. 정말 입원 치료가 필요한 상태, 맞습니까?"

"술에 손만 대지 않으면, 지금처럼 멀쩡할 수 있겠죠. 그런 날이 거의 없다는 게 문제지만."

마치 그렇지 않은 날이 더 많단 것처럼, 서한은 의미심장하게 말했다.

이거 진짜 곱게 미친 새끼네…….

이다는 어이없어 헛웃음을 쳤다.

"그럼 최혜주 씨 남편분께 확인해야겠군요. 정말 입원에 동의를 하신 건지. 최혜주 씨 상태가 심각하신 건지."

형사의 말에 이다는 선뜻 대답하지 않고 서한을 노려보기만 했다. 뭔가 꺼림칙한, 그래서 썩 내키지는 않는 듯한 기색이었다. 그런 이다를 본 뒤, 서한은 정반대의 표정을 지었다.

"그러시죠."

거리낄 것 없단 듯이 떳떳한 얼굴로 서한은 휴대 전화를 꺼내 들었다. 그리고 태연하게 강찬재의 번호로 전화를 걸었다. 수화기에서 몇 차례 신호음이 울리다가 멈췄다.

[일이 이제 끝난 겁니까?]

찬재의 목소리가 느긋하게 건너왔다.

"아니, 일이 조금 복잡하게 돼서 말이야. 자네 확인이 필요해졌어."

[확인?]

"자네 아내가 경찰에 신고를 했어. 그래서 여기 형사님이 와 계시는데. 내가 멀쩡한 사람 강제 입원시키는 줄로 오해를 하고 계셔. 그래서……."

[일 참 성가시게 됐네.]

찬재는 혼잣말하듯 차갑게 내뱉었다.

“강 이사는 확인만 해 주면 돼. 혜주한테 치료가 필요하다는 거. 그리고 강제 입원에 강 이사도 동의했다는 거. 형사님께 그 두 가지만 확인해 줘. 나머진 내가 알아서 할게.”

수화기 너머에서 한숨 소리가 터져 나왔다.

“강 이사 아직 밖이지? 돌아오려면 오래 걸리는 건가?”

[아닙니다. 일단 제 사무실로 올라가시죠.]

“지금?”

[저도 곧 사무실로 갈 겁니다. 전화로 할 얘기는 아니니까, 얼굴 보고 얘기하도록 하죠.]

“그래, 그러도록 하지.”

서한의 말이 채 끝나기도 전에 찬재는 전화를 뚝 끊었다. 그러나 서한은 내색하지 않고 차분히 형사를 향해 입을 열었다.

“확인시켜 드릴 테니, 사무실로 올라가시죠.”

“사무실이요?”

“예. 동생 남편은 지금 밖인데, 곧 사무실로 온답니다.”

형사는 괜찮겠냐는 눈빛으로 이다를 봤다. 이다는 인상을 쓴 채 서한을 노려볼 뿐 아무런 말이 없었다.

“최혜주 씨 남편분께 확인해야겠다면서요? 정말 입원에 동의를 하신 건지. 최혜주 씨 상태가 심각하신 건지.”

서한은 형사가 했던 말을 따라 하며 상기시켰다. 그러자 형사의 시선이 서한에게로 돌아왔다.

“가시죠. 사무실까진 금방입니다.”

서한은 승강기 쪽으로 손을 뻗어 보였다. 형사는 다시금 이다를 건너다본 뒤, 뭔가 이상한 듯 고개를 갸웃거렸다. 그러다 이내 서한이 가리키는 승강기를 향해 출발했다. 이다는 멀어지는 형사의 뒤에서 가만히 서 있기만 했다. 서한은 그런 이다의 앞으로 다가갔다.

“뭐 해? 당당하게 따라가서 네가 정상인 거 증명하지 않고?”

코앞에서 비웃듯이 속삭이자, 이다는 더욱 인상을 구겼다. 서한은 아랑곳하지 않고 그녀의 팔을 거머쥐었다.

“어디 한번 네 남편한테 들어 보자고. 네가 정상인지 아닌지.”

서한은 부서뜨릴 기세로 이다의 팔을 쥔 채 발걸음을 옮겼다. 이다는 끌려가다시피 억지로 그를 따라 걸었다.

이윽고 세 사람이 모두 승강기 문 앞에 다다랐을 때, 승강기는 1층에서 주차장으로 내려오고 있었다. 이다는 아프도록 팔을 쥔 서한의 손아귀가 몹시 거슬렸지만 내버려 뒀다.

잠깐이면 된다, 잠깐이면.

그렇게 생각하는 사이, 승강기가 도착했다. 마침내 문이 열리자 승강기 한가운데에 찬재가 서 있었다. 그가 벌써 나타났다는 게 신기한 일은 아니었지만, 이다는 신기한 눈으로 그를 바라봤다. 아무런 감정도 드러내지 않는 그의 무표정한 얼굴이, 얼음장 같은 시선이 처음이라서. 이 낯선 모습이 꼭 다른 사람 같아서.

“아, 마침 가까이에 있었던 모양이네.”

서한이 다행이란 투로 찬재를 향해 말했다. 그에게는 찬재의 태도가 이상할 게 없는 듯했다. 마치 강찬재는 원래부터 이런 냉혈한이었던 것처럼.

하지만 이다로서는 영 적응이 쉽지 않았다. 내 앞에서나 혈기 왕

성하지, 일할 때는 그렇지 않다는 걸 빤히 알고 있는데. 일할 때의 냉정한 모습쯤은 이미 봐서 알고 있는데. 지금 이 모습은 그때와 비교도 할 수 없이 싸늘했다. 이다는 찬재를 지켜보며 짐작했다.

진짜 싫은 놈을 상대할 땐 이 정도로 차가워지는 건가…….

"생각이 바뀌었습니다."

찬재는 의미심장하게 서한의 눈을 보며 싸늘한 목소리를 냈다.

"세 사람이 사무실로 올라오는 시간보단 내가 내려오는 편이 빠를 것 같아서. 그래서 내가 내려온 겁니다."

말을 마친 찬재가 서한의 손으로 시선을 옮겼다. 그의 손은 아직도 이다의 팔을 붙잡고 있었다.

"하긴 회사 사람들 보는 눈이 있으니까. 여기서 얘기하는 편이 낫겠지."

서한의 목소리에 찬재는 거슬리는 듯이 눈살을 찌푸렸다.

"여기서 얘기를 하자는 건 아니고."

칼로 베듯 딱 잘라 대꾸하고서 찬재는 이다와 눈을 마주쳤다.

"당신 데리러 왔어."

"뭐?"

서한은 귀를 의심하며 물었다. 그러거나 말거나 찬재는 이다에게 시선을 고정한 채 다음 말을 뱉었다.

"근데 당신 팔을 왜 다른 놈이 잡고 있지?"

"다른 놈이라니. 그래도 내 오빤데."

이다는 혼란스러워하는 서한의 손을 휙 뿌리쳤다.

"아무리 오빠 노릇 포기한 오빠여도, 오빠는 오빠잖아? 오빠가 저런다고, 우리까지 똑같아지진 말아야지."

부러 오빠라는 말을 수차례 강조하며, 이다는 찬재에게로 걸어갔다. 그녀가 다가오는 사이 찬재는 닫히지 않도록 승강기 문을 손으로 막았다.

"강 이사, 이게 대체 무슨……? 무슨 소리야?"

"형사님, 야구 잘하십니까?"

찬재는 서한의 질문에 답을 하는 대신 형사에게 질문을 던졌다. 뜬금없는 질문에 형사도 어리둥절한 표정을 지었다. 옆에 있는 서한만큼은 아니었지만.

"야구요?"

"공 잘 받으시나 해서요."

"예, 뭐 그럭저럭 잘합니다."

"그럼 이것도 좀 잘 받아 주시죠."

찬재는 주머니에서 USB를 꺼내 들었다. 그리고 형사의 눈높이에 맞추어 가볍게 던졌다. 조준은 정확했고, 받아 내는 형사의 솜씨도 제법이었다.

"다시 한번 말씀드리지만, 나는 내 아내가 미쳤다고 생각하지 않습니다. 내 아내를 불법 감금시킬 계획도 전혀 없습니다."

어느덧 이다가 찬재의 옆에 나란히 섰다.

"뭐, 합법적인 감금이면 판타지는 있습니다만."

가볍게 덧붙이는 찬재의 허리에 이다는 팔을 둘렀다. 찬재는 그녀의 어깨 위로 팔을 둘렀다.

"보시다시피 저흰 별로 헤어지고 싶지 않아서요."

"강 이사!"

찬재는 그제야 서한에게로 시선을 돌렸다.

"저 USB에는 녹음 파일이 들어 있습니다. 자기 동생을 그 여자라 부르면서, 그 여자를 정신 병원에 강제 입원시키겠다, 장담하는 누구 씨의 목소리가 담겨 있죠."

"뭐?"

"속인 게 미안해서 드리는 팁입니다. 참고해서 조사 잘 받으십시오."

찬재는 승강기 문을 막고 있던 손을 거두었다. 이어 형사를 향해 덧붙였다.

"형사님, 조사 잘 부탁드립니다."

"강찬재!"

인사가 채 끝나기도 전에 서한이 승강기로 달려들었다. 닫히려는 문을 두 팔로 막고 서서, 부릅뜬 눈으로 외쳤다.

"왜 말을 바꾸는 거지?! 자네도 분명 동의했었잖아!"

"목 아끼시죠. 경찰서 가서 해야 할 말 많으실 텐데."

"저 여자한테, 저 여자한테 대체 무슨 말을 듣고 이래!"

"저 여자라니요. 누가 보면 형제 아니라 남남인 줄 알겠습니다."

"저 여자하고 거래라도 한 거야? 그래서 이래? 나보다 더, 더 많은 걸 주기라도 한데? 속지 마! 저 여자가 무슨 말을 했든, 그게 사실일 리 없잖아! 저깟 게 대체 뭐 가진 게 있다고!"

"더 많은 거라기보단, 더 좋은 걸 주죠."

차분히 끼어드는 이다의 목소리에 두 남자는 멈칫하고 그녀를 봤다. 이다는 거침없는 눈빛으로 서한의 눈을 마주했다.

"까불지 마. 네가 아무리 최혜주로 산다 해도, 그래 봤자 최혜주는 입양아야. 우리 집안에서 너, 처치 곤란인 애완견 신세일 뿐이라고. 그런 네가 나보다 더 좋은 걸 줄 수 있다? 그런 걸 갖고 있기

나 해? 가진 거라곤 막 굴려 먹던 몸뚱이가 전부인 게. 아, 설마 그 몸뚱이 대 주면서 잘난 척하는 건가?"

이 자식이 매를 부르네…….

이다는 짐짓 무덤덤한 얼굴로 스윽 소매를 걷어붙였다. 이어 샌드백을 생각하며 주먹을 꽉 쥐는데, 느닷없이 서한의 얼굴에 주먹이 날아들었다. 자신의 주먹이 아닌 찬재의 주먹이, 무지막지하게 둔탁한 소리를 내며 서한의 턱에 부딪혔다.

＊ ＊ ＊

펜트하우스로 올라가는 승강기에는 두 사람만 남아 있었다. 이다는 찬재의 손목을 잡아 들고 그의 주먹이 코앞에 오게 했다. 그리고 신기한 듯 주먹을 살펴봤다.

"이 주먹이 그 정도로 세단 말이야?"

"그 정도라는 건, 어느 정도?"

"턱 한 대에 정신 못 차릴 정도."

이다는 조금 전 서한의 모습을 떠올리며 대답했다.

고작 한 대였을 뿐인데. 그 정도로 나자빠질 수 있다니.

"그 정도는 돼. 그 이상도 되고."

"오……."

찬재의 대답에 이다는 감탄하는 눈빛으로 그를 봤다.

"그 이상은 언제 볼 수 있는데?"

"너한테 또 개같이 구는 놈이 있을 때."

어디 나타나기만 해 보라는 듯이, 찬재는 사납게 인상을 썼다. 남이 보면 무섭다 할 얼굴을 아무렇지 않게 마주한 채 이다는 찬재의 허리를 끌어안았다.

"너한테 그러는 놈 있으면 내가 패 줄게."

이다는 듬직하게 약속했다.

"됐어. 네 주먹에 때 타는 꼴 내가 못 봐."

"뭐야, 너는 되고?"

"응."

"그런 거 없어. 넌 되는데, 난 안 되고. 그런 거 없어."

이다다운 발언에 찬재는 피식 웃었다.

"그리고 때는 뭐, 씻으면 되지."

"씻어?"

"이렇게."

이다는 싱긋 웃고는 찬재의 입술 옆에 입술을 맞추었다. 그러자 고개를 비튼 찬재가 입술에 입술을 포개었다.

입 살짝만 맞추고 떨어질 생각이었는데…….

여기 승강기 안인데……. 누가 문 열면…….

깊어지는 키스에 생각이 점점 녹아 갔다. 이다는 아예 생각을 끊고 과감하게 움직였다. 두 손으로 등을 휩쓸고, 입술로 입술을 휩쓸었다.

승강기가 오르는 속도보다 열이 오르는 속도가 훨씬 빨랐다. 그러다 일순 승강기의 속도가 완전히 멈춰 버렸다. 그럼에도 두 사람은 계속 열을 올리기만 했다.

"이사…… 님?"

누군가의 목소리를 듣고서야 두 사람은 키스를 멈추었다. 동시에 고개를 돌렸을 때, 열린 문 너머로 태건이 서 있었다. 태건은 경악하는 눈빛으로 찬재를 뚫어지게 쳐다보고 있었다.

"아니, 아무리 이혼 예약자라도 그렇지! 어떻게 벌써 딴 여자를!"

태건은 발끈해서 저도 모르게 외치다가 여자 쪽으로 눈총을 쏘았다. 그런데 어째 여자의 얼굴이 매우 낯익었다.

"……사모님?"

아니, 이게 무슨 일이야…….

태건은 얼이 빠져 멍해진 얼굴로 두 사람을 번갈아 보았다.

"두 분 이혼……."

하시는 거 아니었냐고. 남은 말을 채 뱉기도 전에 찬재가 끼어들었다.

"펜트하우스 손님들, 1층까지 잘 안내해 드렸겠지?"

태연하게 묻는 말에 태건은 반사적으로 고개를 끄덕였다.

"예, 그건 그런데……."

"잘했네. 됐으니까 가 봐."

찬재는 더 할 말이 없다는 투로 딱 잘라 말했다. 그리고 이다의 손을 꼭 거머쥐고 승강기 바깥으로 걸음을 옮겼다. 이다는 자연스레 그와 함께 걸었다. 두 사람이 자신을 지나치자 태건은 뒤를 돌아봤다.

"이사님, 혹시 이혼 안 하시는 겁니까?"

혹시나 하는 마음에 태건의 눈빛에는 반색이 비쳤다. 찬재는 멈칫 서서 그를 향해 대답했다.

"아니, 해."

"……예?"

"한다고, 이혼."

식장 들어서는 신랑 신부처럼 서로 손을 꼭 쥔 채로, 찬재는 당당하게 이혼을 말했다.

뭐래는 거야, 저 인간이…….

분명 대답을 들었는데, 뭘 들었는지 알 수가 없어 태건은 멍해졌다.

"태건 씨, 승강기 문 닫혔어요."

이다의 목소리에 태건은 그녀의 얼굴을 확인했다. 그녀는 아무렇지 않은 얼굴이었고, 덕분에 태건의 기분은 더욱 이상해졌다. 계속 얼이 빠져 있는 태건의 모습에 이다는 덧붙였다.

"그러다 승강기 놓치실 텐데."

"그냥 둬, 알아서 내려가겠지."

찬재는 무심하게 태건을 뒤로한 채 이다를 펜트하우스로 이끌었다.

뭐야……. 이혼할 거면서, 왜들 저래……?

나란히 한집으로 들어서는 두 사람을 바라보며 태건은 도리도리 고개를 저었다.

아무리 봐도 이상한 광경이었다. 이혼한다 하면서도 서로 좋아 죽는 모습이라니. 싫다 밉다 해 놓고, 사모님 무릎 베고 잘도 자던 신혼 초의 모습만큼이나 이상했다.

하여간 이상하게 잘도 붙어 있어…….

떨어지면 못 살 것처럼.

태건은 왜인지 신혼 여행지에 도착하자마자 아득바득 한국으로 되돌아온 찬재가 떠올랐다.

'최혜주 지금 어디 있어?'

'신혼집에요. 어제 그렇게 들어가신 후로 자정 너머까지 계속 계셨으니. 지금도 거기 계실 겁니다.'

'내가 없는 침대에서 꿈을 꾸고 계시겠군.'

'…….'

'꿈 깨게 해야지.'

하긴 그때도 그랬지. 한시도 떨어져선 못 사는 상대처럼, 기어이 쫓아오더라니.

어째 저 커플, 오래오래 잘도 살 것 같아졌다.

이혼해도 헤어질 리 없이, 어떻게든 잘도 붙어 살겠지……. 결혼하고 지금까지 쭉 그랬던 것처럼.

태건은 어째 속이 쓰려 와 비간을 좁혔다.

내가 저런 커플 걱정을 했다니……. 솔로 주제에…….

쓴 입맛을 느끼면서 태건은 승강기로 몸을 돌렸다.

* * *

[아버지, 혜주하고 서한이 일, 알고 계셨습니까?]

수화기 너머 큰아들의 목소리는 퍽 심각했다.

설마 이 녀석이 진실을 알아 버린 건가……? 서한이 마약 중독 상태인 혜주를 숨겨 주고 있다는 걸……? 아니, 혹시 강찬재와 결혼한 게 가짜 혜주라는 사실을 말하는 건가?

최 회장은 불안감에 마른침을 삼켰다.

"무슨 일 말이냐?"

짐짓 아무것도 모르는 체 반문하자 수화기 너머 진한은 한숨을 내쉬었다.

[서한이가 혜주를 정신 병원에 강제 입원시키려고 했답니다.]

"뭐?"

최 회장은 귀를 의심하며 눈을 껌뻑였다.

[불법 감금 시도로 경찰서에서 조사 중이라는데요. 대체 서한이 그놈, 이게 무슨 일이랍니까? 혜주하고 왜……. 둘이 그럴 사이 아니었잖습니까?]

"너 그거, 어디서 들은 게냐?"

[아는 기자가 경찰서에서 서한이를 봤답니다.]

"……."

[아버지, 이거 잘못하면 문제가 커질 수도 있습니다. 가뜩이나 저희 이미지……. 아시잖아요.]

최 회장은 대답 대신 탄식을 흘렸다. 눈앞이 캄캄해졌다.

최서한, 이 녀석이 미친 건가? 도대체 왜……! 왜 그런 쓸데없는 짓을 벌여!

[혜주하고 둘이 틀어진 모양인데. 그래도 걔, 서한이 꽤 잘 따랐잖아요? 걔 좀 설득해 보세요. 진술 번복하라고.]

진한의 채근에 최 회장은 속이 답답해졌다.

내 말 들을 진짜 혜주라면, 애초에 이딴 일이 벌어지지 않았겠지!

최 회장은 소리치고 싶은 충동을 애써 목 아래로 삼켰다. 그는 한동안 숨을 몰아쉰 뒤 목소리를 냈다.

"그래. 내 알아서 할 테니까. 넌 기사 안 나가게 단속이나 확실히 해 둬."

진한의 대답이 돌아오기도 전에 최 회장은 급히 전화를 끊었다.

* * *

샤워를 마친 이다가 욕실을 빠져나왔을 때, 찬재는 침대에 걸터앉아 욕실 문을 마주 보고 있었다. 젖은 몸에 샤워 가운 한 장을 걸친 그녀의 모습에 찬재는 씩 웃으며 두 팔을 벌렸다. 이다는 자석에 끌리는 것처럼 자연스레 그에게로 걸어갔다.

"형사한테서 전화 왔었어."

찬재는 코앞에 온 이나의 허리를 끌어안으면서 말했다.

"경찰서로 나와 달래. 진술 부탁드린다고."

전할 말을 마치고서 찬재는 이다의 배에 얼굴을 묻었다. 이다는 그의 머리를 안았다.

"그럼 가야지."

샤워 가운 한 겹 너머에서 찬재의 입술이 키스하듯 움직였다. 배를 간지럽히는 움직임에 이다는 피식피식 실소가 났다.

"가지 말자는 거야?"

찬재의 머리칼을 살짝 움켜쥐고 묻자 그가 고개를 들어 눈을 보였다.

"난 너랑 로맨스가 찍고 싶은데. 자꾸 미스터리가 끼어드네."

찬재는 아쉬운 눈빛으로 말했다. 그러더니 침대에서 일어나 이다의 어깨를 끌어안았다.

"빨리 해결하고 로맨스만 집중하자."

찬재가 다짐하듯 속삭이자 이다는 그의 허리를 껴안았다.

"그러려면 빨리 준비하고 가야지."

말은 그렇게 하면서, 이다 역시 아쉬움에 그를 끌어안고만 있었다.

"오늘 최서한하고 끝장을 봐야 하는데……. 왜 이러고만 있고 싶냐……."

"좋은 것만 보고 싶은 게 사람 마음이니까. 또 최서한 마주하려니까 싫은 거지. 그냥 계속 나만 보고 싶고."

이다는 다 안다는 듯이 등을 어루만져 주며 말했다.

"그러네. 딱 그거네."

찬재는 살살 고개를 끄덕이다 이다의 목에 입술을 파묻었다. 그대로 깊이 들이마시는 숨결에 이다는 어깨가 들썩거렸다. 그사이 찬재는 이다의 샤워 가운에서 리본을 스륵 풀었다.

"안 돼, 지금은."

앞이 벌어지는 느낌에 이다는 얼른 찬재의 손을 잡고 막았다.

"이럴 시간 없어."

이다가 눈을 보며 말하자 찬재는 재미있단 듯이 미소를 지었다.

"왜 이래? 옷 안 입을 거야?"

"뭐?"

"나가려면 옷부터 입어야지. 이러고 나갈 거 아니잖아."

"……."

"옷 입혀 주려는 건데. 서이다 씨 왜 이러실까?"

능청스럽게 눈웃음을 치는 얼굴에 이다는 피식 실소를 머금었다.

"아, 그래? 하긴 샤워 가운 위에 옷을 입을 수는 없지."

이다는 잡고 있던 찬재의 손을 놓고 두 손을 들어 보였다.

"그럼 계속해."

허락하는 몸짓과 담대한 눈빛에 찬재는 더욱 웃음이 짙어졌다.

"좋으실 대로."

찬재는 이다의 말버릇을 흉내 내며 샤워 가운 앞섶을 잡았다.

펜트하우스를 빠져나온 두 사람은 승강기에 들어섰다. 금속으로 된 문이 닫히자 그 문에 두 사람의 모습이 흐릿하게 비쳤다. 이다는 거울 보듯 문을 마주 보며 자신의 옷차림을 확인했다.

"좋네."

이다의 목소리에 찬재는 고개 돌려 그녀를 봤다.

"뭐가?"

"네가 옷 입혀 주는 거. 예쁜 옷 잘 골랐네."

"대충 입힌 건데, 네가 예쁜 거야."

이다는 희미하게 웃었다. 마치 결혼사진 속 최혜주처럼.

함께 싱긋 웃으려다가 찬재는 뭔가 이상해서 고개를 비스듬히 기울였다.

"왜 웃는데, 우울해 보이는 거지?"

진짜 최혜주처럼…….

찬재는 속으로만 덧붙이며 이다를 지켜봤다.

"결과가 가까워지니까. 머리 복잡하고 심란해져서 그래."

이다는 희미하던 미소조차 지우고서 시선을 내렸다.

"최서한이 숨겨 놓은 최혜주가 어떻게 지냈는지. 너무 알고 싶었는데. 막상 확인하려니까, 무서워."

"……."

"그냥 아무 생각 안 하려고 애쓰는데. 잘 안 되네."

무덤덤한 말투였지만, 얼굴에는 슬픈 기색이 역력했다. 몹시 나쁜 일을 예감하고 있는 것처럼.

"그럼 좋은 생각을 해."

찬재는 이다의 머리 위로 손을 올렸다. 큼지막한 손이 따뜻하게 머리를 감쌌다.

"오늘이면 다 끝나. 끝낼 수 있어. 넌 최혜주 찾을 거고, 최혜주는 좋아질 거야. 지금까지 어떤 상황이었든, 앞으로는 다 좋아질 거야. 너 만나면 좋아질 일밖에 없어."

손처럼 따뜻한 찬재의 입술이 이마에 닿았다. 지그시 온기를 전하는 입맞춤에 머릿속까지 훈훈해지는 듯했다.

"얼마나 좋아질지, 생각해 봐."

찬재의 덧붙임에 이다는 한결 안심이 돼 살짝 미소를 지었다. 조금이나마 밝아진 미소에 찬재도 입꼬리가 올라갔다. 그때 승강기의 문이 열렸다. 승강기 바깥은 주차장이었다.

찬재는 머리에서 손을 내려 이다의 손을 잡았다. 그리고 문 너머로 함께 걸어 나가는데, 휴대 전화가 울렸다.

"내 전화네."

이다는 찬재가 잡고 있지 않은 손으로 휴대 전화를 꺼내 들었다. 발신자를 확인해 보니 최 회장이었다.

"누구야?"

"최 회장."

이다는 울리는 전화를 내버려 둔 채 찬재와 나란히 그의 차로 향했다. 잠시 후, 올라탄 이다는 전화를 받았다. 찬재는 바깥에서 조수석 문을 닫아 주고 운전석으로 건너갔다.

"무슨 일이시죠?"

[서한이가 널 불법 감금하려 했었다는 게, 사실이냐?]

수화기 너머 최 회장이 질문하는 사이, 찬재는 운전석에 앉아 문을 닫았다.

"정말 몰라서 물으시는 건지. 모르는 척 물으시는 건지. 저야말로 묻고 싶네요. 최서한이 날 정신 병원에 강제 입원시키려던 계획, 회장님 정말 몰랐나요?"

최 회장은 잠시 탄식했다.

[알았다면 말렸을 게다.]

"그래요?"

이다는 전혀 믿지 않는 듯이 무심한 목소리를 냈다.

[정말이다. 그 녀석이 그런 짓을 할 거라곤, 정말 몰랐다. 난 그 녀석한테 그냥 혜주 한 번 만나게 해 주라고, 그럼 조용히 끝날 일이라고 했어.]

"그럼 대체 왜 그랬을까요?"

이다는 예리해진 눈빛으로 냉정하게 파고들었다.

"최혜주 한 번 만나게 해 주면 조용히 끝날 일을. 참 시끄럽게 판을 키웠네요, 그 댁 아드님이."

[…….]

"그렇지만 지금이라도 최혜주 만나게 되면, 이 판은 제가 없던 일로 엎어 드리죠."

[마, 만나게 해 주마.]

"최혜주 지금 어디 있는데요?"

[서한이가……. 혜주, 약물 중독 치료 중이라고 했다. 어디인지 정확히는 모르지만, 내가 다시 서한이 놈하고 얘길 하마. 어딘지 알아내서, 너한테 제대로 알려 줄 테니까. 이번 일은…….]

"역시 회장님도 모르시네요. 진짜 최혜주가 어디에 있는지는."

이다는 찬재에게로 고개를 돌렸다. 그리고 찬재와 눈을 마주한 채 의미심장하게 덧붙였다.

"아무래도 최서한하고 직접 얘기해야겠네요."

출발하자는 이다의 눈짓을 알아차리고 찬재는 시동을 걸었다.

"답을 아는 사람은 그 인간뿐이니까."

덧붙인 뒤 이다는 전화를 끊어 버렸다. 찬재는 기다렸단 듯이 차의 속력을 높였다.

* * *

경찰서의 조사실로 안내 받은 이다는 조사실 안 의자에 앉아 있는 서한을 마주했다. 서한은 가만히 아무런 표정 없는 얼굴로 이다를 응시했다.

"진술 전에 오빠하고 먼저 얘기를 좀 하고 싶었어."

이다는 서한의 맞은편에 앉으며 운을 뗐다. 단둘만 남겨진 조사실 안은 고요했다.

"최혜주 행방 알려 주면, 진술 바꿔 줄게."

이다는 낮은 목소리로 의미심장하게 제안했다.

"오빠하고 나 사이에 심각한 싸움이 있었다고. 그때 내가 오빠 앞에서 비정상적인 행동들을 했었다고. 오빠가 날 정신병으로 오해할 만한 상황이었다고 말해 줄게. 그럼 이번 사건 조용히 정리할 수 있겠지."

서한은 눈을 감고 초연하게 입을 열었다.

"강찬재하고 한편일 줄은 생각도 못 했는데. 내가 뒤통수를 아주 제대로 맞았어."

"그쪽이 내 뒤에서 강찬재 씨한테 손 벌릴 줄은 나도 몰랐지. 알았으면 미리 얘기해 주는 건데 말이야. 우린 한편이라고."

받아치는 이다의 목소리에 서한은 천천히 눈을 떴다.

"넌 참……. 목소리까지 혜주하고 똑같아."

서한은 싸늘한 시선으로 이다를 쳐다봤다.

"네 입으로 네 정체를 떠들어 대지만 않으면, 아무도 널 가짜라고 의심 못 할 텐데 말이야."

"……."

"주머니에 녹음기라도 넣어 뒀나?"

서한은 이다의 허리 아래를 시선으로 가리켰다. 책상에 가려져 있었지만, 주머니가 있을 만한 위치였다.

"그런 거면 책상 위에 올려 두고 제대로 녹음해. 그리고 몇 번이고 들어 보면서 똑똑히 생각해 봐."

이다는 피식 입꼬리만 올렸다. 주머니 속 녹음기를 책상 위로 올릴 생각 따윈 1초도 하지 않았다. 서한은 그런 이다의 눈을 지켜보며 말을 이었다.

"혜주 찾고 싶으면, 방법은 딱 한 가지야. 진짜 최혜주는 결혼 전에 실종됐다고, 경찰에 사실대로 신고하는 방법이지. 그럼 경찰들이 혜주 행방을 찾아 줄 거야. 물론 거짓말은 하면 안 돼. 네가 혜주 사칭해서 강찬재와 결혼한 거, 검찰 조사에서 위증한 거. 전부 사실대로 말해야만 찾을 수 있어. 언제 사라졌는지가 정확해야, 어디로 사라졌는지를 알 수 있거든."

"……."

"근데 그렇게까지 해서 찾을 이유가 있나?"

서한은 질문하며 고개를 갸웃거렸다. 진심으로 모르겠다는 듯이.

"최혜주 사칭해서 위증했다는 죄, 서이다한텐 전과로 남게 될 텐데. 그렇게 네 인생 망쳐 가면서 최혜주 찾아서 뭐하려고?"

"그렇게까지 안 해도, 최혜주 찾을 방법은 있어. 그냥 이 자리에서 네가 네 입으로 혜주 행방 말하는 거지."

"내 입으로 말하는 일은 절대 없을 거야."

서한은 고개를 저었다.

"네가 무슨 짓을 해도, 죽어도, 절대로."

결연한 덧붙임에 이다는 불길해져 주먹을 그러쥐었다.

"대체 최혜주한테 무슨 짓을 한 거야, 너?"

"넌 혜주를 찾아 봐야 좋을 게 없어."

서한은 타이르듯 부드러운 목소리로 대답했다.

"혜주 대신 지금까지 누리던 건 다 잃게 되고, 넌 전과자가 될 뿐이지."

"……."

"혜주가 네 인생에서 그렇게 중요한 존재였나? 그럴 가치가 있어? 천만에."

제 질문에 스스로 답하면서 서한은 고개를 내저었다.

"그 앤 네 존재를 모르는 동안 아주 잘 살았어. 내 어머닌 아버지 첩이었지만, 그 애 양어머니는 아버지 본처였으니까. 아버지 핏줄도 아니면서, 형제 중에 가장 많은 걸 누리면서 살았지. 그래서 그 앤 네 존재를 알았을 때, 널 모르는 척했어."

"뭐?"

"자기가 입양아란 사실이 싫었으니까. 널 알고 싶어 하지도 않았고, 너한테 알리고 싶어 하지도 않았지. 어차피 모르고 살던 사이, 계속 모르고 살아도 상관없다고. 아니, 모르고 사는 편이 훨씬 좋다고. 혜주는 그랬어. 그리고 양어머니가 돌아가신 상황에서도 널 찾지 않았지. 혜주한테 넌 아무 가치도 없는 존재였던 거야."

"……."

"그런 혜주 때문에 네 인생에 먹칠하지 마."

이다는 두 주먹에 한껏 힘을 주고 서한을 노려봤다.

"당사자한테 확인할 수 없는 얘긴 못 들은 걸로 하지."

단호한 대꾸에 서한은 미간을 좁혔다.

"그럼 당사자한테 확인할 수 있는 얘길 할까?"

서한은 눈을 내리뜨고서 턱을 쓱 매만졌다. 찬재의 주먹이 꽂혔던 부위였다. 뼈가 다친 것처럼 아직도 뻐근한 통증이 느껴졌다.

"강찬재 말이야. 그 남자는 널 아주 사랑하는 모양이야. 네가 가짜인 걸 알고도, 네 편에 선 걸 보면."

"……."

"밖에 있는 강찬재한테 한번 확인해 봐. 네가 전과자가 되면 어떤 일이 벌어질지."

"……."

"대학 문턱도 못 밟아 본 천애 고아에, 전과자. 그런 네가 혜주처럼, 강찬재하고 결혼할 수 있을까?"

서한은 애석하단 얼굴로 혀를 찼다.

"그런 남자 다시 찾기 힘들 텐데. 혜주 때문에 놓쳐야겠어?"

순간 이다는 눈빛이 흔들렸다. 그를 본 서한의 눈동자는 반짝였다.

"현명하게 잘 생각해. 혜주 하나 찾겠다고, 많은 거 잃지 말고."

음산하게 들려오는 목소리에 이다는 자리에서 몸을 일으켰다. 그리고 서한을 내려다보며 입을 열었다.

"너, 자꾸 최혜주 못 찾게 하려고 별짓을 다 하는데."

제발 아니기를. 이것만은 아니기를.

이다는 마음으로 빌고 빌며 어렵사리 말을 이었다.

"설마……. 죽었어?"

마음만큼이나 가라앉은 목소리가 흘러나왔다. 그러자 서한은 아무런 감정도 드러나지 않게 얼굴에서 표정을 지워 버렸다. 그는 무미건조한 눈빛으로 이다를 올려다보며 대답했다.

"아니. 혜주는 어딘가에 살아 있어. 행복하게, 아주 잘 살고 있어. 그렇게 믿어. 그리고 묻어."

"……."

"너도 잘…… 살아야지."

그러지 못할까 봐 걱정이라도 하는 듯이, 당부하는 말투였다.

조사실 바깥 복도에서 찬재는 형사와 함께 서 있었다.

얼마나 더 기다려야 하는 걸까…….

찬재는 벽 너머에 둘만 남겨 놓은 시간이 어서 끝나기를 바라는 마음으로 시계를 확인했다.

"이런 질문 조심스럽습니다만."

형사의 목소리에 찬재는 시선을 옮겼다.

"편하게 얘기하시죠."

"혹시 안에 두 분……. SJ 그룹 후계자 자리를 두고 경쟁이라든가. 뭐, 유산 상속 싸움이라든가. 하여간에 그런 거 하는 중입니까?"

"왜 그렇게 생각하시죠?"

"보통 이런 사건은 재산 때문에 벌어지거든요. 금전적으로 이득을 취할 게 있으니까, 상대를 정신 병원에 감금하는 거죠. 부모한테 억지로 유산 받으려고, 배우자 재산 가로채려고. 대부분은 그런 이유로 범행을 시도하는데. 아무래도 저 두 분은 집안이 보통이 아니다 보니, 그 정도 스케일은 되지 않을까 싶어서요."

제법 일리 있는 추론에 찬재는 가볍게 픽 웃었다.

그래, 이편이 상식적이지…….

최혜주는 행방불명이고, 쌍둥이인 서이다가 대신 나와 결혼했고. 최서한은 최혜주의 행방을 숨기려고 이런 범죄를 계획했다.

이게 현실인데. 왜 이리도 비현실적으로 느껴지는 건지.

"역시 현실이 드라마보다 더한 건가."

찬재는 조용히 혼잣말했다.

"예?"

"별말 아닙니다."

형사의 질문에 찬재는 고개를 저었다.

"저야 당사자가 아니니까, 뭐라 답해 드리기가 어렵고. 최서한 씨는 뭐라고 하던가요?"

"아직까진 묵비권 행사 중입니다."

그런데 그때, 조사실 안에서 시끄럽게 우당탕 소리가 났다.

"뭐지?"

당황한 형사가 조사실 문으로 달려갔다. 찬재 역시 마찬가지였다. 두 사람이 금세 조사실 문을 열고 안으로 들어섰을 때, 이다는 바닥에 쓰러진 서한의 멱살을 잡아 일으키고 있었다.

"아, 아니, 이게 대체……!"

눈이 휘둥그레진 형사 앞에서 이다는 서한을 벽으로 밀쳤다. 서한의 등이 쿵 하고 벽에 부딪혔다. 이다는 그대로 서한의 멱살을 쥔 채 코앞에서 그를 노려봤다.

"이, 이보세요, 여기 경찰섭니다!"

형사의 외침에 찬재는 재빨리 이다에게 다가가 어깨를 붙잡았다. 그럼에도 이다는 서한의 턱을 향해 오른손을 휘둘렀다.

* * *

"너 하마터면 유치장 갈 뻔했어."

주차 된 차의 뒷좌석에서 찬재는 옆에 앉은 이다를 향해 말했다.

"대체 무슨 일이야? 무슨 얘길 들은 건데?"

"혜주 행방, 못 알아냈어."

이다는 정면을 응시하며 최대한 이성적으로, 힘껏 침착하게 대답했다.

"협상도 안 통하고, 협박도 소용없어. 최혜주 행방만 알려 주면, 지난 일은 없던 일로 해 주겠다는데도. 끝까지 숨길 생각이야."

"……."

"그 자식이 왜 그러는지……. 난……. 이제 한 가지 생각밖에 안 들어."

감정을 배제하려 애를 쓰는데도, 이다는 눈앞이 흐려졌다.

"최혜주는……."

볼을 타고 뜨겁게 눈물이 떨어졌다.

"혜주……."

이다는 눈을 감아 버렸다.

"죽은 거…… 같아……."

이것만은 아니기를 바랐는데. 이것만은 아니어야 했는데.

감은 눈을 비집고 계속해서 눈물이 쏟아졌다. 이를 악물어도 멈춰지질 않았다. 몸이 바들바들 떨려 왔다. 몸속의 피가 싸늘하게 식어 멈춘 것만 같았다.

최혜주는 죽은 거야…….

가라앉는 것처럼 온몸이 무겁고, 얼어 가는 것처럼 추웠다. 옆에 누가 있는지도 까맣게 잊을 만큼 머릿속이 캄캄해져 갔다.

"미안해."

어둠 속에서 찬재의 목소리가 들려왔다. 추운 몸을 감싸는 단단한 몸이 느껴졌다.

"네가 우는 일은, 내가 없게 만들어야 했는데."

떨리는 살을 어루만지는 손길이, 체온이 따뜻했다.

"미안해. 내가 미안해."

그녀가 겪는 불행이 다 자신의 책임인 듯이, 찬재는 가슴 아픈 목소리로 사과했다.

"미안해……. 미안해……."

거듭되는 사과가 마주 닿은 가슴에서까지 메아리치는 듯했다.

왜일까. 온몸으로 전해지는 위로에 눈물이 멈추지 않고 더욱 솟구쳤다. 이다는 더는 참으려고 애쓰지 않았다. 눈물을 내버려 두고, 찬재를 꽉 끌어안았다.

"나한테 기대. 너 혼자 감당하지 마."

부탁하듯 간절한 목소리에 이다는 아예 이성을 놓아 버렸다. 엉엉, 소리 날 만큼 울음이 터져 나왔다.

* * *

피해자인 최혜주의 진술이 내일로 미뤄졌기에 서한은 최 회장이 보낸 변호사와 함께 경찰서를 빠져나왔다. 혐의에 대한 조사는 내일 이어질 예정이었고, 서한은 변호사의 안내를 따라 귀갓길에 올랐다.

서한은 달리는 차 뒷좌석에서 잠자코 앉아 창밖을 응시했다. 차창에 비친 자신의 얼굴이 엉망이었다. 눈가는 멍이 들어 있었고, 입술은 찢어져 있었다. 머리칼도 옷매무새도 너저분히 흐트러진 모습이었다. 언제나 정갈함을 고집하던 그로서는 눈앞의 자신이 많이 낯설었다.

그러나 서한은 그냥 눈을 감아 버렸다. 머리칼도 옷매무새도, 무엇 하나 정리하지 않고 내버려 두었다.

될 대로 되라지…….

서한은 그대로 한참을 가만히 앉아 있었다.

마침내 목적지에 다다른 차가 멈춰 섰을 때, 서한은 눈을 떴다. 차창 밖은 최 회장의 본가가 아닌 호텔 앞이었다.

최 회장이 잡아 놓은 객실은 한 사람이 묵기에는 지나치게 넓은 방이었다. 물론 두 사람의 이야기가 문밖으로 새 나가기에도 지나치게 넓었다. 어떤 비밀을 떠들어 대도 안전할 장소였다.

홀로 객실에 들어선 서한은 응접실 소파로 걸어갔다. 그를 기다리는 최 회장이 거기 앉아 있었다.

"도대체가 나는 네 속을 알 수가 없구나."

최 회장은 서한을 보자마자 인상을 찌푸리며 비난을 던졌다.

"왜 그따위 짓을 벌여, 일을 이따위로 망쳐 놓는 게야!"

서한은 최 회장의 건너편에 우뚝 걸음을 멈추었다. 그는 아무 기대도 없는 듯이, 다 포기한 것처럼 무감한 얼굴이었다.

"혜주, 그 애만 보여 주면 끝날 일이었다. 그 애만 보여 주면!"

"아니요."

서한은 조용히 대꾸하고서 한숨을 내쉬었다. 그리고 허심탄회하게 덧붙였다.

"그런다고 끝일 리가 없잖아요."

"뭐?"

"내가 혜주를 보여 줄 수가 없는데. 무슨 수로 끝을 내겠어요?"

서한은 멍하니 초점이 흐린 눈동자로 반문했다.

"혜주를 보여 줄 수 없어? 대체 왜?"

"어디 묻었는지, 잘 기억이 안 나거든요."

순간 최 회장은 경악하며 벌떡 자리에서 일어났다.

"뭐, 뭐라고? 너 설마, 너, 혜주……."

"죽이지는 않았어요. 혜주가 멋대로 죽은 거지."

"대체 이게 무슨 소리야!"

서한은 고개 돌려 옆에 있는 소파를 바라봤다.

"이 얘길 숨기려고 최선을 다했는데……. 이젠 저도 피곤하네요."

저벅저벅 소파에 다가간 서한이 스르르 무너지듯 몸을 내렸다.

"혜주는 죽었어요. 결혼 전에 마지막으로 혜주 만난 날……."

"너, 너하고 혜주, CCTV에 찍힌 그날 말이냐?"

"예. 그날 혜주 죽었어요."

서한은 마치 남의 얘길 하는 것처럼 무뚝뚝하게 대답했다.

"평소처럼 주사를 놔 줬는데. 너무 우울해하는 것 같아서, 약을 좀 세게 섞어 넣은 게 탈이 났던가 봐요. 솔직히……. 그날따라 너무 치근거리니까 빨리 재우고 싶은 마음이 컸죠."

"그, 그때 호흡 곤란이 왔었다던 게 그럼……."

"병원으로 옮기는 중에, 숨이 멈췄어요. 옮겨 봐야 소용없게 돼서 시체는 아무도 못 찾을 곳에 묻었고요."

"묻었…… 다?"

"잠깐은 생각했죠. 내가 죽인 것도 아닌데, 그냥 신고하자. 근데 억울하더라고요. 내가 죽인 것도 아닌데……. 신고하면 내가 잃을 게 너무 많으니까."

"……."

"혜주한테 마약 구해 준 거, 주사해 준 거. 세상에 알려지면 내 손해니까."

지극히 이성적인 목소리에 최 회장은 저도 모르게 뒷걸음을 쳤다. 두 다리가 후들거려 몸이 비틀거렸다. 서한은 그때를 돌이켜 보듯 눈을 내리뜬 채 중얼거렸다.

"재수가 없으려면, 내가 죽인 꼴이 될 수도 있고……."

최 회장은 중심을 잃고 바닥으로 주저앉고 말았다. 서한은 그런 최 회장에게로 시선을 옮겼다.

"그래서 그땐 혜주만 사라지면 아무 문제도 없을 줄 알았어요. 그리고 그게 최선이라고 판단했죠."

"최선?"

"예, 아버지. 전 정말 최선을 다한 겁니다. 혜주가 죽었단 걸 숨기려고, 정말 온갖 노력을 다했단 말입니다."

서한은 눈에 힘을 주고 또박또박하게 강조했다.

"근데 아버지가 망쳤어요. 아버지가."

최 회장은 믿을 수가 없는 얼굴로 맥없이 고개를 저었다.

"네가……. 네가 그런 짓을……."

"아버지가 가짜 혜주를 데려오지만 않았어도. 오늘 일은 벌어지지 않았잖아요."

비난하듯 날을 세운 목소리에 최 회장은 고갯짓을 멈추었다.

"너 지금, 애비 탓을 하는 게냐?"

서한은 최 회장의 목소리 따위엔 귀 기울이지 않았다. 그저 제가 하고 싶은 말만 이어 갈 뿐.

"아니……. 애초에 아버지는 혜주를 입양하지 말았어야죠. 아버지가 입양하지만 않았어도, 내 앞에서 걔가 죽는 일은 없었을 테니까."

"뭐?"

"아버지, 혜주는요. 아버지 때문에 마약에 중독된 거예요. 아버지가 그렇게 키워서."

"……."

"마음도 없는 마누라 성가시고 시끄러워서. 이거라도 키우게 하면 조용해지겠구나. 그렇게 애완견 사 주듯이 데려와 놓고, 아버진 혜주 거들떠도 안 봤잖아요. 마누라 죽고 나선 말할 것도 없고."

최 회장은 안간힘을 써서 몸을 일으켰다. 그리고 서한의 멱살을 그러잡았다.

"그래서 뭐 어쩌자는 게냐? 다 이 애비 탓이니까, 애비더러 대신 뒤집어쓰기라도 하란 게야?!"

최 회장이 고함치자 서한은 그의 눈을 올려다봤다. 노여움이 담겨 있는 최 회장의 눈과 달리 서한의 눈엔 감정이 없었다. 그럼에도 서한의 입꼬리는 올라갔다.

마치 웃는 것처럼.

* * *

[위계에 의한 공무 집행 방해죄. 5년 이하의 징역.]

펜트하우스의 서재 안, 수화기 너머 장 변호사의 목소리에 찬재는 인상을 찌푸렸다.

[자수해서 정상 참작 받고, 운 좋으면 벌금이나 집행 유예 정도?]

“어쨌든 전과는 남을 수밖에 없는 건가?”

[그렇지. 쌍둥이 대신 신분 사칭해서 검찰 속인 거니까.]

“어쩔 수 없단 말이지…….”

찬재는 무거운 마음에 한숨처럼 혼잣말을 흘렸다.

[근데 너 드라마 쪽 일은 손 뗐다더니. 그새 감 떨어졌어? 무슨 이런 내용으로 드라마를 찍겠다고 법률 자문까지 구해.]

장 변호사의 타박에 찬재는 억지웃음을 지었다.

“네 생각엔 별로인가?”

[내가 법조인이라 그런가. 난 드라마에 법이 어쩌고 검찰이 어쩌고. 아주 딱 지겨워. 머리 아프고 복잡하고. 그걸 왜 드라마에서까지 봐야 하냐? 제발 로맨스에 집중해라, 로맨스에.]

찬재는 벽 쪽으로 고개를 돌렸다. 그리고 벽 너머 거실에 있을 이다를 생각했다.

“그래. 나도 이 드라마……. 썩 내키지는 않아.”

* * *

웃는 듯한 서한의 얼굴에 최 회장은 등골이 오싹해졌다.

이놈이 정말 미친 건가…….

최 회장은 멱살을 잡고 있던 손을 흠칫 놓아 버렸다. 그러거나 말거나 변함없는 표정으로 서한은 입을 열었다.

"아버지, 전 이제 아무것도 바라는 거 없어요."

"……."

"내가 할 수 있는 모든 짓을 다 했는데, 결국 내 뜻대로 된 건 하나도 없으니까. 뭘 더 바라는 게 무슨 의미가 있겠어요."

"……."

"그냥 다 얘기하고, 포기하고. 이젠 편하네요."

서한은 소파 등받이에 등을 파묻고서 고개를 젖혔다. 온몸을 의자에 눕힌 것처럼 나른하게 힘을 풀었다. 최 회장 대신 천장을 응시한 채 서한은 말을 이어 갔다.

"아버지더러 대신 뒤집어쓰기라도 하란 거냐고요?"

자신의 질문이 우습다는 듯이, 서한은 어깨를 들썩이며 실소를 터뜨렸다.

"어차피 아버지가 저 대신 뒤집어쓸 리 없잖아요. 아버지는……. 세상에 자기보다 중요한 게 아무것도 없는 사람인데."

"……."

"전 그런 아버지 눈 밖에 나지 않으려고, 아버지한테 피해 주지 않으려고 온갖 짓을 다 하다가 지쳤을 뿐이에요."

"설마……. 자수할 생각인 게냐?"

최 회장은 더없이 어두워진 눈빛으로 질문했다.

"아니요. 난 아무것도 안 할 겁니다."

서한은 눈을 감은 채로 고개를 저었다.

"이젠 서이다가 알아서 하겠죠. 혜주 실종 신고하고, 나하고 같이 죗값 치르든지. 나처럼 아무것도 하지 말고 자기 인생이나 편하게 살든지.”

고개를 멈춘 서한이 하품하듯 긴 한숨을 내쉬었다.

“다 서이다 선택에 달렸어요. 서이다 선택에.”

서한은 잠꼬대처럼 조용한 목소리로 중얼거렸다.

* * *

통화를 마친 찬재가 거실로 나왔을 때, 이다는 거실 소파에 앉아 벽을 응시하고 있었다. 이다의 시선이 닿은 곳은 최혜주의 결혼사진이 걸려 있던 자리였다.

“장 변호사한테 확인했어. 최혜주인 척 검찰 조사 받은 일, 자수해도 전과는 피해 갈 수 없다는군.”

찬재는 애써 담담하게 말하면서 이다의 옆에 앉았다.

“최서한 그 자식이 원하는 건 그거겠지. 내가 자수 포기하고, 혜주 실종 신고도 포기하는 거.”

짐작하는 이다의 목소리는 맥없이 쉬어 있었다. 찬재는 그런 그녀의 어깨에 손을 얹었다.

“네가 원하는 건 최서한 그 자식이 죗값 치르는 거지?”

확인하듯 묻는 말에 이다는 고개를 끄덕였다. 찬재는 어두워진 얼굴로 잠시 망설이다 다시 입을 열었다.

“그걸 꼭…… 법으로 해야 할까?”

“무슨 뜻이야?”

“법에 맡기는 것보다 집요하게, 확실하게. 내가 그 자식 밟아 버릴 테니까. 넌 나한테 맡기고, 나 믿고만 있어."

"너도 내가…… 자수하지 않길 바라는구나."

이다가 괴로운 눈빛으로 말하자 찬재는 그녀를 끌어안았다.

"그딴 자식 때문에 네 인생에 전과 생기는 거, 난 내키지 않아."

따뜻한 찬재의 품 안에서 이다는 머릿속이 복잡해졌다.

정말 내가 자수하지 않아도 최서한은 죗값을 치를 수 있나……? 최서한이 그래 온 것처럼, 나마저 혜주 죽음을 감추고……. 혜주 앞에 당당할 수 있을까? 내가 자수하면 찬재는…… 많이 힘들어질까……?

이다는 혜주의 결혼사진이 있던 자리를 다시 바라봤다. 찬재의 품이 따뜻할수록 혜주에게 미안한 마음은 더욱 커지는 듯했다. 이다는 혜주의 빈자리를 더는 마주 볼 수 없어 시선을 떨어뜨렸다.

"난 모르겠어. 지금은 정리가 안 돼."

이다는 고개를 내저었다. 찬재는 이해한다는 듯 그녀의 등을 어루만졌다.

"그래. 당장은 결정하기 어렵겠지……. 시간을 갖자."

"……나 오늘은 옥탑방에 가서 잘게."

"뭐? 갑자기 왜?"

찬재는 포옹을 풀고 의아한 눈으로 이다를 바라봤다.

"내가 여기 있는 게……. 마음이 안 좋아."

"……."

"오늘은, 정말 여기 못 있겠어."

이해를 바라는 눈빛으로 이다는 찬재의 팔을 잡았다. 어떤 마음인지 알 것 같아서, 찬재는 마음이 복잡해졌다.

"그래, 그럼……."

찬재는 고개를 끄덕였다. 그 모습에 이다는 애써 미소를 지었다. 그리고 고맙다는 말을 하려는데, 찬재가 먼저 말을 뱉었다.

"대신 나도 같이 가."

"뭐?"

"나도 오늘 그 옥탑방에서 자겠다고. 네 옆에서."

"……넌 거기 불편할 텐데."

"네 옆인데, 그럴 리가."

시원스럽게 장담하고서 찬재는 이다의 손을 잡았다.

"가자, 네 마음 편한 곳으로."

옥탑방 앞 평상으로 밥상을 옮기고서 세시는 다시 옥탑방으로 돌아갔다. 잠시 후 가스버너를 들고 나와 밥상 위에 올리는데, 계단을 올라오는 인기척이 들렸다. 세시는 냉큼 버선발로 뛰어나가듯 계단을 향해 달려갔다.

"아이쿠, 형님! 벌써 오셨어요?"

찬재는 계단을 다 오르자마자 맞닥뜨린 세시의 얼굴에 잠시 멈칫했다. 세시는 방긋방긋 반가움을 마구 드러내고 있었다.

"오늘 일 있다고, 집에 없다고 하지 않았나?"

분명 그렇게 들은 것 같은데?

찬재는 옆에 선 이다에게 긴가민가한 눈빛으로 질문을 건넸다. 그러자 세시가 곧장 답을 꺼냈다.

"아, 그러려고 했는데 말입니다. 이다 녀석 전화 받고 나니까, 이거 아무래도 분위기가 심상치 않더라고요."

"뭐가?"

"오밤중에 갑자기 여길 온다질 않나, 목소리에 기운이 하나도 없질 않나……. 아무래도 이다 얘가, 당 수치 떨어지듯 고기 수치 확 떨어진 거 아니려나 싶고. 아유, 내가 이럴 때가 아니지. 자주 보지도 못하는데, 왔을 때 고기라도 든든히 먹여 보내야지, 싶더라고요."

딸 챙기는 친정 엄마인 양 살가운 말투였다.

"고기?"

"예, 저기 평상에다 상 폈으니까. 어서 가시죠!"

세시의 재촉에 찬재는 이다에게 눈길을 돌렸다.

"먹을 수 있겠어?"

조심스러운 찬재의 질문에 세시의 시선도 이다에게로 건너갔다.

"왜? 설마 저녁 먹고 온 거? 그런 거?"

세시의 질문까지 날아들자 이다는 기운 없이 고개를 저어 보였다.

"그건 아니고."

이다가 뭐라 더 말을 하려는데, 세시의 놀란 목소리가 끼어들었다.

"뭐! 아직 저녁도 안 먹었다고? 아직도?!"

"오늘 입맛 없어서 안 먹겠다, 하더라고."

펄쩍 뛰는 세시에게 찬재가 고자질하듯 대신 대답했다.

"아니, 이것이! 그러니까 이렇게 힘이 없지!"

세시는 눈에 쌍심지를 켜고 손바닥으로 이다의 등짝을 철썩 때렸다.

"야, 아파."

"아프냐? 아픈 줄은 알아?"

"알지, 그걸 왜 몰라."

"아픈 줄만 알지 말고, 배고픈 줄도 알란 말이야!"

세시의 손이 이다의 오른팔을 덥석 붙잡았다.

"머리 비우고는 살아도, 위장 비우고는 못 사는 게 사람이여! 너 이놈의 자식! 당장 이리 와! 오늘 아주 배 터지게 고기 먹게 될 줄 알아!"

세시는 평상으로 발걸음을 뗐다. 그러자 찬재가 손을 뻗어 이다의 왼팔을 붙들었다. 세시는 순간 멈칫해서 찬재의 표정을 확인했다.

혹시 팔 좀 잡은 걸로 뭐라 하려나?

불안해진 눈으로 눈치를 살피는데, 찬재는 그런 세시와 눈을 마주쳤다. 화난 표정은 아니었다. 아니 오히려 기꺼운 표정이었다.

"뭐 해? 빨리 옮기지 않고."

찬재는 세시를 재촉하고서 평상으로 시선을 보냈다.

"아! 그래야죠, 암요!"

찬재의 뜻을 알아챈 세시 역시 평상으로 시선을 돌렸다. 이어 누가 먼저랄 것도 없이 두 남자의 걸음이 평상으로 향했다. 연행되듯 양팔을 붙잡힌 채 이다는 하는 수 없이 두 남자와 걸음을 함께했다.

불판 위의 삼겹살이 익어 가며 구수한 냄새를 뿜어 댔다. 나란히 앉은 이다와 찬재의 맞은편에서 세시는 삼겹살을 뒤집느라 분주하게 손을 움직였다.

이다는 머리를 비운 것처럼 아무 감흥이 없는 얼굴로 삼겹살을 우물우물 씹고 있었다.

경찰서를 빠져나온 이후, 펜트하우스에서는 물 한 모금도 삼키지 않더니만. 오래 살아온 자기 집이 편하기는 한 모양이지…….

찬재는 이다를 지켜보며 조금이나마 안도했다.

"형님, 형님!"

갑작스러운 부름에 찬재가 고개를 돌리자, 세시는 그의 코앞까지 손을 뻗었다. 주먹인가 싶었더니, 주먹보다 큰 쌈이 손에 들려 있었다.

"형님, 입 한번 크게 벌려 주십쇼."

"……."

"넣는 건 제가 할 테니까. 그냥 아아, 하세요. 아아."

"너 그러다 아야 한다."

찬재는 정색하고 떫은 표정으로 경고했다.

"아이이……."

세시가 울상을 지으며 고개를 도리도리 휘저었다. 순간 찬재의 표정은 더욱 격렬하게 떫어졌다.

"네 눈엔 내가 사모님으로 보이냐?"

"에이, 저 사모님들한테 안 이래요. Only you. 형님한테만 이러는 거지!"

"그래? 그럼 나한테도 하지 마. Only me가 더 싫으니까."

찬재는 딱 잘라 거부했다. 그러자 옆에서 이다가 입을 열었다.

"그러지 말고 먹어. 너 고기에 손도 안 댔잖아."

이다의 권유에 찬재는 흘끗 그녀와 눈을 마주쳤다.

"너 내가 저 쌈 먹길 바라는 거야?"

"응."

"됐다, 그럼."

방금까진 싫은 얼굴이더니. 찬재는 언제 그랬냐는 듯이 아무렇지 않게 얼굴색을 바꿨다. 그러고는 고개 돌려 세시가 내민 쌈을 덥석 입에 물었다.

"이야……!"

세시는 감탄하는 얼굴로 찬재를 지켜봤다. 입안 가득 쌈을 밀어 넣은 채로 찬재는 우적우적 턱을 움직였다.

뭐랄까……. 사파리에서 인간이 건넨 고기를 뜯고 있는 맹수와 그걸 지켜보는 인간 같달까…….

이다는 찬재와 세시를 번갈아 보며 생각했다. 그러면서 습관적으로 소주가 담긴 잔을 들고 마셨다.

"야, 이러고 있으니까 그때 생각난다."

세시가 문득 떠오른 듯 이다를 향해 말문을 열었다.

"너 형님하고 막 결혼하고, 여기 와서 나랑 고기 구워 먹었을 때 말이야. 나 그때 너랑 형님이랑 진짜 잘됐으면 했었잖아. 둘이 한 집 살다가, 진짜 눈 맞으라고."

"아……. 맞아, 그랬었지."

이다는 비운 잔을 내려놓으며 대답했다. 그리고 옆에 둔 소주를 들고 다시 잔을 채웠다.

"나 그날부터 밤마다 정화수 떠다 놓고 빌었잖냐. 둘이 잘되라고."

세시의 허풍에 이다는 피식 입으로만 웃었다.

"내 기도가 이렇게 잘 먹힐 줄 알았으면, 내가 날 위해서 복권 당첨을 비는 건데!"

세시는 아까운 척 과장된 몸짓으로 무릎을 탁 내리쳤다. 이다는 별다른 대꾸 없이 소주를 죽 삼켰다.

그때만 해도, 혜주는 살아 있었을까…….

이다가 씁쓸해진 기분으로 빈 잔을 내려놓는데, 옆에 있던 찬재가 불쑥 세시에게로 손을 뻗었다. 언제 싸고 있었던 건지, 커다랗게 싼 쌈이 손에 들려 있었다.

"자, 기도 값."

세시는 눈이 휘둥그레졌다.

"혀, 형님!"

누가 뺏어 가기라도 하는 것처럼, 세시는 냉큼 쌈을 낚아채고 두 손으로 고이 감싸 쥐었다.

"오늘 묵을 방은 스위트룸으로 하지."

"예?"

"셋이 있긴 불편할 테니까, 호텔 스위트룸 잡아 주겠다고. 룸서비스도 마음껏 편히 즐겨."

"형님……."

감격에 찬 세시의 눈빛은 흡사 사랑에 빠진 듯했다. 그러나 찬재는 용건이 끝났기에 무관심하게 시선을 옮겼다. 찬재의 시선은 이다에게 다다랐다. 이다는 혼자서 소주병의 뚜껑을 열고 있었다.

"너도 하나 싸 줄까?"

찬재의 질문에 이다는 고개를 저었다.

"잠깐, 너……. 그새 소주 한 병 다 마신 거야?"

찬재는 이다 앞에 놓인 빈 소주병을 발견하곤 눈을 의심하며 질문했다.

"삼겹살엔 소주지."

이다는 대수롭지 않은 투로 대꾸했다. 그리고 막 뚜껑을 연 소주병을 병째로 입에 댔다. 순간 당황한 찬재가 소주병을 붙들어 뺏었다.

"야, 그만! 너무 많이 마시잖아."

"아닌데. 나한테 이거 음료수 같은 건데."

"뭐?"

"나 주량 세. 그냥 콜라처럼 마시는 거니까, 괜찮아."

"맞아요, 형님. 이다 잰 안 취해요. 쟤한테 삼겹살에 소주는 그냥 라면에 김치, 팝콘에 콜라 같은 거예요. 별미라서 먹는 거지, 먹다 취하는 알코올이 아니라니까? 난 평생에 쟤 취하는 꼴을 본 적이 없어요. 그니까 그냥 내버려 둬도 돼요."

세시의 말에 이다는 끄덕끄덕 고개를 끄덕였다.

"아니, 대체 주량이 얼마인 건데?"

"모르지. 취한 적이 없으니까."

이다는 자신하듯 담담하게 답하고서 빈 잔을 들어 찬재에게 내밀었다.

"너도 한잔해. 우리 소주는 처음이지?"

이다가 아무렇지 않은 얼굴로 권유하자 찬재는 고개를 갸웃거리다가 잔을 받아 들었다.

"내가 따라 줄게."

이다는 자연스럽게 찬재의 손에서 소주병을 되찾아 왔다. 그리고 잔을 채워 준 뒤, 그 잔에다 소주병을 톡 부딪쳤다. 동시에 속삭이듯 말했다.

"건배."

말 끝나기 무섭게 이다는 소주병을 입에 댔다.

* * *

"너……. 네 평생에 얘 취하는 꼴은 본 적이 없다고 하지 않았나?"

"그랬죠……."

"그럼 이 꼴은 뭐인 건데?"

"내 평생에 이런 날도 오는구나……. 생각하게 만드는 꼴이죠."

저를 바라보는 두 남자의 대화는 안중에도 없이, 이다는 밥상 옆에 드러누워 눈을 감고 있었다. 자는 건지 몸을 못 가누는 건지…….

"그래도 술버릇은 얌전하네요. 그냥 저러고 자는 거면."

"얌전은 한데 좋지는 않아. 아니, 취했으면 좀 티가 나야지. 그래야 옆에서 말려 주지. 방금까지 아무렇지 않게 쭉쭉 마시더니. 갑자기 저러고 정신을 놔?"

"애가 참…… 여러모로 중간이 없긴 하죠."

세시가 착잡하게 대꾸하는데, 누워 있던 이다의 어깨가 들썩거렸다.

"어라, 왜 저러지?"

들썩, 들썩들썩. 일정치 않게 움직이는 어깨 위에서 얼굴은 괴로운 듯 일그러졌다. 아무래도 속이 부대끼는 모양이라 찬재는 얼른 이다를 일으켜 앉혔다.

"으……. 우웁……!"

역시나 속을 비워 내려는 신호가 나왔다.

"화장실, 화장실 어디 있지?"

찬재는 재빨리 이다를 안아 들며 세시에게 물었다. 그러나 세시보다 이다가 먼저 입을 열었다.

"우욱!"

가슴으로 무언가가 쏟아지는 감촉에 찬재는 우뚝 굳었다.

옥탑방 화장실에 들어서자마자 찬재는 우선 이다를 양변기 앞에 마주 앉혔다. 이다는 정신없이 취한 와중에도 본능적으로 양변기를 잡고 그 안에다 속을 게워 냈다. 찬재는 그런 이다의 등을 두드렸다. 따라 들어온 세시가 슬그머니 화장실 안을 들여다봤다.

"형님, 제가 뭐 좀 도와드릴 거 없을까요?"

"내가 알아서 할 테니까, 걱정 말고 그만 가 봐."

"호, 혼자 괜찮으실까, 우리 형님?"

"굶주린 사자도 아니고, 술 취한 애인 하나 혼자서 감당 못 할까 봐?"

"굶주린 사자의 행동 패턴은 빤한데요. 술 취한 서이다의 행동 패턴은 전혀 모르겠으니까 말이죠. 무슨 짓을 할지 예측 불가랄까."

"술 안 취했을 때도 예측 불가인 여자야."

찬재는 전혀 개의치 않는 투로 대꾸했다. 그리고 토사물이 묻은 웃옷을 순식간에 훌렁 벗어 버렸다. 웃옷을 바닥에다 휙 던진 손이 금세 이다의 등으로 돌아갔다. 크고 단단한 손이 등을 쓱쓱 따뜻하게 어루만졌다.

"그리고 무슨 짓을 해도 좋은 여자니까, 둘이 있게 그만 가 줬으면 좋겠는데 말이지.”

찬재는 이다를 바라보며 세시에게 말했다. 바라보는 눈빛도 어루만지는 손길만큼 따뜻하고 부드러웠다.

“그럼 형님이니까, 믿고 가겠습니다요.”

세시는 다행이란 듯이 미소를 지었다. 이어 꾸벅 인사를 한 뒤 현관을 향해 발길을 옮겼다.

잠시 후 문이 열렸다가 닫히는 소리가 났다. 둘만 남은 정적 속에서 이다는 구역질을 그치고 깊은숨을 몰아쉬었다. 더는 나올 것도 없이 몽땅 쏟아 낸 것 같았다.

“괜찮아?”

취기 때문인지 이다는 질문을 듣지 못한 것처럼 숨만 몰아쉬었다. 찬재는 그녀의 어깨를 잡아 자신을 마주 보게끔 몸을 돌렸다. 그가 벗어 놓은 웃옷처럼 그녀의 옷에도 토사물이 묻어 있었다.

“옷 갈아입어야겠다.”

찬재는 미리 예고하고 팔을 뻗어 변기 물을 내렸다. 그리고 우선 수건을 가져다 이다의 입가를 닦아 주었다. 다음으로 셔츠 단추를 하나하나 풀어내자 벌어진 셔츠 사이로 속살이 드러났다.

옷 입히기 전에 씻기는 게 좋으려나…….

찬재는 토사물로 살짝 젖어 있는 속살을 살펴보며 고민했다.

제대로 샤워를 시키자니 감기 들까 걱정인데……. 젖은 수건으로 살짝 닦아만 놓을까……. 아니, 그래도 깨끗하게 씻겨 줘야 잘 자려나…….

“이다야, 샤워할래?”

혹시 몰라 이다에게 의견을 물었다.

"샤워하고 싶어?"

알아듣기 쉽도록 또박또박 말했더니 이다는 입을 열었다. 그리고 고개를 숙였다.

"우욱……!"

셔츠 틈 사이의 속살 위로 다시 무언가가 쏟아졌다. 그건 대답이랄 수 없었지만, 대답이나 마찬가지였다.

"……샤워하자, 이다야."

* * *

따뜻한 물로 몸을 씻기는 사이 이다는 조금쯤 정신이 돌아온 듯했다. 말을 알아듣고 반응하는 정도는 가능해져서, 몸을 닦아 준 뒤 새 옷을 입히는 일은 수월했다. 찬재는 옷을 갈아입히면서 자신의 옷도 금세 갈아입었다. 이윽고 운동복 바지와 티셔츠를 입은 이다를 화장실 문턱에 앉혀 둔 채 찬재는 이다의 앞에 마주 앉았다.

"아, 해 봐."

멍하니 찬재를 보고 있던 이다가 입을 벌렸다.

"잠깐 그러고 있어."

찬재는 왼손으로 이다의 턱을 살짝 잡고서 오른손을 움직였다. 오른손에 잡힌 칫솔을 입안에 넣고 살살 칫솔질을 하는 동안, 이다는 잠자코 있었다.

얼마 후 양치를 모두 마치고 입을 헹궈 준 다음, 찬재는 수건으로 이다의 입을 닦아 주었다.

"씻기 귀찮은데. 손 하나 까딱 안 하니까 편하네……."

이다가 시선을 떨어뜨리면서 중얼거렸다.

"그래? 그럼 내일도 이렇게 씻겨 줄까?"

찬재는 뿌듯한 듯 씩 웃으며 질문했다.

"아무것도 안 하니까 편해……."

대답이라기보단 혼잣말에 가까운 어조였다. 편하다는 말과 달리 마음은 편치 않아 보이는 얼굴이었다. 그늘진 것처럼 어두웠고 지친 것처럼 가라앉아 있었다. 심상치 않은 느낌에 찬재는 입가에서 미소를 가라앉혔다.

"혜주 일도 그냥 너한테 맡기고, 나는 아무것도 안 하고……. 그럼 편할까……?"

"……."

"내가 그러고도 편할 수 있나……?"

이다는 괴로운 눈빛으로 찬재를 봤다.

"네 마음 편해질 만큼 내가 최서한 죽여 놓을 거야."

"그래도 난 안 편할 거 같아……."

이다는 기운 없이 느릿느릿 고개를 저었다.

"혜주한테 미안해……."

"이다야."

"내가 혜주인 척하는 동안……. 그래서 아무도 걜 찾지 않는 동안, 걘 사람들이 자길 찾아 주길 얼마나 원했을까……? 아무도……. 아무도 걔가 잘못된 줄 모르는 동안……."

"……."

"내가 그 애인 척하지 않았으면……. 검찰이 혜주 소환할 때, 내가 대신 나가지만 않았으면……. 검찰이 혜주……. 실종된 거 알아줬을 텐데……. 내가 속여서, 나 때문에 계속 묻혀 있잖아…….”

눈앞이 뿌옇게 흐려져서 이다는 눈을 질끈 감았다. 그러자 떨어지는 눈물에 뺨이 뜨거워졌다. 찬재는 그런 이다를 감싸 안았다.

“네 잘못 아니야. 넌 최혜주가 그냥 가출한 줄 알고 있었어. 네가 알면서 숨긴 것도 아니고, 너도 몰랐던 일이잖아.”

“내 잘못이야…….”

이다는 고개를 내저었다.

“그 애 얘기 처음 들었을 때, 나 별생각 안 했었어. 그냥 나도 모르는 쌍둥이가 있었다……. 그냥 그런가 보다. 별 느낌이 없었어. 가족이다, 보고 싶다. 그런 생각 안 했었어.”

“얼굴 한번 못 본 사이니까. 실감이 안 났겠지.”

찬재는 다 이해한다는 듯이 등을 부드럽게 다독였다.

“자기 행복 찾으려고 도망쳤겠지. 도망쳐서 잘 살고 있으니까 안 돌아오는 거겠지. 그냥 그 애 대신 1년 살아 주고 돈이나 벌자. 그렇게 나 좋을 대로만 생각했어…….”

“…….”

“그냥 정말 남인 것처럼……. 너무 가볍게 생각했어.”

“…….”

“난 가족 없이 잘 살았으니까, 걔도 내가 필요 없겠지. 그렇게 걜 내버려 뒀어. 내 핏줄인데……. 나는 돈 생각만 했어……. 내가 잘못한 거야…….”

찬재는 함께 괴로움을 느끼듯이 얼굴을 일그러뜨렸다.

널 어떻게 해야 할까……? 이 죄책감에서 벗어나게 하려면…….

결국 네가 자수하도록, 내버려 두는 수밖에 없는 건가……?

마음속에서 애타게 질문이 차올랐지만, 찬재는 입 밖으로 내뱉지 않았다. 이다라면 어떤 답을 들려줄지 알 것 같아서. 차마 듣고 싶지 않아 입술을 꽉 다물었다.

"찬재야."

이다의 부름에도 찬재는 침묵했다. 그는 그저 아이 재우듯이 그녀의 등을 쓰다듬었다.

"너 힘들게……. 하기 싫은데……. 정말 싫은데……."

이다의 목소리가 점점 느리고 희미해졌다.

내가 자수해서, 너 힘들어지면 어떡하지……?

이다는 입술을 달싹거렸지만, 아무 소리도 새어 나가지 않았다. 그러다가 입술은 움직임조차 멈추었다.

얼마 후, 계속 등을 다독이던 찬재가 슬그머니 이다의 얼굴을 확인했다.

"이다야."

찬재의 부름에 이다는 아무런 반응이 없었다.

찬재는 이다를 안아 들고 그녀의 방 안으로 들어섰다. 지난번 방문 때도 느낀 바지만, 정말 아주 좁은 방이었다. 심지어 침대 대신인 매트리스는 좁은 방바닥보다 조금 더 작았다.

그러나 찬재는 개의치 않는 얼굴로 매트리스에 이다를 내려 눕혔다. 그런 다음 제 몸을 눕히자 매트리스 위가 빼곡해졌다. 이불을 끌어다 둘의 어깨까지 올렸더니, 양옆으로 몸이 살짝 삐져나왔다.

"정말 좁아터지겠네."

찬재는 가볍게 혼잣말하며 이다를 향해 몸을 돌렸다. 마주 보는 자세로 꼭 붙들어 안자 이불이 둘의 몸을 딱 맞게 덮었다.

"딱 붙어서 자야겠다. 떨어지지 말고."

잠든 이다의 코앞에서 찬재는 신신당부하듯 말했다. 그리고 아주 빈틈이 없도록 이다의 몸을 더 꼭 끌어안았다. 답답해서 뒤척일 법도 한데, 이다는 가만히 색색 숨만 쉬었다.

"이렇게 좁아터진 데서 사는 것도 좋을 것 같다."

찬재는 코끝이 닿을 만큼 가까운 거리에서 속삭였다.

"너랑 사는 거면 말이야. 이렇게 좁아터져서, 이렇게 둘이 딱 붙어 사는 거……. 나는 좋을 것 같다."

이다는 눈썹 하나 까딱하지 않았다. 완전히 의식을 놓아 버린 듯한 그녀의 입술에 찬재는 살짝 입술을 묻었다. 고른 숨을 쉬는 입술에서 미온이 느껴졌다.

"너 없으면……. 넓은 집도 싫을 것 같아."

찬재는 이다의 속눈썹을 세어 보듯 바라봤다.

"우리 넓은 집에, 너 없으면……. 나 허전해서 어떻게 살지……."

듣지 못할 테니까, 찬재는 마음 놓고 한숨을 내쉬었다.

너랑 헤어져야 하는 일은 절대 없어야 하는데…….

"이다야……."

"……."

"나는 네가……. 묻었으면 좋겠어."

"……."

"네가 아무런 피해도 없이, 최서한만 처벌할 수 있는 거면 제일 좋겠지만……. 네가 대가를 치러야만 최서한을 잡을 수 있는 거면……. 다 잊고, 내 옆에서 행복하게만 살았으면 좋겠어."

"……."

"그건 힘들까?"

찬재는 애처로운 눈빛으로 부탁하듯 질문했다. 감겨 있는 이다의 두 눈을 지켜보는데, 들려오는 건 숨소리뿐이었다. 찬재는 그런 이다의 이마 위로 입술을 맞추었다. 그리고 입술을 댄 채 속삭였다.

"그냥 내 생각만 해 줘."

그대로 이다의 머리를 쓰다듬으면서 찬재는 말을 이어 갔다.

"혜주 생각하지 말고……. 나만 생각해 줘. 나만……."

찬재는 간절하게 애원했다. 이기적인 부탁인 걸 알면서도 멈출 수가 없었다.

8장

8장

아침이 밝아 오자 이다는 잠에서 깨어났다. 눈을 뜨자 바로 보이는 건 자신을 바라보는 찬재의 얼굴이었다.

"컨디션 괜찮아?"

찬재는 눈을 마주치자마자 질문을 건넸다. 이다는 잠시 생각해 보다 입을 열었다.

"배가 안 좋은데."

"배가?"

찬재는 벌떡 몸을 일으켜 앉았다.

"배가 왜? 속 쓰려?"

찬재는 걱정스러운 얼굴로 질문하며 이다의 배에 손을 가져다 댔다.

"하기야 그렇게 마셔 대고 게워 냈으니, 속이 멀쩡하면 그게 이상한 거지."

찬재가 덧붙이자 이다는 고개를 저었다.

"아니, 배고파."

"배가…… 고파?"

"응."

"쓰리지는 않고?"

"전혀."

"……전혀?"

"전혀."

이다는 아무렇지 않은 표정으로 말했다. 증명하듯 이다의 배에서 꼬르륵 소리가 났다.

그렇게 마셔 대고 게워 냈는데……. 속이 멀쩡하다니……. 그럴 수가 있나?

"넌 참……."

찬재는 믿을 수 없단 듯이 신기해하는 눈으로 이다를 바라보며 중얼거렸다.

"이상하게 좋은 여자야."

"뭐?"

"이상한데 좋아. 이상하게……. 다 좋아."

뭐라 반응할 새 없이 찬재의 입술이 이다의 입술을 덮쳐 왔다.

얼마나 좋은지. 얼마나 좋아하고 있는 건지 전부 느껴질 만큼. 마음껏, 마음을 다해 사랑하는 입맞춤이 이어졌다.

태강 타워에 출근한 태건은 곧장 찬재의 사무실로 향했다. 그런데 문을 열기 직전, 주머니에서 휴대 전화가 울렸다. 찬재에게서 온 전화였다. 태건은 전화를 받으면서 문고리를 돌렸다.

[나 오늘 출근 안 해.]

수화기 너머 찬재가 다짜고짜 통보했다.

"예?"

태건은 멈칫했다.

[휴가 쓸 테니까. 그런 줄 알아.]

"휴가요? 이사님이요? 진짜요?"

[그래.]

"아니, 그럴 리가 없는데요. 혹시 오늘 만우절입니까?"

[아닐걸.]

태건은 도저히 믿을 수가 없어 문을 활짝 열어젖혔다. 그러자 정말로 텅 빈 사무실이 눈에 들어왔다. 두리번거려 봤자 찬재는 아무데도 없었다.

"정말로 휴가 쓰신다고요? 만우절 장난 아니라?"

[같은 말 여러 번 하게 만들지 말고, 내 결재 필요한 서류 챙겨서 펜트하우스로 가져다 놔.]

무뚝뚝하게 지시하고서 찬재는 전화를 끊었다.

"대체 무슨 일이래……."

이 인간의 휴가는 신혼여행 때 쓴 게 최초이자 최후일 줄 알았는데.

"요즘 진짜 이상하단 말이지……."

태건은 고개를 갸웃거리며 혼잣말했다.

옥탑방을 빠져나온 두 사람은 근처 식당으로 향했다. 식당에 들어서자마자 해장국을 주문하고서 둘은 식탁에 마주 앉았다. 밤사이 무슨 좋은 일이라도 있었던 척, 찬재는 싱글벙글 밝은 표정으로 턱을 괴고 이다를 바라봤다.

"너 정말 어제 취했던 기억 안 나?"

"안 난다니까."

이다가 대답하는 사이 직원이 다가와 두 사람 앞으로 해장국 두 그릇을 내려놓았다. 두 사람은 누가 먼저랄 것 없이 숟가락을 집어 들었다.

"너 어제 취해서 막춤 추던데."

"내가?"

이다는 믿을 수 없단 표정이었다.

역시 기억 못 하는 모양이군……. 차라리 다행이지.

찬재는 속으로 확신하며 해장국에 밥을 말았다. 그리고 계속해서 밝은 분위기를 유지하려 장난을 시도했다.

"너 취해서 나한테 한 말도 기억 못 하겠네."

"무슨 말? 내가 뭐랬는데?"

"이 세상이고 저 세상이고. 어디에도 나 같은 남자 없다며? 이제 딴 놈은 눈에 들어오지도 않고, 네 눈에는 나만 남자라며?"

"……."

"네 어장에 나 가둬 둘 거라고. 죽을 때까지, 아니 죽어도 나 못 놔준다던데."

놀리듯이 씩 웃어 보인 찬재가 해장국 한 숟갈을 입에 넣었다.

"내가 그런 말을 했단 말이지?"

"그렇다니까."

찬재는 금세 입을 비우고서 뻔뻔하게 대답했다. 그러자 이다는 생각에 잠겼다. 기억을 되살려 보려는 듯했다.

농담인 걸 뻔히 알아챌 줄 알았는데. 진담으로 여기는 건가?

찬재는 내심 의아해하며 이다를 지켜봤다. 이다는 얼마 안 가 침묵을 깼다.

"뭐, 그랬겠지. 취중 진담이니까."

이다는 무덤덤한 얼굴로 고개를 끄덕였다.

"……뭐?"

"기억에는 없지만, 마음에는 있는 말이야."

내가 지어낸 말이, 네 마음에 있던 말이라고?

찬재는 얼떨떨해져 눈을 껌뻑거렸다. 이다는 그런 찬재의 두 눈을 똑똑히 마주 봤다.

"난 혼자서도 잘 살 자신 있는데. 너 없이 이만큼 행복할 자신은 없어."

"……."

"너 없이 살기 싫다 이제."

이다는 분명하게 진심인 눈빛으로 고백했다. 순간 찬재는 손가락에 힘이 풀려 숟가락을 떨어뜨렸다.

"그래서 너 평생 내 어장에 가둬 두고 싶어."

"뭐야, 너 진짜, 진짜 그런 생각 하고 있었어?"

찬재는 놀란 눈으로 질문했다.

"그럼 내가 술김에 헛소리한 줄 알았어?"

"진짜 그 정도로……. 날 좋아한다고……?"

뜻밖의 횡재에 찬재가 멍하니 중얼거렸다. 꿈인지 생시인지 분간이 안 되는 얼굴이었다.

"맞아. 나 너 그 정도로 좋아해. 아니, 사랑해."

이다는 망설임 없이 확답을 줬다. 그러자 찬재의 눈동자가 크게 흔들렸다.

"사실 나는 말이야. 자수해서 전과가 생기는 건 하나도 억울하지 않아. 혜주 대신 검찰 조사 받은 거, 내가 잘못한 일이니까. 근데……. 내가 잘못한 일로 네가 힘들어질까 그게 걱정이야. 그래서 자꾸 망설이게 돼."

"……."

"인생 혼자 사는 거라 생각했을 땐 못 할 게 없었는데. 너랑 같이 살 생각하니까, 너 힘들게 하는 건 못 하겠어."

이어진 고백에 찬재는 잠시 눈을 감고 마른세수를 했다. 황홀한 기분에 머릿속이 새하얘져서, 하마터면 밤사이 준비했던 자신의 할 말마저 잊을 뻔했다.

그럼 안 되지. 나도 할 말을 해야지.

찬재는 정신을 다잡고서 이다를 바라보며 질문을 던졌다.

"내가 힘들다고 하면, 자수 포기할 생각이야?"

"노력…… 해 봐야지."

이다는 여전히 갈등이 남은 눈빛으로 애써 대답했다.

"근데 이다야, 난 너 때문에 힘들 일이 없어."

"뭐?"

"네가 날 사랑하지 않는다면, 물론 그건 힘들겠지. 하지만 네가 날 사랑하는 동안에는 절대 힘들 일 없다, 난."

지난밤 홀로 갈등하며 괴로웠던 시간들을 싹 잊은 것처럼, 찬재는 자신만만하게 주장했다.

"그러니까 나 때문에 고민하지 말고, 뭐든 네가 원하는 대로 해. 네가 어떤 선택을 하건 난 네 편이니까."

준비해 온 말을 마치고서 찬재는 아무렇지 않은 듯이 시원시원한 미소를 지었다.

"정말……. 괜찮겠어? 내가 뭘 선택해도?"

이다는 반신반의하며 걱정스레 물었다.

괜찮을 리 없지만 찬재는 태연히 고개를 끄덕였다.

아니라고 말해 봤자 너만 더 힘들어질 테니까…….

"괜찮으니까, 그냥 넌 편하게 결정해."

너만 괜찮다면, 나는 뭐든 다 받아들일 테니까.

찬재는 속으로만 덧붙였다. 이다는 그런 그를 한참 동안 바라보기만 했다. 그의 마음이 고마워서, 아무 말도 떠오르지 않을 정도로 너무 고마워서.

* * *

찬재의 배려에도 불구하고 이다는 결정이 쉽지 않았다. 두 사람이 탄 차가 옥탑방에서 태강 타워로 이동하는 내내 이다의 고민은 계속되었다.

'밖에 있는 강찬재한테 한번 확인해 봐. 네가 전과자가 되면 어떤

일이 벌어질지.'

'대학 문턱도 못 밟아 본 천애 고아에, 전과자. 그런 네가 혜주처럼, 강찬재하고 결혼할 수 있을까?'

머릿속에 맴도는 서한의 목소리가 걸리적거렸다.

왜 못 해? 강찬재가 괜찮다는데.

아……. 강 회장님은 안 괜찮으시겠지.

그래도 강찬재가 괜찮다면…….

아니야, 강 회장님 성격 보통 아니시던데…….

이다의 마음은 낙관과 비관 사이를 오락가락했다. 그런 이다의 옆에서 찬재는 결정을 재촉하지 않고 묵묵히 운전에 집중했다.

마침내 차가 태강 타워 주차장에 도착했을 때, 이다는 주차를 마친 찬재에게 넌지시 질문을 던졌다.

"너 강 회장님한테 맞아 본 적 있어?"

"뭐?"

찬재가 시동을 끄려다 말고 어이없다는 듯 눈살을 찡그렸다.

"말 안 듣는 자식 팰 수도 있는 분인가 해서."

"팬다고 말 들을 자식 같아, 내가?"

"나야 모르지. 난 너 키워 본 적 없으니까."

"나 키워 본 내 아버진 잘 아시지. 이 몸 때려 봐야 본인 기운만 빠지신다는 거."

찬재는 태연한 표정으로 어깨를 으쓱해 보이고 시동을 껐다.

"맞아 보긴 했단 거네."

"그렇다고 달라진 적은 없어. 내가 맷집이 아주 좋아서 말이야."

"네가 사귀는 여자가 전과자라면……. 너 또 맞을까?"

"맞아도 달라질 거 없으니까, 아버지 신경 쓸 거 없어. 내가 알아서 해."

"너 맞는 거 싫어서, 너 신경 쓰는 거야."

이다의 진심 어린 목소리에 찬재는 입꼬리가 씰룩 올라갔다.

"안 맞을게. 잘 피해서 털끝 하나 안 맞을 거야. 걱정 마."

장담한 뒤 찬재는 도장 찍듯 이다의 이마에 입술을 붙였다. 그러나 이다는 그래도 뭔가 석연치 않은 기색이었다. 이윽고 찬재가 입술을 떼자 이다는 입을 열었다.

"강 회장님이 너 신용 카드 다 정지시키고, 회사에서 내쫓을 수도 있지 않아?"

"너랑 헤어지라고?"

"드라마 보면 그렇잖아."

이다가 고개를 끄덕이며 말했다.

"그런다고 주인공들 헤어지는 드라마 있음 하나라도 대 봐."

"없지."

"우리가 거기 주인공들보다 못나 보여?"

"아니."

"그럼 뭐가 걱정이야?"

찬재의 당당한 질문에 이다는 피식 웃음이 났다. 그녀는 미소 짓는 얼굴로 찬재의 얼굴을 감싸 잡았다.

"그렇게 말해 줘서 정말 고마운 거 알지?"

"이렇게 말로만 들어서는 잘 모르겠는데?"

찬재는 능청스럽게 반문했다. 순간 이다가 그의 입술에 입술을 들이 붙였다. 모른다는 말이 못 나오도록, 격렬하게 자극적인 키스가 이어졌다. 아예 어떤 말도 떠올릴 수 없어 찬재는 눈을 감았다. 그리고 행동에만 집중했다.

이다는 성큼성큼 찬재의 손을 잡고 승강기 안으로 발을 옮겼다. 그리고 펜트하우스를 의미하는 P 버튼을 눌렀다. 이윽고 문이 닫히고 승강기는 위로 올라갔다.

어젯밤 도망치듯 빠져나왔던 펜트하우스로 가까워지는 동안, 이다는 어젯밤과 달리 힘 있는 눈빛으로 고개를 꼿꼿이 들고 정면을 바라봤다.

여기서 이다는 정면으로 부딪쳐 확인할 결심이었다.

혜주에 대한 죄책감을 온몸으로 느껴야 했던 펜트하우스에서, 이 죄책감의 무게가 과연 감당할 수 없을 정도인지를 확인하고 싶었다. 좀 더 옥탑방에 머무르자는 찬재의 배려를 마다하고, 곧장 펜트하우스로 돌아가자 한 건 그 때문이었다.

정말 감당할 수 없는 정도인지, 아닌지.

하루빨리 제대로 부딪쳐 판단하자. 그리고 결정하자.

자수하느냐, 마느냐.

어차피 해야 하는 결정인데. 찬재를 오래 기다리게 하고 싶지 않으니까.

그렇게 다짐을 곱씹는데, 옆에서 찬재의 목소리가 들려왔다.

“들어가 보고, 불편하면 참지 말고 말해.”

“그럴 거야. 못 견디게 불편하면.”

이다는 의미심장하게 대꾸했다.

못 견디게 불편하면……. 자수할 생각이겠지.

찬재는 다 알아차렸지만, 내색하지 않고 태연히 미소를 지었다. 그리고 마주 잡은 이다의 손을 들어 손등에 입을 맞추었다. 아무것도 모르는 것처럼. 그저 자신이 그녀를 얼마나 사랑하는지만 알려주려는 것처럼.

잠시 후 승강기는 펜트하우스에 도착했다. 마주 잡은 손을 놓지 않은 채로 두 사람은 승강기를 빠져나갔다.

그런데 펜트하우스 현관문 앞에 최 회장이 서 있었다. 그를 본 두 사람은 누가 먼저랄 것 없이 승강기 앞에서 우뚝 걸음을 멈추었다. 초조하게 현관문 앞을 서성이고 있던 최 회장 역시 두 사람을 발견하고 멈칫 섰다.

"여긴 어쩐 일이시죠?"

뜻밖의 불청객을 향해 찬재는 불쾌한 얼굴로 질문을 던졌다.

"자, 잠깐 시간 좀 내주게. 할 얘기가 있어."

최 회장이 절박한 표정으로 대답했다. 찬재는 고개 돌려 이다의 표정을 확인했다. 이다는 싸늘하게 최 회장을 응시하고 있었다. 최 회장은 그녀를 향해 다급하게 말을 이었다.

"혜주한테 무슨 일이 있었는지……. 아직 얘기 못 들은 걸로 안다. 오늘 너한테 다 털어놓고, 죗값 치르마. 그러니까 제발 얘기할 기회를 다오."

"혜주한테 무슨 일이 있었는지, 다 안다는 뜻인가요?"

이다가 묻자 최 회장이 얼른 고개를 끄덕였다.

"서한이 놈한테 다 들었다."

최서한이……. 혜주 일을 털어놨다?

아무래도 무시하고 지나칠 수 없을 것 같아 이다는 찬재와 시선을 마주쳤다. 그러자 찬재는 금세 그녀의 눈빛을 알아차리고 고개를 끄덕거렸다.

* * *

"혜주한테…… 사고가 있었다더구나."

거실 소파에 앉은 최 회장이 고개를 숙인 채 어렵사리 말문을 열었다. 그의 대각선, 2인용 소파에서 이다는 찬재와 나란히 앉아 있었다. 숨죽여 집중하는 얼굴로 빤히 그를 지켜보면서.

"서한이 그놈이 혜주 부탁에 못 이겨서 마약을 구해 줬는데. 혼자 내버려 둔 사이에 발작을 일으켜서……. 병원으로 옮기던 중에……. 손쓸 새도 없이 숨이 멈췄다더구나."

최혜주는 죽었다…….

짐작이 사실이 되는 순간이었다. 이다는 머릿속이 멍해지면서 이명이 들리는 듯했다. 찬재는 그런 이다의 손을 감싸 잡았다.

"혜주 마지막 모습이 찍힌 CCTV. 거기 서한이가 그 앨 병원으로 옮기려는 모습도 함께 찍혔다고 들었다."

"……."

"그 길로 병원으로 옮기다가 숨이 멎었는데……. 그놈이 그때 미친 짓을 한 게야."

"……."

"겁이 났겠지. 내가 살인자로 몰리면 어쩌나……. 너무 겁이 나서 그 일을, 그 사고를 묻어 버리려고 들었던 게지. 혜주인 척 나한테 메시지를 보내고, 원치 않는 결혼 때문에 혜주가 가출한 것처럼……. 그렇게 일을 꾸몄던 게야."

최 회장은 괴로운 듯 두 손으로 얼굴을 가리고서 탄식 같은 신음을 흘렸다.

"그러니까 혜주는 사고로 죽었는데. 최서한이 신고하지 않고, 시신을 유기했다. 이 말인가요?"

이다는 애써 정신을 가다듬고 차갑게 질문했다. 그러자 최 회장이 얼굴에서 손을 내렸다. 괴로워하는 얼굴을 드러내고서 바닥으로 무릎을 내렸다.

"다 내 잘못이다. 내가 자식을 잘못 키웠어, 내가……."

최 회장은 무릎을 꿇고 애원하는 눈빛으로 이다를 바라봤다. 그 모습에 찬재는 눈을 일그러뜨렸다. 그러나 이다는 눈도 깜짝하지 않았다.

"혜주가 사고사라는 거, 증거 있습니까?"

"그건……."

"마약을 혜주 손으로 했고, 발작 중에 숨이 멎었다는 거. 다 최서한 쪽 주장 아닌가요?"

"그놈이……. 혜주를 죽였다고 생각하는 게냐?"

"아니라고 자신할 수 없죠. 나도, 회장님도."

이다의 대답에 최 회장의 눈동자가 자신 없이 흔들렸다.

"어, 어쨌거나 분명한 건……. 혜주가 이미 이 세상 사람이 아니라는 사실이야."

"……."

"제발, 그건 돌이킬 수 없는 일이란 걸 생각해다오. 죽은 사람이 살아 돌아올 방법은 어디에도 없지 않니?"

"그래서요? 산 사람은 살게 해 달라. 죽은 사람 그냥 묻자. 그 말이 하고 싶으세요?"

"그냥 묻자는 게 아니다. 나는……."

최 회장의 시선이 찬재에게로 건너갔다.

"두 사람을 돕겠다는 말을 하러 온 게야."

"두 사람을 돕겠다?"

찬재는 눈살을 찡그리며 반응했다. 최 회장은 이다에게로 시선을 돌렸다.

"두 사람, 어떤 관계인지도 다 들었다. 네 정체 알면서도 강 이사가 널 선택했다던데……. 내 자식 놈 잘못 때문에 너희 두 사람이 피해 받지 않게 도울 생각이다."

"……."

"네가 사랑하는 사람하고 잘 살아갈 수 있게. 너한테 아무런 피해도 가지 않게. 내가 최선을 다해 도우마. 혜주 일은 되돌릴 수 없는 일이니……. 그렇게라도 네게 보상을 하고 싶구나."

최 회장은 간절하게 호소했다.

"내 아들을 용서해 달라는 게 아니라, 널 돕게 해 달라는 게야."

당장 눈물이라도 흘릴 듯한 최 회장의 눈동자에 이다는 미간을 좁혔다.

"대체 뭘 어떻게 돕겠다는 건데요?"

"어떻게든 강 회장 설득해서 너희 두 사람 결혼 유지하게 하마.

강 회장이 달라는 건 뭐든 다 내주고, 하라는 건 뭐든 다 하마. 그래서 이혼 막아 내고……. 널 강 회장이 절대 내칠 수 없는 며느리로 만들어 주마. 회사에서 서한이 놈이 앉아 있던 자리, 아니, 그보다 더 높은 자리에 널 앉힐 게다."

"지금 나더러……. 최혜주로 계속 살란 얘깁니까?"

이다는 고요하게 가라앉은 목소리로 질문을 던졌다. 그 옆에서 찬재는 심란해진 얼굴로 침묵했다.

"그래야 강 회장이 널 받아들여 줄 게다."

최 회장이 기어가듯 무릎을 움직여 이다에게 다가갔다.

"처음부터, 처음부터 네가 입양됐던 거라고 생각하자꾸나. 네 인생을 처음부터 다시 시작하는 거야. 넌 최혜주고, 난 널 친딸 이상으로 생각하고. 그렇게 살게 되면 넌 네가 사랑하는 사람하고 계속 이 집에서 살 수 있어."

"……."

"어차피 예전 혜주 찾을 사람은 아무도 없다. 그냥 그 애는 처음부터 없던 존재라고 생각하면 돼. 이제 그 자리가 네 자리고, 네가 혜주인 게야."

최 회장은 절박한 얼굴로 이다의 바짓단을 붙들었다.

"제발 너라도 그 자리에서 행복하게 살아다오."

이다는 감정이 드러나지 않는 서늘한 눈빛으로 최 회장을 응시했다.

"죽은 사람 그냥 묻자는 게 아니라더니, 제대로 묻자는 얘기였네."

혼잣말하듯 조용한 목소리에 최 회장은 마른침을 삼켰다.

"처음부터 내가 입양됐고, 내 이름이 최혜주고. 아마 그랬으면 내 쌍둥이는 보육원에서 서이다로 자랐겠죠. 그리고 그 애는 최소한 지금보단 덜 불행했을 거예요. 당신 같은 부모를 안 만나서."

이다는 몸을 일으켰다. 그리고 최 회장을 내려다봤다.

"20년 넘게 키운 자식이 죽었다는데. 어디 묻혀 있건, 남들 눈에 띄지만 않으면 된다. 아무도 찾지 않게 제대로 묻어 두자. 그런 생각하는 인간이 부모란 건 끔찍하잖아."

"그, 그건……."

"덕분에 잘 알겠습니다. 나 아니면 혜주 찾을 사람 없다는 거. 그리고 내가 찾지 않으면, 그 애는 지금보다 불행해질 거라는 거."

단호하게 말하고서 이다는 고개 돌려 찬재와 눈을 마주쳤다. 찬재는 걱정스러운 눈빛으로 그녀를 바라보고 있었다.

"미안한데. 손님 배웅은 너 혼자 해야겠다. 나 먼저 들어갈게."

이다의 부탁에 찬재는 고개를 끄덕였다.

"자, 잠깐! 잠깐……!"

최 회장이 황급히 이다의 손목을 붙잡으려 들었다. 순간 찬재가 몸을 일으키며 최 회장의 손을 낚아챘다.

"그만 가시죠. 여긴 회장님 얘기 더 듣고 싶은 사람 없으니까."

찬재는 경고하듯 힘주어 말했다. 그리고 최 회장을 억지로 일으켜 세웠다.

찬재는 최 회장을 현관 바깥으로 이끌었다. 누가 보면 부축한 채 배웅하는 모양새였지만 사실상 등을 떠미는 격이었다.

"자네 대체, 대체 어쩔 생각인 겐가!"

최 회장의 외침에 대꾸하지 않고 찬재는 계속 걸었다.

"자네라도 저 앨 말려야지! 설마 그냥 내버려 둘 작정인가?"

현관을 지나 승강기 앞에 다다르자 찬재는 비로소 걸음을 멈췄다.

"잘 생각하게. 저 애가 혜주 일 들쑤시면 자네한테 좋을 게 없어. 혜주 일이 밝혀지면, 저 애가 가짜였단 것도 다 밝혀지는 게야. 고아에다 고졸에다, 신분 사칭 전과까지 달게 될 테지! 자네 아버지가 그런 아일 자네 짝으로 받아들일 것 같은가?"

"예."

"……뭐?"

"제 아버진 받아들이실 겁니다."

찬재는 추호의 의심도 없는 눈으로 최 회장을 마주 봤다.

"자, 자네가…… 아버지에 대해 잘 모르는 모양인데……."

"회장님이 저에 대해 잘 모르시는 모양인데. 제가 아버지 뜻대로 움직이는 경우는 둘뿐입니다. 제 뜻이 아버지 뜻과 같을 때. 혹은 별 차이가 없을 때."

"그……."

"최혜주와의 결혼은 후자였죠. 최 회장님하고 사돈 맺는 일, 솔직히 욕심났었으니까. 그래서 아버지 뜻대로 움직였습니다. 그렇지만 제 뜻이 아버지 뜻과 다르다면, 저는 제 뜻대로만 움직입니다."

"이보게!"

최 회장이 궁지에 몰린 얼굴로 찬재의 팔을 붙잡았다.

"그러지 말고 제발……! 제발 나 좀 살려 주게. 저 아이가 내 아들 신고하는 일, 그것만 막아 주면 내 뭐든 다 하겠네!"

찬재는 경멸에 찬 눈빛으로 얼굴을 찌푸렸다.

"그럼 최혜주, 찾아서 데려오시죠."

순간 최 회장의 얼굴이 일그러졌다.

"아니……. 찾아서 데려오라니? 그 앤 이미 죽었잖는가……?"

"댁의 아드님이 내 손에 죽었다고 칩시다."

"……."

"그럼 시신 찾고 장례 치러 주는 게 당연한 수순 아닙니까?"

"혜주……. 장례를 치르자는 얘긴가?"

찬재는 고개를 끄덕였다.

"최혜주가 어디 있는지는 댁의 아드님께 물어보시고. 잘 수습해서 좋은 곳에 편안히 모셔다 놓으십시오."

"하지만, 하지만 그랬다간 사람들이 그 애 죽음을 알게 될 텐데."

최 회장은 몹시도 곤란해하는 얼굴이었다.

"그렇다고 그냥 내버려 두겠다는 얘깁니까?"

키우던 개가 죽었어도 그렇게 아무 데나 방치하진 않을 텐데. 대체 이 집안에서 최혜주는 뭐였던 거지? 죽은 부인이 남긴 애물단지 애완동물?

찬재는 기가 막힌 환멸감에 헛웃음이 났다. 최 회장은 우물쭈물 어쩔 줄을 몰라 했다.

"세상에는 알리지 않더라도, 조용히 장례 치를 방법은 있습니다. 최혜주 부모로서, 그리고 가해자 부모로서. 그게 최소한의 도리 아닙니까?"

"그……. 그럼 남들은 모르게, 조용히 혜주 장례를 치르겠네. 그렇게 하면, 내 아들 신고는 하지 않을 겐가?"

최 회장은 지푸라기라도 잡는 심정으로 찬재를 바라봤다.

"회장님 머릿속엔 어떻게 하면 내 아들 살인자라는 걸 은폐할까.

그 생각뿐이시네."

"……."

"제가 회장님 아들, 살인자로 안 만드는 가장 확실한 방법을 알려 드리죠."

"뭐, 뭔가 그게? 뭐든 말하게!"

찬재는 자신의 팔을 잡고 있는 최 회장의 손목을 붙잡았다.

"그냥 자식 하나 없는 셈 치세요. 최혜주한테 그런 것처럼."

날카롭게 말하고서 찬재는 최 회장의 손을 뜯어내듯 뿌리쳤다. 그리고 매서운 눈빛으로 눈을 노려보며 덧붙였다.

"당신 그거 쉽잖아."

* * *

매달리는 최 회장을 가차 없이 떼어 내고 찬재는 펜트하우스로 돌아왔다. 닫아 버린 현관문이 저절로 잠겼다. 그러나 문 너머 최 회장은 떠나지 않고 문을 두드려 댔다. 사정하는 목소리도 들려왔지만, 찬재는 무시하고 복도로 향했다. 이동하며 한 손으론 휴대 전화를 꺼내 전화를 걸었다.

"펜트하우스 앞에 최 회장님 와 계신다."

찬재는 태건이 전화를 받자마자 대뜸 말했다.

[예? 최 회장님이요? 왜요?]

"나 멀리 못 나가니까. 네가 대신 배웅해 드려. 내 집에서 멀리, 건물 바깥으로."

유감스러운 목소리로 또박또박 말하고서 찬재는 전화를 끊었다. 그는 이윽고 침실 앞에 다다라 문을 열었다. 침실 안에서 이다는 침대에 걸터앉아 생각에 빠져 있었다. 찬재가 안으로 들어서자 인기척을 느낀 이다가 찬재와 눈을 마주쳤다.

"나 결정했어."

이다는 무거운 목소리로 말했다. 순간 찬재는 가슴이 내려앉는 듯이 무거워졌다. 그러나 애써 가볍게 미소를 지어 보였다.

"잘했어."

"나 아직 내 결정이 뭔지 말 안 했는데……."

"뭐든. 뭘 결정했든, 네가 옳아."

확신하는 찬재의 태도에 이다는 몸을 일으켰다. 그리고 찬재에게 다가가 그를 껴안았다.

"내가 정말 어쩌다 이렇게 좋은 사람을 만났을까?"

이다가 감탄하듯 의문을 흘렸다. 그러자 찬재의 두 팔이 허리를 단단히 감싸 왔다. 그의 듬직한 가슴을 느끼면서 이다는 조용히 말을 이었다.

"이렇게 너한테 고마울 때마다 혜주 생각이 나. 어쩌면 혜주가 널 만나게 해 준 게 아닐까……. 그런 생각이 들어."

다 이해한다는 듯이 찬재는 이다의 목에 지그시 입술을 맞추었다.

"그래서 그 애한테 나도 뭔가 해 주고 싶어."

"……."

"그러니까 찾아야겠어. 그 애 혼자 억울하지 않게, 외롭지 않게."

이다의 결심에 찬재는 고개를 들었다. 그리고 이다와 얼굴을 마주했다.

"그래. 그렇게 하자."

당연히 함께해야 할 일인 것처럼 찬재는 기꺼운 목소리로 말했다.

이어서 그는 이다의 입술에 입술을 맞대었다. 고맙다, 미안하다. 그런 말은 필요 없으니까. 찬재는 이다의 입안에 담긴 말을 뜨겁게 부드럽게 녹여 갔다.

결재 서류를 되찾으러 펜트하우스에 도착한 태건은 거실에서 찬재와 마주 앉게 되었다. 차근차근 예리한 눈빛으로 서류들을 검토하는 찬재의 모습은 여느 때와 다를 바가 없었다.

마침내 찬재가 마지막 서류의 검토를 마치고 사인을 휘갈겼다.

"이제 더 볼 거 없지?"

"서류는 볼 거 없으시고, 저 좀 보셔야 할 것 같은데요."

"이미 보고 있잖아."

찬재는 팔짱을 끼며 실없는 농담을 던졌다.

"아니, 대체 요즘 왜 이럽니까? 사모님 좋아한댔다가, 이혼한댔다가. 어제는 승강기에서 사모님하고 키스를 하시질 않나, 오늘은 이 밀폐된 펜트하우스에서 단둘이 휴가를 쓰신다질 않나. 대체 장단이 뭡니까? 무슨 장단에 춤을 춰야 하는 건데요?"

"춤춰 줄 필요는 없는데."

"뭐라고요?"

"근데 이 장단이 무슨 장단인지, 이제 너도 알아 둘 필요는 있겠지."

기막혀하는 태건에게 찬재는 침착하게 덧붙였다. 그러자 태건은 더욱 목에 힘을 주었다.

"그럼요, 있죠! 당연히 있죠! 그러니까 설명 좀 해 주시죠."
"내 아내는 최혜주가 아니야."
찬재는 불쑥 본론을 꺼냈다. 순간 태건은 찬물을 끼얹은 듯 조용해졌다.
이 인간이 지금 뭐라는 거야……. 하는 표정이었다.
"내가 결혼한 여자, 실은 최혜주가 아니라고."
"……사모님이 최혜주가 아니라고요?"
"그래."
"그럼 누구신데요? 뭐, 사모님이 얼굴에 점 하나 찍고 다른 사람이라도 되셨습니까?"
"처음부터 다른 사람이었어. 최혜주하고 똑같이 생긴, 다른 사람."
"예?"
"내가 결혼식장에서 처음 만나고, 지금까지 한집에서 살아온 여자. 최혜주 쌍둥이야."
찬재의 고백에 태건은 정색하고 얼굴을 찌푸렸다.
"이사님. 뻥을 이렇게 진지하게 치실 거면, 앞뒤 개연성도 챙기면서 치셔야죠. 무슨 뜬금없이 쌍둥이 타령입니까? 사모님이 최혜주 씨 쌍둥이요? 아니, 24년 동안 없던 쌍둥이가 대체 어디서 나타나는데요?"
"믿기 어려운 마음 알겠는데. 일단 끝까지 들어나 봐."
찬재는 더없이 진지한 눈빛으로 또박또박 힘을 주어 말했다. 자신의 이야기가 끝날 때까지, 더는 가타부타 하지 말라는 듯이. 그 모습에 태건은 얼른 손으로 입을 막았다. 여기서 한마디라도 더 했다간 위험해지겠구나. 직감하며 태건은 찬재를 향해 고개를 끄덕거렸다. 일단 끝까지 듣고 보겠다는 의미로.

찬재의 이야기가 끝났을 때, 태건은 휴대 전화를 꺼내 오늘의 날짜를 확인했다.

"만우절 아닌데……."

"만우절이라도 이런 거짓말은 안 해."

"그럼 이게 다 사실이라고요?"

"그래, 사실이야."

태건은 잠시 얼이 빠져 있다가 곧 고개를 마구 저었다. 그렇게 애써 정신을 차린 다음 입을 열었다.

"그럼 뭐가 어……. 어떻게 되는 겁니까?"

"서이다는 자수해서 최혜주를 찾을 생각이야. 난 서이다가 자수해도 아무 문제 없게 뭐든 다 할 생각이고."

찬재는 뭐든 못 할 게 없다는 투로 담대하게 대답했다.

"아무 문제 없을 수가……. 없지 싶은데요? 일단 검찰에 쌍둥이 대신 출석해서 위증했다는 게……."

"지금 검찰은 서이다가 위증했단 것도, 최혜주가 실종됐단 것도 전혀 모르고 있지. 그냥 그렇게 내버려 둘 수 있었는데. 서이다는 자수를 선택했어. 하마터면 평생 묻힐 뻔한 사건이 서이다 덕에 수면 위로 드러나게 됐는데. 검찰에서 정상 참작 못 해 줄 거 있나?"

"아, 정상 참작……. 그럼 위증 건은 검찰이 눈감아 주려나요?"

"눈감지는 않겠지만, 실형까진 안 주겠지."

"……."

"준다 해도 안 받아."

"준다는데 안 받을 수…… 가 있나요?"

"주기 전에 선수 쳐야지. 절대 줄 수 없게 변호하면 돼."

굳게 자신하는 찬재의 모습에 태건은 잠시 착각할 뻔했다.

이 인간이 혹시 승소율 백 퍼센트 변호사였나…… 하고.

"그 변호를 누가 하는데요? 설마 이사님이 직접 하시게요? 변호사도 아니면서?"

"아니. 나 같은 변호사가 하지."

"……돈 많이 버는 변호사요?"

"절대 지는 법이 없는 변호사."

대답하며 찬재는 자리에서 일어났다.

"이사님은 지는 법이 없지 않죠. 사모님 상대로는."

태건의 얄미운 지적에 찬재는 피식 웃었다.

"그 사모님 상대로 싸울 거 아니잖아. 한편 먹고 같이 싸울 건데. 절대 질 리 없지. 상대가 누구든."

하긴 보통 아닌 강찬재에, 그마저도 이겨 먹는 사모님이 한편이면…….

태건은 납득하려다 말고 문득 떠오르는 존재가 있어 의문을 제기했다.

"상대가 강 회장님이면요? 그래도 질 리 없다고 보십니까?"

"이기고 지고가 있나? 부모 자식 간에."

"예?"

"사랑으로 이해해 주셔야지."

의미심장하게 말하고서 찬재는 어깨를 으쓱해 보였다.

어떻게든 기어이 이해를 받아 내고 말겠다는 얘기네.

태건은 금세 찬재의 말뜻을 알아채고 피곤한 표정을 지었다. 고

막을 두들겨 패는 듯한 강 회장의 호통 소리가 벌써부터 환청으로 들리는 탓이었다.

"이사님, 저 이 일 끝날 때까지 휴가 쓰고 싶은데요."

"휴가 쓰려면 써. 대신 이 일 처리하는 동안, 출근하면 월급은 두 배야."

"두…… 배요?"

태건은 솔깃해져 눈을 깜빡였다.

"내가 당분간 회사 일에 좀 소홀할지 모르니까. 네가 그만큼 더 신경 써 줬으면 해. 그래 줄 수 있으면 월급 두 배 선불이야. 어때? 해 볼 생각 있나?"

"글쎄요……."

태건이 잠시 생각해 보듯 눈동자를 굴렸다. 그러다 찬재의 눈을 향해 시선을 옮겼다.

"뭐부터 하면 될까요?"

* * *

태건이 업무를 대행하는 사이, 찬재는 이다와 변호사와의 만남에 동행했다. 자수 후의 상황을 대처하기 위한 상담을 마친 다음, 두 사람이 향한 곳은 경찰서였다. 최서한의 불법 감금 시도 사건을 관할하는 경찰서. 바로 그곳에서 이다는 피해자인 최혜주를 기다리고 있는 담당 형사들을 마주했다. 최혜주가 아닌 서이다로서. 최서한을 처벌하기 전, 자신의 죗값부터 치르려는 마음으로.

찬재는 그런 이다의 옆에 있었다. 이다가 자신의 정체를, 잘못을, 그리고 최혜주의 실종 사실을 고발하는 내내. 마침내 모든 진술을 마친 이다가 경찰서를 나설 때에도 그는 바로 그녀 옆에 있었다.

경찰서 앞 어두컴컴해진 밤공기를 가르면서 두 사람은 손을 잡고 함께 걸었다.

"고생 많았는데. 배고프지 않아?"

찬재는 짐짓 일상적인 하루를 보낸 것처럼 태연하게 질문을 건넸다. 오늘 일은 별일 아니니까, 걱정할 것 없단 듯이. 그러자 이다 역시 아무렇지 않은 척 담담한 목소리를 냈다.

"배고프진 않은데, 속이 다 비어 버린 느낌이야."

"배고프진 않은데, 속이 비어? 속이 비면 배고픈 거 아닌가? 무슨 아이스 핫 초코 같은 소리야, 그게."

장난스러운 질문에 이다는 우뚝 걸음을 멈춰 찬재와 마주 섰다.

"밥보다 이게 더 필요하다고."

대답한 뒤 이다는 두 팔로 찬재의 몸을 끌어안았다. 단단한 그의 어깨에 턱을 기대고 넓은 등에 팔을 감았다. 그리고 눈을 감았다. 공허함에 쌀쌀해진 가슴속으로 그의 체온이 스며들었다.

"내가 지금 내 몸통만 한 돌덩이를 속에서 빼낸 기분이거든. 근데 여기 채울 수 있는 건 너밖에 없는 것 같아."

돌덩이라…….

그래, 그 무거운 진실을 꺼내 놓았으니. 속이 빈 것처럼 허탈하겠지.

짐작하며 찬재는 이다의 등을 쓰다듬었다.

"내가 거기만 채울 줄 알아?"

두고 보라는 듯 호기롭게 말하고서 찬재는 이다의 입술을 찾아 입에 머금었다. 그리고 진한 입맞춤으로 온기를 채워 갔다. 그 온기가 이다의 온몸으로 다 번질 때까지 찬재는 끝없이 정성스러운 몸짓을 이어 갔다.

* * *

본가에 도착한 최 회장의 얼굴은 창백했다. 서이다의 자수로 최혜주의 실종 사건이 접수되었다는 소식 때문이었다.

끝내 자수를 막지 못했으니, 남은 해결책은 하나뿐이리라.

최 회장은 참담한 심정으로 현관을 지나 거실에 들어섰다. 그때, 와장창 유리가 깨지는 소리가 났다.

"이, 이게 무슨……?"

놀란 최 회장이 소리가 난 곳을 향해 걸음을 옮겼다. 계단을 올라 2층에 다다르자 혜주의 방 앞에 선 두 가정부가 보였다. 그들은 방문을 열어 둔 채 놀란 얼굴로 얼어 있었다.

"대체 무슨……?"

그들 뒤에 도착한 최 회장 역시 안을 보고 멈칫 굳었다.

방 안이 엉망진창이었다. 스탠드며, 이젤이며, 의자며. 온갖 장식물들이 바닥에 산산조각 나 있었다. 유리창은 부서져 내린 꼴이고, 불어 드는 바람에 커튼이 흩날려 댔다.

그런 아수라장 가운데에 서한이 서 있었다. 조금 전 자신이 박살 내 버린 유리창을 바라보면서, 사람들의 시선을 등진 채로 그는 거친 숨을 몰아쉬고 있었다. 모여든 사람들의 인기척을 느꼈으면서도 분노를 감출 생각 따윈 없었다. 언제나 반듯하게 절제된 모습만을 보여 왔던 그인지라, 가정부들의 충격은 커 보였다.

"다들 내려가 있게."

최 회장의 지시에 두 사람은 엉거주춤 발걸음을 옮겼다.

그들이 계단을 내려가는 것까지 확인한 뒤 최 회장은 방 안으로 들어섰다. 그가 방문을 닫자 서한이 그를 향해 몸을 돌렸다. 증오로 가득한 얼굴이 최 회장을 마주했다.

"그냥 그 버러지 같은 계집애를 죽였어야 했는데. 내가 미친놈이었네요."

"……."

"혜주 일 캐물어 댈 때 죽였으면, 혜주 옆에 사이좋게 묻어 주고 좋았잖아."

서한은 혼잣말하듯 뇌까렸다.

"자수했다는 거, 들은 게냐?"

"아버지라도 죽였어야죠!"

"뭐?"

"아버지가 달고 온 쓰레기! 아버지가 치웠어야지. 그 쓰레기가 기어이 내 인생 말아먹게, 그냥 손 놓고 구경만 하셨어요?"

눈을 부라리며 날뛰는 서한의 모습은 바로 어제 최 회장이 보았던 그의 모습과 정반대였다.

'아버지, 전 이제 아무것도 바라는 거 없어요.'

'……'

'내가 할 수 있는 모든 짓을 다 했는데, 결국 내 뜻대로 된 건 하나도 없으니까. 뭘 더 바라는 게 무슨 의미가 있겠어요.'

'…….'

'그냥 다 얘기하고, 포기하고. 이젠 편하네요.'

최 회장은 다 내려놓은 듯이 무기력하던 어제의 서한을 기억했다.

대체 어느 장단에 놀아나 달라는 건지.

최 회장은 역정이 나 일그러진 표정으로 서한의 뺨을 후려쳤다.

"네놈이 혜주 일을 나한테 숨기지만 않았어도! 혜주 사고, 가출로 위장하지만 않았어도! 내가 그런 쓰레기한테 혜주 대역 맡길 일은 없었어!"

"젠장, 그랬으면 날 쓰레기 취급했을 거잖아!"

서한은 최 회장보다 더욱 크게 언성을 높였다. 그러자 다시 최 회장의 손바닥이 서한의 뺨을 철썩 후려쳤다.

"계속 남의 탓이나 해 댈 거면 입 닥치고 애비 말이나 들어!"

최 회장은 곧바로 서한의 멱살을 붙잡았다.

"잘잘못 따질 시간 없다. 당장 공항으로 가서 외국으로 떠나도록 해. 아직 넌 혜주 실종 사건 참고인일 뿐이니까. 조사 시작되기 전에, 출국 금지되기 전에! 어디로든 멀리 도망쳐서 숨어 있도록 해!"

서한은 홀로 대문을 빠져나와 자신의 승용차에 올라탔다. 먼 길을 떠날 예정이지만, 배웅하는 이는 아무도 없었다. 조용히 아무도 모르게 떠나야 하는 상황이니 당연한 일이었다.

짐이라고는 지갑과 여권이 전부였다. 그렇지만 우선 첫 번째 목적지인 필리핀에 도착하면 돈은 해결될 것이다. 그곳에서 최 회장의 하수인이 그를 마중할 예정이니까. 다음 도피처가 어디가 될지는 그때 가서 상황을 파악한 후 결정하면 될 일이다.

일단 한국 땅부터 벗어나자. 어서 빨리.

스스로를 다그치며 서한은 운전대를 잡았다. 다급한 마음에 손이 바들바들 떨렸다. 불안해진 심장이 마구 요동치는 듯했다. 이대로 출발해서는 안 될 것 같아 서한은 잠시 눈을 감고 심호흡을 했다.

빌어먹을, 내가 왜 이런 꼴이 됐지?

불현듯 욱하고 화가 치밀었다. 서한은 고개 돌려 옆자리를 노려봤다. 혜주가 죽던 그날 밤, 의식 없이 저 자리에 앉혀졌던 혜주의 모습이 눈앞에 아른거렸다.

"넌 내가 불쌍하지도 않아?"

서한은 악에 받친 얼굴로 비난하듯 물었다.

"거기서 네 멋대로 뒈져 놓고. 왜 날 이 꼴로 만들어, 왜!"

서한의 주먹이 운전대를 내리쳤다. 그날의 기억이 선명하게 머릿속을 뒤덮었다.

* * *

최혜주의 결혼식 5일 전. 마약상과의 거래를 마쳤을 때는 밤이 늦은 시각이었다. 서한은 혜주와 함께 자신의 오피스텔로 이동했다. 서한이 운전하는 차 안에서 미리 맛보기를 즐긴 혜주는 취한 사람처럼 흐느적거렸다.

"오빠……. 그냥 오빠가 나랑 결혼하면 안 돼?"

오피스텔 승강기를 타고 오르는 내내 혜주는 서한에게 칭얼거렸다. 그러나 서한은 묵묵부답이었다.

자신과 혜주의 결혼이라니.

아버지의 입장에서 절대 허락할 리 없는 일이었다.

호적상 형제라는 도덕적 문제가 아니라 경영상 손실이라는 수학적 문제 때문이다. 최혜주와 최서한이 호적을 정리하고 결혼한다 한들. 그래 봐야 아버지의 회사가 얻을 이익은 아무것도 없다.

반면 최혜주는 태강과의 사돈 맺기에, 최서한은 또 다른 기업과의 사돈 맺기에 써먹는다면 회사가 얻을 이익은 막대하리라.

그럼에도 불구하고 최 회장이 두 자식 간의 결혼을 허락할까?

글쎄……. 천만에.

하지만 설령 허락한다 해도 진짜 문제는 서한 자신이었다.

자신이야말로 혜주와 결혼할 생각은 추호도 없었으니까. 큰형과 회사를 두고 겨루려면, 필요한 건 자신에게 힘을 보탤 수 있는 집안을 가진 아내지. 혜주는 절대 아니다.

"그 애긴 그만하자, 혜주야. 다 끝난 얘기잖아."

서한은 문이 열린 승강기의 바깥으로 혜주를 부축해 나가며 타일렀다.

"우리끼리 혼인 신고해 버리면 되잖아."

혜주는 반쯤 정신이 나가 아무렇게나 말을 뱉었다.

"그랬다간 아버지가 너 가만두지 않을 거야."

대꾸하며 서한은 오피스텔 문을 열었다. 그리고 혜주를 거실 소파로 이끌었다.

“오빠는 왜 아버지한테 찍소리도 못해? 오빠한텐 친아빠잖아. 근데 그렇게 무서워?”

꼬부라진 혀로 중얼중얼 뱉은 질문들에 서한은 눈빛이 싸늘해졌다. 그는 소파에다 혜주를 앉혀 놓고 옆에 앉아 입을 열었다.

“혜주야……. 우리 그런 거 안 해도 잘 지낼 수 있잖아.”

성가셔하는 속마음과 달리 서한의 목소리는 다정했다.

“결혼해도 지금처럼 지내면 돼.”

“내가 다른 사람하고 결혼해도…… 정말 괜찮아?”

“어쩔 수 없잖아.”

괴로운 듯 묻는 혜주에게 서한은 슬픈 표정을 지어 보였다. 혜주는 약 기운에 초점이 흐린 눈으로 멍하니 그의 눈을 응시했다. 서한은 그런 혜주를 끌어안아 주며 자연스레 혜주의 시선을 피했다. 잠시 후 귓가에서 혜주의 목소리가 들려왔다.

“난 안 괜찮아.”

“…….”

“난 오빠가 다른 여자하고 결혼하면 죽어 버릴 거야.”

“혜주야…….”

“오빤 결혼하지 마.”

혜주의 두 팔이 서한의 어깨를 꽉 옥죄어 안았다. 목을 죄는 것도 아닌데 서한은 숨이 갑갑해졌다.

“난 이 결혼, 오빠가 하라니까 하는 거잖아. 그러니까 오빤 내가 하지 말라는 거 하지 마.”

“…….”

"빨리 약속해, 응? 빨리……."

애처럼 떼를 쓰는 목소리에 서한은 인상을 썼다. 그러나 곧 표정을 풀고 혜주의 어깨를 잡았다. 그는 달라붙어 있는 혜주를 슬그머니 밀어내고서 그녀와 얼굴을 마주했다.

"결혼 그거 별거 아니야. 괜히 의미 부여하고 상처 받을 거 없어."

서한은 달래듯이 혜주의 어깨를 어루만지다가 자연스레 원피스의 지퍼로 손을 옮겼다. 지퍼를 열면서 혜주의 입술에 입을 맞추려는데, 혜주가 도리질을 쳤다.

"싫어, 난 싫어. 오빠하고 결혼 못 하는 것도 싫은데. 오빠 다른 여자하고 결혼하면 나 진짜 못 살아……. 진짜 죽을 만큼 싫어!"

혜주는 비참하게 일그러진 얼굴로 눈물을 떨어뜨렸다.

"가만히 있어 봐. 기분 좋게 해 줄게."

서한은 다정하게 말하고서 혜주에게 입술을 맞붙였다. 순간 혜주의 두 손이 힘껏 그를 밀쳐 냈다.

"싫어! 나 이럴 기분 아니야."

명백한 거부에 서한은 저도 모르게 정색했다.

왜 이렇게 까다롭게 굴어? 피곤하게.

"나랑 자고 싶으면 약속부터 해!"

혜주는 울먹이며 외쳤다. 서한은 그런 혜주의 손을 그러잡고 부드러운 표정을 지어 보였다.

"결혼해도 나한테 여잔 너밖에 없을 거야. 그러니까 억지 쓰지 말고, 오빠 말 들어. 착하지?"

그러니까 하던 대로 가만히 옷이나 벗으라고.

미소로 속마음을 가려 둔 채 서한은 원피스 자락으로 손을 넣었다. 그런데 혜주의 손이 그의 손을 뿌리쳤다.

"약속 안 할 거면 나 집에 갈래."

혜주는 비틀거리는 몸을 억지로 일으키려 애썼다. 서한은 그런 혜주를 지켜보며 한숨을 내쉬었다. 기어이 자리에서 일어난 혜주는 구부정하게 허리를 숙인 채 느릿느릿 발걸음을 옮겼다.

넌 쓸데없이 생각이 많은 게 문제야. 생각 없이 인형처럼 있으면, 내가 알아서 예뻐해 주잖아? 입 다물고 죽은 듯이 누워만 있어 주면 정말 예쁠 텐데…….

생각하다 서한은 소파 곁에 놓아 둔 가방으로 시선을 내렸다. 이내 그는 가방으로 손을 뻗었다. 그리고 금세 가방 안에서 주사기와 무언가를 꺼냈다.

잠시 후, 서한은 혜주의 등 뒤로 다가갔다.

"혜주야, 기다려. 내가 바래다줄게."

배려하듯 말하는 그의 손에는 무언가를 가득 채운 주사기가 들려 있었다.

그날의 악몽 같은 기억에 서한은 진땀이 흘렀다. 그럼에도 불구하고 지지 않겠다는 생각으로 힘껏 미간을 좁히고 조수석을 노려봤다. 혜주의 숨이 멈춰 버렸던 바로 그 자리를.

"내가 너 죽이려고 한 건 아니었잖아. 그냥 좀 재워 두려 했던 거지."

눈앞에 있었다면 멱살이라도 쥘 것처럼 서한은 운전대를 꽉 거머쥐었다.

"겨우 그 실수 때문에, 나 때문에 네가 죽었다고 생각해? 천만에! 네가 나한테 매달리지만 않았어도, 주제넘게 욕심내지만 않았어도 그날 그런 일은 없었어! 양어머니한테 그랬던 것처럼, 나한테도 그냥 얌전히 예쁨 받고, 내 말 잘 들으면서 편하게 살면 됐잖아! 그런데 네 멋대로 죽어 놓고, 기어이 날 이 꼴로 만들어? 기어이 네 쌍둥이, 그렇게 날뛰도록 내버려 뒀어?"

서한은 울분에 휩싸여 비난을 퍼부어 댔다.

"내가 겨우 너 때문에 무너지는 꼴이, 보고 싶었어?"

죽은 혜주가 보고나 있을는지. 과연 그녀에게 서이다를 막을 방법이 있긴 했었는지. 그로서는 알 수 없었지만, 기든 아니든 상관없었다.

이 모든 불행의 시초는 혜주였으니까.

애초에 내가 원한 건 우리 관계를 누구에게도 떠벌릴 리 없는 안전한 첩이었는데. 그 이상을 욕심낸 네가 원흉이라고.

서한은 이를 갈며 혐오하는 눈빛으로 생각했다.

"내가 그렇게 순순히 당해 줄 줄 알아?"

날카롭게 질문하고서 서한은 고개 돌려 차 앞을 노려봤다.

"죽어도 네 뜻대론 안 될 거다."

그는 나아가야 할 방향을 똑똑히 파악한 채 운전대를 움직였다.

* * *

레스토랑에 도착한 지 얼마 되지 않았는데. 주문한 스테이크는 금방 이다와 찬재 앞에 놓였다. 그리고 이다의 스테이크는 그만큼 금방 사라졌다.

"뭐? 배고프진 않은데, 속이 다 비어 버린 느낌이야? 밥보다 내가 더 필요해?"

찬재는 속았다 싶은 얼굴로 빈 접시를 바라보며 말했다.

"눈앞에 보이니까 먹은 거야. 습관적으로."

"스테이크 빨리 안 나왔으면 날 먹었을 기세던데?"

"그래서 서운해? 밥보다 네가 더 필요하단 말 가짜 같아서?"

"아니. 배고프면 배고프다고 진작 말을 했어야지. 그랬으면 더 빨리 와서 먹였을 거 아냐."

"배고픈 건 아니었다니까."

이다는 웃음을 띤 얼굴로 대꾸했다.

"지금 배부른 건 맞고?"

"맞아."

"혹시 덜 부르면 하나 더 시켜."

"맞다니까."

"맞으면 됐다."

찬재가 안심한 듯 고개를 끄덕이는데, 주머니에서 휴대 전화가 울렸다. 확인해 보니 세시에게서 온 전화였다.

"세시 전화네."

찬재는 이다에게 알려 준 뒤 전화를 받았다. 그러자 뭐라 말할 새도 없이 세시의 목소리가 수화기에서 터져 나왔다.

[형님, 형님! Mayday, mayday! 긴급 속보! 긴급 속보!]

"왜? 무슨 일이야?"

[그, 최서한이요! 집에서 나왔는데, 지금 차에 탔어요! 아! 출발! 출발이요!]

"그래? 일단 따라붙어. 나도 바로 출발할 테니까, 어디로 이동하는지 계속 알려 주고."

[예, 형님!]

찬재는 전화를 끊고 자리에서 일어났다.

"뭐야?"

이다는 덩달아 일어서며 물었다.

"세시한테 최서한 미행 좀 부탁해 뒀거든. 근데 방금 집 밖으로 이동했다 그러네. 아무래도 자수한 거 눈치채고 튀는 것 같아."

"그럼 잡아야지."

"잡아 올 테니까, 집에 가서 쉬고 있어."

"아니, 나도 갈래."

"너 오늘 피곤할 텐데. 힘들지 않겠어?"

"추격은 속도전인데. 내 운전이 더 빠르지 않겠어?"

이다는 확신하는 눈빛으로 반문했다. 순간 뇌리를 스치는 기억에 찬재는 간담이 서늘해졌다. 그녀가 운전하던 차 안에서, 그 속도감에 자신이 얼마나 기겁했었는지…….

"빠르지……. 사람 잡게 빠르지……."

네가 날 잡을 뻔했지, 운전으로…….

얼어 있는 찬재에게로 이다가 다가섰다.

"그러니까 내가 가야지, 사람 잡게."

이다는 가볍게 찬재의 어깨를 두드리고서 그의 팔을 잡아 이끌었다.

"최, 최서한 얘기지? 잡겠다는 사람, 나 아니지?"

찬재는 따라 이동하며 불안한 듯 물었다.

이다가 운전하는 차는 역시나 빨랐다. 그렇기에 찬재는 조수석에 앉아 안전 손잡이를 꼭 잡고 있었다. 휴대 전화 스피커폰에서는 세시의 목소리가 흘러나왔다.

[이 자식 이거, 이거 인천 가는 방향인데요?]

"인천?"

이다는 눈을 찌푸리며 되물었다.

[인천이면 공항이네, 공항이야! 이 마당에 차이나타운 짬뽕 땡겨 가는 거겠어? 뭐, 월미도 바이킹 타게? 아니지, 그건 아니지. 자수해서 광명 찾아야 될 놈이, 국경 넘어 광명 안 찾겠다, 이거지!]

"지금 출국 금지 못 내리나?"

이다가 찬재를 향해 물었다.

"아직 혜주 실종 조사 제대로 시작 안 된 상황이야. 오늘 당장 출국 금지는 불가능해."

[으아아아! 그럼 어떡하죠? 어쩐다죠? 형님! 나 어떡해야 돼요?]

"그냥 넌 쭉 따라가면서 그놈 지켜보고 있어. 혹시 공항 아닌 딴 데로 샐 거 같으면 바로 알려 주고."

찬재 대신 이다가 재빨리 대답했다. 그리고 말 끝나기 무섭게 차의 속력을 높였다.

공항으로 들어서는 서한의 발걸음은 빠르지만 침착했다. 그저 비행기를 타야 할 시간이 임박한 사람처럼, 죄를 짓고 도망치는 처지로는 절대 보이지 않게. 서한은 앞만 보고 전진했다.

빌어먹을, 돌이킬 수 없는 일은 잊어.

최혜주고 서이다고 생각할 거 없어. 지금은 네 생각만 해, 최서한.

당장 비행기부터 타. 그게 네가 이기는 방법이야. 발목 잡히지 말고, 네 인생 다시 시작해.

서한은 스스로를 단단히 가르치며 이를 갈았다.

"필리핀행 비행기, 가장 빨리 출발하는 걸로 한 장."

티켓팅 카운터에 도착하자마자 서한은 재촉하듯 직원에게 비행기 표를 요구했다. 여권을 내밀고 표를 발권하는 내내 그의 얼굴은 무섭도록 굳어 있었다.

설마 그사이에 문제가 생기진 않았겠지…….

서한은 출국 금지라는 최악의 상황을 가정하며 입술을 깨물었다. 이마에서 진땀이 스며 나왔다. 초조해하는 서한의 귓가로 이윽고 직원의 목소리가 들려왔다.

"표 나왔습니다, 고객님."

직원은 아무런 의심도 없는 친절한 태도로 여권과 함께 비행기 표를 내밀었다.

서한은 저도 모르게 안도의 숨을 내쉬었다.

이제 남은 건 비행기를 타는 일뿐이다. 정말 끝이 얼마 안 남았어.

침착하려 애쓰면서 서한은 여권과 비행기 표를 향해 손을 뻗었다. 그런데 그때, 불쑥 끼어든 누군가의 손이 여권과 비행기 표를 잡아챘다. 동시에 귀에 익은 목소리가 들려왔다.

"나도 한 장 줘 봅시다. 이 사람 옆자리로."

순간 서한은 고개를 돌렸다. 그러자 마치 일행인 양 나란히 선 찬재의 옆모습이 보였다. 태연하고 여유로운 눈빛으로 찬재는 직원을 바라보고 있었다.

강찬재…….

머릿속으로 이름이 떠오르는 동시에 가슴속 심장이 바닥을 쳤다. 난데없이 부닥친 악재에 몸이 얼어붙는 듯했다.

"아, 일행이신가 봐요?"

직원의 질문에 찬재는 고개 돌려 서한과 눈을 마주쳤다.

"아니, 그냥 이 사람 표를 취소하죠. 어차피 비행기 못 탈 사람이니까."

장담하며 찬재는 불쑥 서한의 여권 속장을 움켜쥐고 뜯어냈다. 미처 말릴 새도 없는 행동이었다. 찬재의 손이 뜯어낸 속장을 북북 찢어 조각조각으로 만들었다.

그를 본 서한의 얼굴이 사납게 구겨졌다.

"이 새끼가 지금 뭐 하는 거야!"

서한은 와락 찬재의 멱살을 잡았다.

"이런, 그렇게나 타고 싶은 비행기였어? 미안하게 됐네."

찬재는 조금도 미안하지 않은 뻔뻔한 얼굴로 사과했다.

"그럼 돌려줄게."

피식 입꼬리를 당겨 올리며 찬재는 손에 쥐고 있던 것을 위로 흩뿌렸다. 산산조각이 난 여권이 허공에서 눈처럼 흩날렸다. 바닥으로, 서한의 머리 위로, 그리고 여기저기로. 여권의 파편들은 힘없이 파르르 떨어졌다.

"어디 한번 열심히 끼워 맞춰 봐. 너 같은 쓰레기도 인간으로 봐주는 사람 있을 텐데. 이 쓰레기도 잘 끼워 맞추면 여권으로 봐 줄지 누가 알아?"

보란 듯이 비웃음을 걸친 찬재의 얼굴에 서한은 눈이 뒤집어졌다. 이성을 잃고 냅다 주먹을 날렸다. 그의 주먹이 턱에 부딪히는 순간, 찬재의 입꼬리는 더욱 높이 올라갔다.

"그렇지, 이렇게 나와야지."

만족한 듯 중얼거리고서 찬재 또한 주먹을 휘둘렀다.

공항 경찰 주위에서 대기하고 있던 이다는 세시의 문자 메시지를 받았다. 시작이란 신호를 확인하자마자 이다는 계획대로 공항 경찰들에게 달려갔다. 그리고 다급한 얼굴로 티켓팅 카운터에서 벌어진 몸싸움을 신고했다.

이윽고 이다가 공항 경찰들과 함께 티켓팅 카운터에 도착했을 때, 찬재는 쓰러진 서한의 배 위에 올라타 있었다. 이를 악문 채 쉴 새 없이 주먹을 내리꽂는 찬재의 아래에서 서한은 정신을 잃은 듯해 보였다.

그 모습에 이다는 잠시 할 말을 잃었다.

'쌍방 폭행으로 경찰서 들어가면, 나나 최서한이나 사이좋게 유치장 신세 지는 거지. 그럼 혜주 사건 조사 제대로 시작될 때까지 그놈 거기 잡아 둘 수 있어.'

작전을 설명하던 찬재의 목소리가 이다의 귀에 아른거렸다.

저게 어딜 봐서 쌍방 폭행이냐…….

이다는 가히 일방적인 응징을 황당한 눈으로 지켜보며 생각했다.

* * *

공항에서의 쌍방 폭행 사건으로 최서한을 경찰서에 붙잡아 둔 사이, 최혜주의 실종 사건 조사는 급물살을 탔다. 결국 서한은 한국 땅을 벗어나지 못한 채 최혜주 실종 사건의 유력 용의자로 소환되었다.

관할서로 넘겨진 서한과 달리 찬재는 자유의 몸이 되어 경찰서를 빠져나왔다. 들어올 땐 밤이었는데, 어느덧 새로운 아침이 밝아 있었다.

"이제야 좀 속이 시원하네."

경찰서 입구에 선 찬재가 하늘을 올려다보며 말했다. 이다는 그의 옆에서 그처럼 하늘을 올려다봤다. 구름 한 점 없이 맑고 상쾌한 날씨였다. 햇빛에 눈이 부셨다.

"나도 그래."

이다는 조용히 차분한 목소리로 동의했다.

이제 최서한이 숨기려 했던 모든 진실을 밝힐 수 있겠지.

희망에 찬 마음으로 안도의 숨을 내쉬는데, 세시의 목소리가 들려왔다.

"형니이이임!"

동시에 둘의 시선이 세시에게로 옮겨 갔다. 꼬리에 불이 붙은 망아지인 양 세시가 경찰서 앞을 허겁지겁 가로질러 그들 앞에 도착했다.

"형님, 이거!"

세시가 내민 비닐봉지에는 두부 한 모가 들어 있었다.

"이거 후딱 드시고 액땜하세요! 두 번 다시 이런 데 얼씬도 할 일 없게!"

"뭐냐, 이거? 내가 무슨 출소했냐?"

"에이, 뭐 감방만 두 번 가지 말 곳인가요? 유치장도 두 번 갈 데는 아니죠!"

세시는 호들갑스럽게 유난을 떨었다.

어이없게 귀엽기는.

피식 실소하는 찬재의 팔에 이다의 손이 닿았다. 그러자 찬재가 고개를 돌려 이다와 눈을 마주쳤다. 이다는 진지한 눈으로 그를 바라보며 재촉했다.

"빨리 먹어."

안 먹으면 다시 잡혀가기라도 하는 것처럼, 이다의 눈빛은 퍽 심각했다.

이 여자는 또 왜 이렇게 심각하게 귀여운 거야…….

빨라지는 심장 소리를 느끼면서 찬재는 선뜻 고개를 끄덕였다. 그리고 가타부타 할 것 없이 덥석 두부를 입에 물었다.

찬재는 심장 속도만큼 빠르게 우걱우걱 두부를 씹어 삼켰다. 이렇게까지 빨리 먹으라는 소린 아니었는데. 말릴 새도 없이 찬재의 입안으로 두부가 몽땅 들어가 버렸다. 남은 흔적이라고는 입가에 묻은 작은 부스러기뿐이었다.

"먹으라고 했더니만 마셨네, 마셨어."

이다는 손끝으로 찬재의 입가를 닦아 주며 혀를 내둘렀다. 그러다가 그의 입가에 난 생채기에 손이 닿았을 때, 이다는 얼굴을 찌푸렸다.

"그 자식 내가 더 패 줬어야 하는 건데."

이다는 최서한을 생각하며 이를 갈았다. 이미 찬재에게 두들겨 맞아 너덜너덜 만신창이가 되어 있긴 했었지만, 그래도 찬재의 얼굴에서 상처를 보니 화가 났다.

"경찰서 오기 전에 응급실부터 가게 만들 걸 그랬어, 내가."

"어허, 큰일 날 소리 한다. 넌 그때 주먹 날렸으면 쌍방 아니라 그냥 폭행이야. 경찰들 보는 데서 그럼 안 되지. 그랬다간 너까지 유치장 신세 졌을 텐데."

"아, 그러네? 내가 주먹 날렸으면 나도 너랑 같이 유치장 들어갔을 텐데. 내가 그 생각을 못 했네……. 진짜 그때 패 버릴 걸 그랬다."

이다는 진심으로 후회하는 얼굴이었다.

"뭐야?"

"같이 유치장에 있었으면 더 좋았잖아."

"난 너 그런 데 두기 싫거든?"

찬재는 직접 체험한 유치장을 떠올리며 정색했다.

"어디든 무슨 상관이야. 같이 있는 게 중요하지."

이다는 너무나도 당연하단 투로 찬재를 빤히 바라봤다. 넘치는 애정으로 이다의 눈동자가 반짝반짝 숨김없이 솔직한 빛을 냈다. 그 모습을 마주한 찬재의 가슴은 벅차게 뛰어 댔다.

"큰일 났다, 진짜."

"뭐가?"

"예뻐 죽겠다."

정말이지 좋아 죽겠어서, 입이 찢어지게 환한 웃음을 건 채 찬재는 이다의 얼굴을 두 손으로 감쌌다. 이내 그의 입술이 이다의 입술에 닿았다. 포개어지는 부드러운 감각에 이다는 눈을 감았다.

세상을 다 가진 듯한 이의 느긋이 긴 키스가 이어졌다.

그들 옆에서 세시는 손으로 입을 틀어막았다. 그리고 조심조심 소리 나지 않게 까치발을 하고서 점점 멀어져 갔다.

9장

9장

막혀 있던 물살이 터져 나온 것처럼 최혜주 실종 사건은 빠르게 진실을 드러냈다. 경찰은 유력 용의자인 최서한의 행적을 집요하게 추적했고, 끝내 최혜주의 시신을 찾아냈다.

서류상 최혜주의 가족은 최 회장네 일가였으나, 그들 중 시신 수습에 나선 이는 아무도 없었다. 이다는 그런 최 회장 일가를 배제한 채 혜주의 장례식을 치렀다. 하나뿐인 혈육으로서, 진심으로 애도하는 조문객들과 함께.

하마터면 영영 묻힐 뻔한 진실이 세상에 알려진 뒤 세간은 떠들썩해졌다. 최서한은 살인 사건의 피고로 법정에 세워졌다. 최혜주를 사칭한 잘못이 있기에 이다 역시 재판을 피할 수는 없었다.

3개월의 재판 끝에 이다는 집행 유예 2년을 선고 받았다. 잘못의 대가이니 억울할 건 없었다. 좌절할 일도 아니었다. 좌절할 만큼

회생 불가능한 낙인은 아니니까. 이다는 의연하게 결과를 받아들였다.

"집행 유예 기간 동안 사고만 안 치면 돼."

판결이 나온 날 밤, 옥탑방의 제 방 매트에 찬재와 마주 누운 이다가 아무렇지 않은 투로 말했다. 그리고 착잡해하는 찬재의 얼굴에 손을 가져다 댔다.

"집행 유예 잘 끝내고 몇 년 지나면, 전과 기록 지워진다잖아. 뭐, 수사 기관에는 남는다지만. 사회생활에는 문제없어. 그러니까 괜히 마음 쓰지 마."

달래듯이 뺨을 어루만지자 찬재는 미소를 지어 보였다.

"알아. 넌 아무 문제 없을 거야. 없게 할 거고."

확신하는 목소리에 이다의 입가에도 미소가 떠올랐다.

"근데 너 꼭 여기서 지내야겠어?"

"아……. 또 그 소리 하려고 그 표정이었구나?"

"또 그 소리 할 테니까 이번엔 좀 들어 줘라. 너 이렇게 좁은 데서 지내는 거 답답하지 않아?"

찬재는 다시 착잡한 표정을 지었다. 그래도 소용없다는 듯 이다는 장난스럽게 그의 볼을 꼬집었다.

"네가 이런 집은 처음이라 잘 모르나 본데. 이런 집은 이런 집대로 편한 맛이 있는 거야."

"그러지 말고 새집 가자. 새집은 새집대로 좋은 맛이 있거든?"

"나 새집 데려가고 싶으면 그 전에 강 회장님 댁에 먼저 데리고 가. 그러기로 합의 봤었잖아."

이다의 지적에 찬재는 난감해져 잠시 아랫입술을 깨물었다.

최혜주의 실종 사건이 처음 세상에 알려졌을 때, 이다는 직접 강 회장을 찾아가 용서를 구하겠다 했었다. 그러나 찬재는 한사코 그녀를 말렸었다. 열이 오를 대로 오르다 못해 이성이 폭발했을 강 회장의 성정이 눈에 보이듯 빤했기 때문이었다.

감히 날 속인 가짜 최혜주를 당장 내 앞에 데려다 놓으라고, 잡아먹을 듯이 벼르고 있을 강 회장이었다.

찬재는 그런 강 회장 앞에 당장 이다를 내놓을 수 없었다. 일단 상황을 정리하면서 아버지의 흥분부터 가라앉히는 게 우선이었다. 이다와 강 회장을 만나게 하는 건 그다음 순서다.

그렇기에 찬재는 이다를 설득했었다. 아버지는 시간을 두고 공략하는 편이 낫다. 한 1년쯤 뒤, 아버지의 흥분이 풀릴 때까진 만남을 미루도록 하자. 그때까진 아버지가 아무 때고 들이닥칠 펜트하우스 대신, 새로운 거처에서 지내도록 하자.

그런 찬재의 설득에 이다가 선택한 거처는 바로 이 옥탑방이었다. 새 아파트도 마다하고, 호텔도 마다하고…….

"아버지한테 사과 안 하고 내 집에서 사는 게 그렇게 불편해?"

"응."

찬재가 묻자 이다는 단번에 대답했다. 그리고 덧붙였다.

"잘못한 게 있으면 사과가 먼저인데. 사과도 하기 전에 네 집에서 나 좋아라 살면, 그거 너무 양심 없잖아. 아버님 만나 사과드릴 날이 먼 미래도 아니고, 딱 1년만 참아."

어찌나 주저 없이 확고한 태도인지. 찬재는 하는 수 없단 표정으로 이다를 끌어안고 아쉬운 한숨을 내쉬었다.

"그래, 그럼 직접 사과드리고 나면 내 집에서 사는 거다? 꼭 그래야 한다?"

신신당부하는 찬재에게 이다는 입술을 꼭 맞추었다. 입술에서 입술로 대답을 전했다. 더없이 분명하게, 무엇보다 확실하게.

답을 얻은 찬재는 세상을 다 가진 것처럼 가슴이 벅차 왔다. 조금 전까지 뭘 보채고 있었는지, 생각도 나지 않았다. 생각과 마음이 함께 녹아내리는 중이었다.

곧 다가올 미래가, 이 여자와 함께하게 될 미래가 미치도록 좋아서.

* * *

잠에서 깬 이다는 눈을 뜨자마자 피식 웃고 말았다. 눈앞에서 빤히 자신을 바라보고 있는 찬재 때문이었다.

"뭐야, 왜 그렇게 보고만 있어? 나 뭐 그림의 떡이야?"

"보고만 있어도 좋으니까."

찬재가 흐뭇한 얼굴로 대답했다.

"그래도 이게 더 좋을걸?"

자신하며 이다는 찬재를 향해 두 팔을 벌려 보였다.

"이리 와, 안아 보자."

이다의 말이 채 끝나기도 전에 찬재가 움직였다. 이다의 몸을 끌어안고 얼굴에 입을 맞추었다.

"그래, 이거지. 이게 훨씬 좋은 거지."

이다는 가슴을 꽉 채우는 듯한 행복감에 기분 좋은 목소리를 냈다.

"좋다, 진짜……."

이다의 귓가에서 찬재가 취한 듯이 중얼거렸다. 이다는 그런 찬재의 머리에 손을 얹었다. 부들부들한 머리칼을 쓰다듬으며 흐뭇해하는데, 문득 벽에 걸린 시계가 눈에 들어왔다.

오전 7시 40분.

순간 머리를 부딪친 것처럼 정신이 번쩍 들었다.

"너, 너 출근 안 해?!"

이다는 눈이 휘둥그레진 채 찬재의 어깨를 밀어냈다.

"해야지."

"해? 근데 왜 이러고 있어! 9시까지 출근 아니야?"

"맞아. 안 그래도 출발해야지, 해야지, 그러고 있었어."

"아니, 진작 씻고 준비를 했어야지! 여기서 회사까지 한 시간도 넘게 걸리는데! 잠 깨 놓고 그냥 나만 보고 있었어?"

타박하며 이다는 서둘러 몸을 일으켰다.

"그냥 너만 보진 않았어."

찬재는 태연히 대꾸하며 이다를 따라 몸을 일으켜 앉았다.

"그럼 뭐……."

뭘 또 했느냐고 물으려는 찰나, 찬재가 입술을 부딪쳐 왔다. 보드라운 혀끝이 닿자 몸속이 짜릿해졌다. 이다는 눈을 감고 입맞춤에 집중했다. 이윽고 입맞춤을 마친 찬재가 코앞에서 답을 말했다.

"그냥 너만 보진 않고, 특별한 너만 봤지."

제법 진지한 목소리에 이다는 피식 웃음이 났다.

"어이구, 늦었는데 이런 깜찍한 말장난할 여유가 다 있어?"

짓궂게 묻자 찬재는 한 번 더 이다의 입술에 입을 맞추었다. 그리고 잠시 후 이다의 이마에 이마를 붙이고서 입술을 뗐다.

"말장난은 아니었고, 여유는 있어. 지금 바로 출발하면 9시 딱 맞출 수 있거든."

"아……. 이놈의 뽀뽀 감질나네."

"뭐?"

이다의 혼잣말에 찬재는 이마를 떼고 그녀의 눈을 봤다. 그러자 이다는 그의 어깨를 붙잡았다. 그리고 뜨거워진 눈빛으로 그를 직시하며 말했다.

"우리 10분만 더 자자."

"뭐, 10분? 야, 그럴 시간은……."

찬재의 대꾸에도 아랑곳하지 않고 이다는 찬재를 밀어 눕혔다.

"내가 태워 줄게."

"뭐?"

"자동차 말고, 바이크 타면 훨씬 빨라. 교통 체증 덜 걸려서."

"그……. 그, 그냥 자동차 타면 안 될까?"

"걱정 마. 자동차 타면 한 시간 걸릴 거, 내가 30분 만에 데려다 줄게."

"야, 난 그게 걱정이거든……."

너무 빨라 간 떨어질까 걱정이라고, 찬재는 덧붙이고 싶었지만 그럴 수 없었다. 위에서 어깨를 짓누른 채 이다가 입술을 덮쳐 왔기 때문이다.

"읍……!"

말을 막은 이다의 입술이 찬재의 입술을 휩쓸었다. 불을 붙이듯이 뜨거운 키스였다. 정신을 쏙 빼놓는 기세에 찬재는 얼마 못 가 눈을 감고 말았다. 좋은 게 좋은 거라고, 온몸이 본능대로 움직였다.

10분만……. 딱 10분만…….

둘은 1초도 아쉬운 듯 다급해진 몸짓으로 서로를 매만졌다.

손으로, 입술로, 온몸으로 서로를 느껴 갔다.

옥탑방이 있는 건물 앞에서 이다는 바이크에 올라탔다. 그리고 옆에 선 찬재에게 헬멧을 건넸다. 출근용 정장을 차려입은 찬재는 마른침을 꿀꺽 삼키면서 헬멧을 받아 들었다.

"긴장 풀어. 나 못 믿어?"

이다가 헬멧을 착용하며 자신 있게 물어 왔다.

"하나님 믿는다고 안 죽는 건 아니잖아."

찬재는 긴장이 가시지 않은 굳은 얼굴로 답했다. 그러자 이다는 귀엽다는 듯이 그를 바라보며 웃었다.

"어어, 형님!"

옥탑방 건물 앞에서 세시가 그들을 발견하고 외쳤다. 둘의 시선이 자연히 세시에게로 건너갔다.

"지금 출근하세요? 늦으셨네?"

세시가 헤헤 웃는 얼굴로 찬재에게 다가왔다.

"넌 이제 퇴근이냐?"

"암요. 아, 저 퇴근하는 건 처음 보시는구나?"

"정말 출근했다 퇴근하는 거 맞아? 나 때문에 자리 피하느라 밤새 집 밖으로 나도는 거 아니고?"

"아유, 저도 그런 거면 좋겠는데. 불행히도 일하느라 밤을 샙니다요."

"무슨 일을 몇 주 동안 밤새 가며 해? 너 또 설마 제비 짓 하고 다녀?"

질문하는 찬재의 눈길이 찌릿 사나워졌다. 예스라고 대답했다간 한 방 날릴 기세였다.

"세시 이제 업종 변경했어, 바텐더로."

움찔한 세시 대신 이다가 대답했다. 그러자 찬재는 인상을 풀었다.

"그래? 잘했네."

응원하듯 찬재의 손이 세시의 어깨를 툭툭 두드렸다. 순간 얼음이 땡 풀린 것처럼 세시는 얼었던 표정을 헤실헤실 미소로 녹였다.

"인사는 다음에 또 하고, 빨리 타. 이제 진짜 출발해야 돼."

이다는 시동을 걸며 찬재에게 말했다. 그러자 세시의 눈이 왕방울처럼 커졌다.

"혀, 혀, 형님 오늘 이거 타고 출근하시는 거?"

"그렇게 됐네."

세시가 바이크를 가리키며 묻자 찬재는 가볍게 고개를 끄덕이며 뒷자리에 올라탔다. 그를 본 세시의 눈시울에 걱정, 근심, 공포가 고여 들었다.

"뭐냐, 그 눈빛은?"

찬재의 질문에 세시는 찬재가 들고 있던 헬멧을 낚아챘다. 그리고 얼른 찬재의 머리에다 헬멧을 씌웠다.

"형님, 이거 꼭, 꼭, 머리에 딱 붙이고 있으세요. 아셨죠?"

세시는 절절한 눈빛으로 당부하며 헬멧 끈을 채웠다. 흡사 전쟁통에 헤어지는 피난민처럼, 여차하면 다신 못 볼 생사의 기로에 놓인 것처럼.

"왜 이래? 사람 불안해지게."

찬재의 말이 떨어지자마자 이다는 찬재의 손을 잡아 자신의 허리에 두르게 했다.

"꽉 잡아."

찬재는 반사적으로 이다의 허리를 꽉 붙들었다. 그러자 이다가 핸들을 움직였다. 바이크가 부릉, 소리를 터뜨리며 빠르게 전진했다. 쏜살같이 멀어지는 둘의 뒷모습을 향해 세시는 손나팔을 입에 대고 외쳤다.

"형님! 살아서 꼭 다시 만나요오오오!"

* * *

태강 타워 앞에 바이크를 세우고서 이다는 시계를 확인했다.

"오, 딱 맞게 도착했다!"

스스로 대견한 듯 혼잣말하는데, 등 뒤에서 찬재가 축 늘어지며 이다의 어깨 위로 고개를 떨어뜨렸다. 헬멧을 쓴 찬재의 머리가 이다의 어깨에 닿았다. 이다는 그런 찬재의 머리를 똑똑 두드렸다.

"일어나, 회사 가야지."

"난 병원에 가야지 싶은데……."

"뭐?"

찬재의 신음에 이다는 놀라서 얼른 몸을 돌려 그의 어깨를 붙잡았다.

"왜 그래? 아파? 내가 너무……. 너무 달렸나?"

마주한 이다의 어깨 위로 찬재는 다시 고개를 스르르 기대었다.

"너……. 내 이름으로 보험 든 거 정말 없어?"

찬재가 다 죽어 가는 목소리로 묻자 이다는 그의 어깨를 끌어안고 등을 쓰다듬었다. 그리고 조심스럽게 반문했다.

"너……. 보기보다 연약한 남자구나?"

"……."

"허우대가 실해서 괜찮을 줄 알았는데……. 내 생각이 짧았다. 미안, 많이 힘들었어?"

진심으로 걱정하고 배려하는 목소리인데……. 왜인지 화가 난다.

찬재는 어금니를 꽉 깨물고 이다에게서 몸을 떼어 냈다. 이어 바이크에서 내려 헬멧을 확 벗었다.

"와……. 열이 아주 확 오르네."

기가 막힌 듯이 혼잣말을 하며 찬재는 헝클어진 머리칼을 마구 쓸어 넘겼다. 이다도 헬멧을 벗고 그의 앞에 마주 섰다.

"괜찮아? 걸을 수 있겠어? 어디 누워야 하는 거 아냐?"

이다는 걱정스러운 눈빛으로 찬재의 안색을 살펴보며 물었다. 찬재는 단전에서부터 화르르 치밀어 오른 한마디를 입 밖으로 쏟아 냈다.

"연약하긴 누가 연약해!"

쩌렁쩌렁 터진 목소리에 이다는 왜 이러나 싶은 표정으로 눈을 깜빡거렸다.

"너 내 체력 어디까지 가나, 밤새 나랑 그만큼 달려 놓고! 그런 말이 나와?!"

"그건 숟가락 들 힘만 있어도 하는 거라던데……."

"야, 너 진짜……!"

욱해서 말문이 다 막혀 찬재는 두 주먹을 불끈 쥐었다.

"알았어, 무슨 말인지 잘 알겠어."

이다는 찬재를 끌어안았다. 그리고 달래듯이 등을 토닥토닥 두드렸다.

"너 안 연약해. 완전 튼튼해. 아주 내가 만난 남자 중에 최고로 건강해."

"……너 만난 남자 나밖에 없지 않냐?"

"그렇긴 한데."

"근데 그중에서 최고인 게 칭찬일까?"

찬재는 못 미더운 투로 의심했다. 그러자 이다는 그를 올려다보며 반문했다.

"왜 너밖에 없겠어?"

이다는 시큰둥한 찬재의 얼굴을 두 손으로 감쌌다.

"만나고 싶을 만큼 내 눈에 찬 남자는 네가 처음이라 그렇지."

덧붙이며 이다는 생글생글 눈이 휠 만큼 환한 미소를 지었다.

"진짜 네가 최고라니까?"

어쩜 이 몇 마디에 사람 속이 확 풀릴 수 있는 건지…….

찬재는 순식간에 녹아내린 마음에 기가 막힐 지경이었다. 그의 입가에는 금세 미소가 옮겨붙었다.

"와, 진짜 말은……. 말로는 널 이길 수가 없다, 진짜."

찬재가 감탄하며 이다를 감싸 안았다.

"근데 사랑으론 내가 너 이긴다. 내가 너 더 사랑하니까."

"글쎄……. 난 비긴 것 같은데."

이다는 지지 않을 기세로 찬재를 마주 껴안았다.

그런데 그때, 이다가 세워 둔 바이크 곁으로 차 한 대가 멈춰 섰다. 잠시 후 뒷좌석의 문이 열리면서 강 회장의 고함이 터져 나왔다.

"이 못돼 먹은 호래자식들이! 지금 여기서 뭐 하는 짓거리야!"

난데없이 날아든 호통에 이다는 반사적으로 고개를 돌렸다. 찬재 역시 마찬가지였다. 그런 두 사람의 눈앞에서 강 회장은 부랴부랴 차를 빠져나왔다.

"그냥 지각할 걸 그랬네."

찬재는 난감한 듯 혼잣말했다.

"이런 쌍으로 미친 것들!"

강 회장이 달려오자 찬재는 이다와의 포옹을 풀었다. 그리고 자신에게 달려드는 강 회장을 와락 껴안았다.

"아버지!"

"뭐, 뭐, 뭐야!"

당황한 강 회장이 찬재를 떼어 내려 버둥거렸다. 찬재는 그를 더욱 꽉 안으며 진지하게 고백했다.

"아버지, 사랑합니다!"

"뭐야?!"

강 회장은 기겁했다.

"이, 이, 이 자식이 미쳤나! 이거 안 놔? 안 놔?!"

"미리 말씀 못 드려서 죄송하고, 정말 사랑합니다."

"다 큰 놈이 징그럽게 왜 이래!"

"사랑해서 이럽니다. 사랑해요, 아버지."

찬재의 열렬한 고백 세례에 강 회장은 진저리를 쳤다. 그사이 그의 등 뒤로 이다가 다가왔다.

"저도……."

이다는 한마디를 보태면서 슬그머니 강 회장을 뒤에서 안았다. 졸지에 둘 사이에 낀 꼴이 된 채 강 회장은 목 뒤를 잡고 신음했다.

"이……. 이……. 이……."

하도 기가 막혀 말도 안 나오는 모양이었다.

"아버님. 불편하게 서 계시지 마시고, 안에 들어가셔서 편하게 얘기 나누는 게 어떨까요?"

이다는 배려하듯 제안하며 강 회장의 얼굴을 확인했다. 그런데 강 회장의 안색이 심상치가 않았다.

"아버님?"

걱정스러워하는 이다의 눈빛에 찬재도 강 회장의 얼굴을 확인했다. 그러느라 찬재는 안고 있던 강 회장의 몸에서 팔을 놓았다. 그렇게 몸이 풀려나자 강 회장은 냅다 찬재의 가슴팍을 힘껏 밀쳤다. 순간 방심한 찬재의 몸이 두어 걸음 뒤로 밀려났다. 곧바로 강 회장은 이다를 향해 몸을 휙 돌리며 외쳤다.

"뭐, 아버님?! 누가 네 아버님이야!"

이어 삿대질을 하려는데, 눈앞이 캄캄해지고 몸이 휘청거렸다. 강 회장은 중심을 잃고 옆으로 무너져 내렸다.

그때, 이다가 쏜살같이 강 회장에게로 두 팔을 뻗었다.

"아버님!"

이다는 다급하게 외치면서 강 회장을 받아 냈다.

나 이 자세……. 왠지 낯익은데…….

찬재는 두 사람을 바라보며 지난날을 떠올렸다. 욕실 앞, 미끄러지던 자신을 받쳐 주던 저 여자. 그때의 모습을 누군가가 봤더라면, 바로 저런 모습이었을까?

한편 고꾸라질 뻔한 강 회장을 붙잡은 채 이다는 그를 내려다봤다. 질끈 눈을 감고 있던 강 회장이 겨우 정신을 되찾으며 서서히 눈을 떴다.

"괜찮으세요?"

이다는 강 회장의 눈을 마주 보며 질문했다. 순간 강 회장은 안도감을 느꼈다.

넘어졌더라면 그 무슨 개망신이었겠는가?

그러나 이내 강 회장은 오만상을 찌푸렸다.

이건 이거대로 개망신이잖아!

망신살에 열이 확 올라서 강 회장은 얼른 몸을 일으키려 했다. 도와주려는 이다의 손을 뿌리치며 벌떡 허리를 세우는데, 갑자기 허리가 삐끗했는지 통증에 휩싸였다.

"으악!"

강 회장은 비명을 터뜨리며 다시 무너졌다. 이번에도 그를 받아 준 건 이다였다. 강 회장은 눈도 못 뜬 채로 아이고, 신음을 연발했다. 찬재가 그런 강 회장의 어깨를 붙잡았다.

"아버지, 허리 다치신 거 같은데. 가만히 계세요. 제가 안으로 옮겨 드릴 테니까."

당부하고서 찬재는 강 회장을 번쩍 안아 들었다. 강 회장은 들것에 실려 가듯 찬재의 두 팔에 실려 태강 타워 안으로 옮겨졌다.

* * *

다행히 강 회장의 허리 통증은 오래 가지 않았다. 승강기에서부터 강 회장의 신음은 잦아들었고, 펜트하우스에 도착했을 때는 아예 멈추었다. 그렇게 통증이 가라앉자 강 회장은 혈기가 살아났다.

"너 이 자식, 네가 제정신이야?!"

쩌렁쩌렁한 호통이 바로 귓가에서 터지자 찬재는 하마터면 강 회장을 떨어뜨릴 뻔했다.

"아버지, 일단 앉아서 얘기하시죠."

"너 내가 저 사기꾼 잡아 오랄 때 뭐라 그랬어? 아버지 나설 필요 없게! 네가 알아서 한다! 너 그랬어, 안 그랬어?!"

찬재가 성큼성큼 소파로 향하는 사이에도 강 회장의 호통은 계속됐다. 이다는 그런 찬재의 곁에 바짝 따라 움직였다.

"그랬죠."

찬재는 차분히 대답하며 강 회장을 소파에다 내려 앉혔다.

"알아서 한다는 게 소송인 줄 알았더니! 연애였냐? 연애였어?!"

"아버지께서 얼마나 기막히고 화나실지 잘 압니다. 그래서 바로 말씀 못 드리고 때를 기다린 겁니다."

"때? 무슨 때? 이 애비 죽을 때?!"

"최 회장님 일로 받은 충격, 좀 나아지셨을 때요. 가뜩이나 충격 받아 계신데, 저까지 보탤 수는 없잖습니까?"

"이게 어디서 애비 위하는 척이야!"

격분한 강 회장이 벌떡 자리에서 일어났다.

"애비 위한다는 놈이! 이딴 거랑 연애를 해?!"

이어지는 비난에 찬재는 인상을 찌푸렸다. 그러나 정작 이다는 겸허한 표정으로 의연하게 강 회장을 마주한 채 조용히 무릎을 꿇었다.

"잘못했습니다."

이다는 무겁게 시선을 내리고서 사과를 전했다.

"제가 정말 잘못했습니다."

이다가 거듭 사죄하는데, 옆에서 불쑥 찬재의 무릎이 바닥으로 떨어졌다.

"그래, 네가 잘못했지."

찬재는 나란히 무릎을 꿇은 채로 이다를 향해 말했다. 그러자 이다의 시선이 찬재에게로 옮겨 갔다.

무슨 말을 하려는 거지?

의아해하는 이다와 눈을 마주친 채 찬재는 이어 말했다.

"처음부터 네가 누구인지 말했으면 좋았잖아. 결혼식에서 처음 만났을 때, 그때 네 이름 사실대로 말했어도 난 어차피 너랑 결혼했을 텐데."

"……뭐?"

찬재는 강 회장에게로 고개를 돌렸다.

"아버지, 결혼 후에 이 여자 저한테 고백했었습니다. 최혜주인 척 나랑 1년 살아 주기로, 최 회장하고 계약을 했다고요."

"뭐, 뭐야?"

"근데 제가 상관없다고 했습니다. 나 속인 거 용서할 테니까, 나랑 계속 살아 달라고. 내가 붙잡고 매달렸습니다."

"이런 미친!"

"처음부터 환장하게 좋은 여자, 처음 봤거든요."

결혼식장에서의 첫 만남을 떠올리며 찬재는 이다에게 시선을 보냈다.

"이런 여자 다신 없을 테니까, 끝까지 이 여자 꽉 잡고 있자. 그 생각밖에 안 들어서, 이 여자 정체가 뭐든 아무래도 좋았습니다."

"……."

"이 여자가 결혼식장에서 자기 정체 밝혔어도, 그래서 그 결혼 그때 깨졌다고 해도. 결국 우린 이렇게 됐을 겁니다. 내가 이 여자 주윌 맴돌았을 거고, 매달렸을 거고. 이 여자랑 결혼하겠다고 아버지 앞에서 무릎을 꿇었겠죠. 지금처럼."

찬재는 아주 당연하단 눈빛으로 이다의 눈을 보며 장담했다.

결혼하겠다고 무릎을 꿇었겠죠, 지금처럼?

어째 심상치가 않은 표현에 이다는 미간을 찡그렸다.

설마 지금, 나랑 결혼하겠다고 무릎을 꿇었다는 얘기야? 지금 결혼 얘길, 벌써 하겠다고?! 용서도 받기 전에?!

이다가 눈으로 묻자 찬재는 걱정 말라는 듯 씩 웃었다. 그리고 강 회장을 향해 고개를 돌렸다.

"아버지, 이 여자가 저한테 자백했을 때, 그때 바로 아버지께 말씀 못 드린 거 죄송합니다. 그때 아버지께도 사죄하겠다던 이 여자, 제가 말렸었습니다. 이 여자가 서이다라는 거 알게 되면 아버지가 결혼 반대하실까 봐. 그냥 평생 남들 앞에서는 최혜주인 척, 계속 내 아내로 살게 하고 싶었습니다. 물론 마약 사건이 터진 뒤론 그럴 수 없게 돼 버렸지만요."

"뭐……! 뭐 이런……!"

"그러니까 아버지께 사죄해야 하는 사람은 접니다. 아버지, 정말 죄송합니다."

찬재는 큰절하듯 넙죽 바닥으로 고개를 숙였다.

"너, 너 지금 이게 뭐하자는 짓이야!"

"아버지, 죽을 때까지 속죄하면서 살겠습니다."

찬재는 도로 허리를 일으키고서 강 회장의 눈을 마주했다. 이어 단단한 눈빛으로 선언했다.

"그리고 죽을 때까지 이 여자 남편으로 살겠습니다."

기어이…….

불길한 예감이 적중하는 순간이었다. 이다는 기가 막혀 입을 헉 하고 벌렸다. 바로 그때, 강 회장의 손이 찬재에게로 날아들었다.

"차라리 죽어, 이놈아!"

강 회장의 손이 찬재의 머리통을 강타하려는 찰나, 이다가 온몸으로 찬재를 감싸 안았다. 멈출 새도 없이 강 회장의 손바닥이 이다의 어깨에 부딪혔다.

퍽, 소리가 펜트하우스 거실에 크게 울려 퍼졌다.

"이, 이다야!"

놀란 찬재가 서둘러 이다의 얼굴을 확인했다. 소리부터 심상치 않더라니, 이다는 아픈 어깨를 감싸 쥐고 얼굴을 찌푸리고 있었다.

"네, 네가 거기서 왜 끼어들어?!"

당황한 강 회장이 이다의 등 뒤에서 나무라듯 외쳤다. 미안한 마음에 괜히 더 큰소리가 나갔다. 그러자 울컥한 찬재가 더 큰소리로 받아쳤다.

"아버지! 어떻게 이러실 수가 있습니까!"

"……."

"아무리 마음에 안 드셔도 그렇지! 어떻게 여자를 때리실 수가!"

"뭐, 이놈아?! 내가 일부러 그랬냐? 일부러 그랬어?!"

강 회장은 억울해서 팔짝 뛰며 목청을 높였다. 그때 이다가 그를 향해 몸을 돌렸다.

"전 괜찮습니다, 그냥 마음껏 때리십시오. 그래서 아버님 마음이 풀리신다면, 얼마든지 맞겠습니다. 아버님, 마음 풀리실 때까지 절 때리세요."

이다의 결연한 목소리에 찬재는 정색했다.

"아니요! 맞으려면 내가 맞아야죠! 차라리 날 패요, 날!"

"아닙니다, 제가 맞겠습니다!"

"야, 네가 때릴 데가 어디 있다고!"

"난 내가 맞는 것보다 네가 맞는 게 훨씬 더 괴로워. 그러니까 그냥 내가 맞을게."

"난 뭐 네가 맞는 게 더 편한 줄 알아? 나야말로 네가 맞는 거 보느니, 차라리 내가 맞아 죽는 게 나아!"

옥신각신 서로 맞겠다는 두 사람을 앞에 둔 채, 강 회장은 오만상을 일그러뜨렸다.

때릴 사람은 생각도 안 하는데, 이것들이 홀아비 앞에서 무슨 꼴값인 게야!

"시끄럽다! 다들 꼴도 보기 싫으니까, 내 앞에서 당장 꺼져 이것들아!"

강 회장은 어느 때보다 치를 떨며 소리쳤다. 그리고 누가 말릴 새도 없이 쿵쾅쿵쾅 도망치듯 자리를 박차고 나섰다. 꼴도 보기 싫은 것들이 행여 뒤쫓아 올까 봐서, 강 회장은 아주 어금니를 꽉 깨물고 두 다리의 속력을 높였다.

"아, 아버님……!"

이다는 강 회장을 쫓아가려 서둘러 몸을 일으켰다. 그런데 찬재의 손이 이다의 팔을 붙들었다.

"그냥 보내 드려. 괜히 따라가다 또 맞지 말고."

"무슨 말을 그렇게 해? 설마 일부러 때리시기야 하겠어?"

"장담 못 한다."

찬재는 겁주듯이 말하면서 몸을 일으켜 이다와 마주 섰다. 그때 현관문이 쾅 닫히는 소리가 났다. 이다는 반사적으로 소리를 향해 고개를 돌렸다. 아무래도 강 회장이 밖으로 나가 버린 모양이었다. 그러거나 말거나 찬재는 오로지 이다의 어깨만을 살폈다.

"이다야, 너 어깨는 어때? 괜찮아? 움직일 수 있겠어?"

펄펄 끓는 기름처럼 호들갑인 찬재와 달리 이다는 기운이 쏙 빠진 얼굴로 한숨을 내쉬었다.

"어깨는 괜찮은데……. 머리가 아프다……."

"머리? 머리가 왜? 어떻게 아픈데?"

이다는 찬재의 어깨 위로 무거운 머리를 떨구었다.

"나 좀 누울래……. 머리 깨질 것 같아."

"뭐? 안 되겠다, 병원 가자!"

"아니……. 무슨 이런 걸로 병원이야……. 그냥 좀 쉬자."

"안 돼, 너 병원 가야 돼! 가서 어깨도 진찰하고, MRI도 찍고!"

찬재가 무슨 응급 상황인 양 펄쩍 뛰었다. 그 바람에 이다는 가뜩이나 어지러운 머릿속이 쿵쿵 울리는 듯했다.

진짜 왜 이렇게 유난인 건지…….

이다는 말리고픈 찬재의 몸을 꽉 부둥켜안았다. 그리고 찬재의 귓가에서 질문했다.

"너 그때 생각나? 호텔에서……. 내가 너 있는 줄도 모르고, 세시 만나러 스위트룸 찾아갔을 때 말이야."

뜬금없는 질문에 찬재는 미간을 좁혔다.

"생각나긴 나는데. 갑자기 그건 왜?"

"나랑 세시랑 둘이 얘기할 때, 너 문밖에서 다 듣고 있었지?"

"그랬지."

"내가 헛소리하는 세시 머리털 뽑는 소리도 들렸어?"

"응. 아주 야무지게 흔들어 뽑더라. 머리털 아니라 가죽 벗기는 줄 알았어."

찬재가 대답하자 이다는 그의 머리에 손을 올렸다.

"그 소리 또 듣고 싶지 않으면, 그냥 얌전히 방으로 가자. 병원 말고, 안방 침대로."

이다의 경고에 찬재는 마른침을 꿀꺽 삼켰다. 아직 잡아당기지도 않았는데, 머리칼이 쭈뼛 서는 느낌이었다.

이다는 침실 침대에 누운 채 한동안 눈을 감고 있었다. 어딘가에 쾅 부딪힌 물병 속처럼 머릿속이 뒤죽박죽 어지러웠다. 준비 없이 강 회장과 맞닥뜨린 일이 제법 충격이긴 했던 모양이다.

"이다야, 너 정말 병원 안 가도 되겠어?"

찬재의 목소리에 이다는 눈을 떴다. 찬재는 침대에 걸터앉아 걱정스러운 눈으로 이다를 내려다보고 있었다.

"안 가도 돼. 그러니까 넌 걱정 그만하고 회사나 가."

"내가 가긴 어딜 가? 오늘 네 옆에 딱 붙어 있어야지."

"뭐야, 내가 너 정시 출근 맞추려고 얼마나 달렸는지 기억 안 나?"

이다는 눈살을 찡그렸다.

"그것만 기억하면 당장 출근하겠는데. 그다음도 기억나서 오늘 결근이야. 너 아버지한테 심한 말 듣고, 폭행까지 당했는데. 이럴 때 어떻게 혼자 둬?"

"아버님 심한 말 안 하셨어. 내가 한 짓 생각하면 그런 말 나오는 거 당연했어. 그리고 폭행은 네가 당할 뻔한 거지, 내가 당한 건 사고였어."

이다는 짐짓 침착하게 찬재의 눈을 바라보며 대꾸했다. 그러나 찬재는 전혀 납득하지 않는 눈빛이었다.

"그래서 네가 지금 아무렇지 않다는 거야? 이러고 맥없이 누워 있으면서?"

"물론 그건 아니야. 아무렇지 않다면 거짓말이지. 솔직히……. 아버님 만나 사과드리는 거, 몇 번이나 상상했던 일인데. 막상 현실에서 겪으니까 생각보다 훨씬……. 부끄럽고 괴로웠어."

이다는 눈을 내리뜨고 말을 이었다.

"그래서 진이 빠진 건 사실이야. 내가 제대로 준비가 되었을 때 마주쳤더라면 좋았을 텐데. 너무 갑작스러워서 사과도 제대로 못 드린 것 같아 후회되고……. 어쨌거나 일이 이렇게 터져 버렸는데.

당장 어떻게 해야 하나, 어떻게 아버님 마음 풀어 드릴까. 머리 아픈 것도 사실인데."

무겁게 가라앉았던 이다의 시선이 다시 찬재에게로 떠올랐다. 이다는 단단해진 눈빛으로 찬재와 눈을 마주한 채 다시 입을 열었다.

"어떻게든 해내려고 충전 중이야."

"……."

"맥없이 누워 있는 거 아니고, 필요한 만큼 힘 채우는 중이라고."

조용하지만 분명하게 뜻을 전하는 또렷한 목소리였다.

"그러니까 마음 놓고 회사 다녀와."

이다는 당부를 덧붙이며 두 손을 뻗어 찬재의 얼굴을 감쌌다. 그러고서 토닥토닥 두 뺨을 응원하듯 다독였다. 그러자 찬재는 이다의 두 손을 감싸 쥐었다.

"마음은 놓을게. 회사는 안 가."

찬재는 이다의 머리 양옆으로 그녀의 두 손을 내렸다. 그러면서 그녀의 입술에 자신의 입술을 내렸다. 지그시 누르는 힘으로 시작하고, 부드럽게 채우는 힘이 이어졌다. 입안을 채워 오는 열기에 이다는 눈을 감았다. 이다의 두 손에는 손깍지가 채워졌다.

한참 후에 입술을 뗀 찬재가 듬직한 목소리로 이다의 귀를 채웠다.

"나도 충전해야지. 이렇게 멋진 아내 어떻게든 얻으려면."

순간 가슴속이 차오르는 기분에 이다는 미소를 지었다.

그를 말릴 생각 따윈 더 이상 들지 않게 돼 버렸다. 이다는 그와의 손깍지를 빈틈없이 맞잡으며 이번에는 자신이 먼저 입술을 맞추었다. 그리고 움직였다. 조금 전 그가 자신을 채워 준 것처럼, 자신도 그를 채울 수 있도록.

*　*　*

펜트하우스를 박차고 나선 강 회장은 그 길로 당장 태강 타워를 빠져나갔다. 애당초 태강 타워를 방문했던 이유일랑 새까맣게 잊은 지 오래였다. 강 회장은 활활 타는 몸으로 차에 올라타자마자 운전기사에게 다음 행선지를 외쳤다. 그곳은 본래 일정과는 전혀 다른 장소였지만, 운전기사는 의문을 품을 새조차 없이 강 회장의 닦달에 쫓겨 차를 달려야 했다.

마침내 목적지에 도착한 차에서 내렸을 때, 강 회장의 두 다리는 차바퀴 못지않은 속력을 냈다. 강 회장은 최 회장의 저택 마당을 한달음에 가로질러 현관에 다다랐다. 때마침 최 회장이 안에서 현관문을 열었다.

"강 회장이 여기까진 어쩐 일로……."

온 거냐고 물으려는데, 강 회장이 그의 멱살을 잡았다.

"이런 갈아 먹어도 시원찮을 개잡놈아!"

다짜고짜 면상을 후려치는 욕지거리였다. 최 회장의 얼굴이 맞은 듯이 구겨졌다.

"자네 왜 이래? 갑자기 남의 집에 쳐들어와서."

"왜 이래? 왜 이래? 왜 이래?"

강 회장은 최 회장의 멱살을 뒤흔들며 현관 안으로 밀고 들어갔다. 얼결에 뒷걸음을 치던 최 회장이 중심을 잃고 넘어졌다.

"회, 회장님!"

거실에서 그들을 본 집사가 달려왔지만, 흥분에 눈이 먼 강 회장은 그가 보이지도 않았다. 강 회장은 그저 바닥에 나자빠진 최 회장만 노려보며 호통했다.

"내 집안에 그딴 짝퉁 물건 들여놓고, 뻔뻔하게 내 사업에 숟갈 얹고 사돈 행세를 해?!"

집사의 부축을 받은 최 회장이 비틀비틀 몸을 일으켰다. 지쳐 보이는 최 회장의 얼굴에 미안한 기색은 없었다.

"그래서 뭐? 자네가 손해 본 거 있어?"

"뭐야?"

"자네 아들 결혼으로 이득 볼 건 다 봐 놓고! 내 아들 일 터졌을 때 발 뺐으면 그만이지! 자네가 대체 잃은 게 뭐가 있어? 지금 자네 회사가 망하기를 했어, 아들이 신세를 망치기를 했어?"

"잃은 게 왜 없어! 니들 사기에 놀아난 칠푼이 팔푼이 됐는데! 온갖 뉴스 오르내리면서, 세상 사람들한테 얼마나 우스운 꼴이 됐는데!"

"그래서? 자네 얼굴에 먹칠한 걸로 화풀이하러 왔다, 이거야?"

"오냐, 그거다! 내 얼굴에 먹칠한 거, 네 얼굴에 피 칠로 갚아 주마!"

강 회장이 다시 최 회장의 멱살을 거머잡았다. 순간 당황한 집사가 강 회장의 손을 붙들어 말렸다.

"가, 강 회장님……! 고정하시고, 제발 말로 하세요."

"자네 얼굴 먹칠한 건 내가 아니라 그년이야!"

최 회장은 질 수 없다는 듯 강 회장을 쏘아보며 소리쳤다.

"뭐가 어쩌고 어째?"

"애초에 내가 그 가짜 혜주 년을 혜주 대신 결혼시킨 건, 어차피 우리 모두에게 좋은 일이었어. 다들 그 결혼으로 얻을 게 많았으니까! 그년이 계약대로 1년만 조용히 살다 사라져 줬으면 아무 문제 없었다고! 근데 그년이 말을 안 듣고, 혜주 년 찾겠다고 경찰에 자수하고 설쳐 대서 일이 이따위로 세상에 다 터진 게잖나! 아니, 나라고 자네 얼굴에 먹칠하고 싶었겠나? 그런 일 없게 하려고, 내가 그년 자수 말리려고 얼마나 애썼는지 알아? 평생 혜주로 살게 해 주겠다, 돈도 대 주겠다! 아주 내 전 재산을 다 내걸고 빌기까지 했었는데! 기어이 자네 얼굴에 먹칠한 건 그년이라고, 내가 아니라!"

최 회장이 그 사기꾼한테 전 재산을 내걸고 빌기까지 했었다? 그런데도 그 사기꾼이 기어이 자수했다?

강 회장은 뜻밖의 사실에 황당한 듯 눈썹을 구겼다.

왜 그랬지?

서이다에게 묻고 싶은 마음이 불쑥 샘솟았지만, 강 회장은 일단 눈앞의 최 회장에게 생각을 집중했다. 손끝의 모든 힘도 집중했다. 그리고…….

"내가 내 얼굴에 먹칠하지 말랬지, 언제 벽에 똥칠할 때까지 속여 달랬냐?!"

강 회장의 열 손가락이 최 회장의 귀를 와락 움켜잡아 비틀었다.

"으악!"

"뭐? 내 얼굴에 먹칠 안 하려고 자수를 말려? 핑계 좋다, 핑계 좋아! 그걸 지금 잘한 짓이라고 떠들어 대는 게야?!"

강 회장은 수제비 반죽 떼어 내듯 귀를 떼어 버릴 기세로 힘껏 잡아당겼다.

"으아, 으아아아!"

"처음부터 날 속일 생각을 말았어야지!"

"아이고, 강 회장님! 정말 왜 이러십니까! 이거 놓고 얘기하세요!"

집사의 만류에도 강 회장은 거침없이 최 회장의 귀를 마구 흔들어 댔다.

"자식 놈이 이 결혼 싫다고 사라졌으면, 결혼식 취소하고 자식부터 찾을 것이지! 어디 그 자식 대신할 놈 데려다가 결혼을 시켜!"

"아, 아, 아, 아!"

"자식 농사 그따위로 싸지르고 감히 나랑 자식 장사를 해?! 하기야 씨가 그 모양인데, 농사가 잘됐을 리가 있나! 내가 너 집 밖에다 첩 둬 놓고 씨 뿌리고 다닐 때! 그때 내가 이 씨는 개잡 씨인 거 알아봤어야 되는데!"

"뭐, 개잡 씨?!"

귀가 떨어져 나가는 고통에 오만상을 찌푸린 채, 최 회장은 두 손으로 강 회장의 머리채를 덥석 움켜잡았다. 그리고 힘껏 뒤흔들며 질문을 내질렀다.

"야, 그러는 네 자식은 나한테서 씨도둑 해 왔냐?!"

"이건 뭔 개소리야!"

"내가 개잡놈이면, 네 자식도 개잡놈인 거야! 어쩜 그렇게 네 자식 놈은 날 닮았을까 그래! 지 애비는 마누라 죽고 새 여자 하나 못 만드는 샌님에 중놈인데! 서른 먹은 아들놈이, 환갑 넘은 지 애비보다 밖에서 여자 끼고 산 날이 더 많으니 원! 강찬재 그거 진짜 씨도둑 해 낳은 놈 아냐?"

"이 개잡놈이! 어디 네놈한테 내 자식을 비교해? 내 아들 연애한 거랑 네놈 첩질 한 거랑 어디가 같아! 내 아들이 언제 네놈처럼 마누라 두고 계집질했어?!"

"어이구, 그래! 마누라 만나 코 꿰이는 건 그 집 내력인가 보네! 그러니 그딴 천박하고 본데없는 짝퉁 혜주 년을 좋다고 끼고 살지! 아! 설마 아직도 모르나? 네 아들놈 그년한테 코 꿰어서, 간 쓸개 다 빼 주는 등신 천치 머저리 된 거?!"

아니까 왔지, 이 개잡놈아!

강 회장은 이를 악물고 속으로만 고래고래 소리쳤다. 동시에 있는 힘껏 최 회장의 귀를 쥐어뜯었다. 그러자 최 회장은 비명을 터뜨리며 강 회장의 머리칼을 쥐어뜯었다. 두 노인의 비명 소리가 하나 되어 널리 울려 퍼지는 순간이었다.

"회, 회장님들! 제발 진정하세요들!"

둘 옆에서 집사가 우왕좌왕 어쩔 줄을 몰라 하며 애타게 외쳤다. 그러나 그의 말 따위는 안중에도 없이 강 회장은 더욱 혈기를 끌어올려 한계를 넘어선 힘을 발휘했다.

"으아아아!"

강 회장은 비명 아닌 기합 소리를 내지르며 최 회장을 내동댕이쳤다. 순간 최 회장이 잡고 있던 강 회장의 머리카락들이 뽑히면서, 최 회장은 바닥으로 나동그라졌다. 최 회장의 손에서, 강 회장의 머리에서 나풀나풀 머리카락이 흘러내렸다.

"아이고 귀야, 아이고오!"

겨우 풀려난 귀를 감싸고서 최 회장은 고통에 몸부림을 쳤다. 머리칼을 뜯긴 강 회장 역시 고통에 눈물이 핑 돌 지경이었지만, 아무렇지 않은 척 눈을 부릅뜨고 최 회장을 내려다봤다.

"어디 사람 암매장한 인간 말종을 자식으로 둔 놈이 남의 자식

품평을 해?"

폐부를 찌르는 말에 최 회장은 말문이 막혔다. 그는 그저 분한 얼굴로 이를 갈았다.

"내가 네놈한테 속은 것만 생각하면, 내 이놈을 쳐 죽여야지, 쳐 죽여서 갈아 버려야지 싶다가도. 그래도 같은 부모 입장에서 생각하면, 그래 내가 참아야지. 자식 놈 저 사달 난 애비 심정, 생지옥이겠거니. 자식 농사 부모 뜻대로 되는 것도 아닐 텐데. 저놈 속이 오죽하겠나. 내 그런 마음으로 여태 네놈 살려 두고 참았는데!"

"……."

"그래, 자식 농사 부모 뜻대로 되는 거 아니지. 자식 농사, 부모 인성대로 되는 거지! 오늘 네놈 보니 아주 잘 알겠어!"

"야아아아아!"

최 회장이 괴성을 터뜨리며 몸을 일으켰다. 곧장 달려들어 강 회장의 멱살을 잡으려는데, 집사가 그의 앞을 가로막았다.

"회장님, 그만 좀 하십시오!"

집사의 손이 최 회장의 어깨를 붙잡았다.

"이거 놔! 이거 놔아! 내 자식이 누구 땜에 살인자 취급을 받게 됐는데! 손가락질 돌팔매질 당하면서! 왜 감방에 가 있는데!"

"누구 때문이긴? 이따위 인성으로 자식 키운 네 탓이지."

강 회장은 한심하다는 눈빛으로 혀를 찼다.

"내 아들은 잘못 없어! 혜주 그게, 재수 없게 하필이면 내 아들 앞에서 뒈진 게 잘못이지! 죄도 없이 까딱하면 살인자 누명 쓰게 생겼는데, 억울해서 숨겨 둔 게 뭐 그렇게 때려죽일 일이라고!"

최 회장의 반박에 강 회장의 눈빛은 경멸의 눈빛으로 바뀌었다.

저런 인간 같지 않은 것과 더 말을 섞어 무엇할까?

말 같지 않은 말, 듣고 있는 시간조차 아깝다는 생각이 들었다. 그렇기에 강 회장은 고개를 저었다. 그리고 최 회장에게서 등을 돌렸다.

"네 아들놈이 서이다 그년하고 붙어먹고! 그년 손에 놀아나서 내 아들 저 꼴 만든 거라고! 두 연놈이! 내 아들 망쳤다고!"

최 회장은 바락바락 악을 썼다. 그러나 강 회장은 들은 척도 하지 않고 앞을 향해 걸어 나갔다. 그저 잠시 멈춰 서서 바닥으로 침이나 퉤, 뱉어 버렸을 뿐. 다시 움직이는 강 회장의 발걸음은 현관 바깥까지 거침없이 이어졌다.

* * *

본가로 돌아온 강 회장의 안색은 침통했다. 주섬주섬 외출복을 벗고 실내복인 개량 한복을 입는 강 회장의 모습은 흡사 죽을 날을 코앞에 두고 스스로 삼베옷을 입는 사람처럼 힘없이 처연했다.

옷을 모두 갈아입은 다음 강 회장은 탁자 앞에 앉았다. 그리고 탁자 위에 놓인 작은 액자를 눈앞으로 들어 올렸다. 액자에는 강 회장의 결혼사진이 담겨 있었다.

"안 여사……."

강 회장은 사진 속 부인의 얼굴을 서글프게 바라보며 중얼거렸다.

"너무 오래 살면 별꼴을 다 본다는데. 내가 그럴 때가 된 모양이야……."

대체 어쩌다가 이런 꼴을 보게 된 건지. 강 회장은 암만 생각해도 원통하기 짝이 없었다.

최혜주인 줄 알고 받아들인 며느리가 실은 가짜였단 사실만으로도 기절할 노릇인데. 아들놈이 그 가짜를 진짜 마누라로 두겠다니.

"이건 기절하다 세상 떠날 노릇이지, 원……."

강 회장은 눈앞이 까마득해져서 눈을 감고 한숨을 내쉬었다.

최혜주와 찬재의 결혼을 추진할 때 강 회장의 머릿속엔 물론 최 회장과의 사업 계획이 존재했다. 그들 자식 간의 결혼은 사업 계획의 일부였다. 하지만 오로지 사업 생각만으로, 그 기준만으로 찬재의 짝을 정해 준 건 아니었다.

최혜주는 최 회장의 안사람 손에 귀하게 자란 여식이라 들었다. 온실 속의 난초처럼 집에 들어앉아 우아하게 자신의 품위를 가꾸는 정숙한 아내. 최혜주라면 찬재에게 그런 아내가 되어 줄 것 같았다. 그리고 그런 아내를 만나야만 찬재 놈이 제 가정에 뿌리를 박고 살 것 같았다.

'서른 먹은 아들놈이, 환갑 넘은 지 애비보다 밖에서 여자 끼고 산 날이 더 많으니 원! 강찬재 그거 진짜 씨도둑 해 낳은 놈 아냐?'

최 회장의 말이 아주 틀린 말은 아니었다. 얌전히 공부하고 사업만 하다 맞선으로 아내를 만난 제 형들과 달리, 찬재는 중학교를 졸업하기도 전에 연애를 하고 다닌 놈이었다. 다섯 아들 중에 막내인 주제에 첫째보다도 먼저 여자를 사귀었던 셈이다. 요즘 세상에 그게 무슨 흠이냐고 하겠지만, 강 회장에게는 흠이었고 충격이었다.

내 집안에서 그런 발랑 까진 놈이 나오다니!

강 회장은 찬재의 자유로운 혼전 연애 생활을 가문의 수치로 여겼다. 쉽게 만나 쉽게 헤어지고, 또 쉽게 만나 쉽게 헤어지고. 해마다 담임 바뀌듯이 여자가 바뀌는 꼴을 보고 있자니 속에 천불이 나 숨이 턱턱 막힐 지경이었다.

“그런 놈한테 좋은 여자 붙여 주려던 게 욕심이었나?”

강 회장은 한탄하듯 부인의 사진을 향해 물었다.

실제 최혜주가 찬재에게 좋은 아내였을지, 이제는 자신할 수 없게 되었지만. 애당초 좋은 신붓감이라고 그 아이를 찬재의 짝으로 탐냈던 게, 그 자체가 주제넘은 욕심이 아니었나 싶어졌다.

좋은 여자와 결혼한들, 찬재 놈이 진득하게 제 아내만 보고 산단 보장이 어디 있다고……. 주제넘게 욕심부리다가 욕을 보는 건가, 내가…….

강 회장은 찔끔 고인 눈물을 소매에다 찍어 냈다. 그런데 불현듯 찬재의 목소리가 뇌리를 스쳤다.

‘아버지, 죽을 때까지 속죄하면서 살겠습니다.’

‘그리고 죽을 때까지 이 여자 남편으로 살겠습니다.’

아니, 근데 그 자식이……. 그 여자한텐 왜 그렇게 목을 매?

저 속여 먹은 사기꾼이랑 뭘 하겠다고? 결혼을 해? 스톡홀름 증후군이야? 돌았어? 뭐 대단한 여자라고 무릎까지 꿇어 가며 애비 속을 뒤집어 놔?

강 회장은 찬재와 함께 나란히 무릎을 꿇고 있던 이다의 모습을 되짚어 보았다.

"대체 그거 어떤 물건인 게야?"

다시 한번 찬찬히, 아주 샅샅이 뜯어보고 싶단 생각이 드는 찰나. 문밖에서 소리가 났다.

"회장님, 막내아드님이 오셨는데요."

가정부의 목소리에 강 회장은 귀를 의심하며 되물었다.

"누구라고?"

"찬재 도련님이요. 손…… 님하고 같이 오셨네요."

가정부는 난감해하는 투로 소개를 덧붙였다. 그럴 만한 손님이 누구일지, 강 회장은 빤히 알 수 있었다.

때맞춰서 잘도 왔군.

"들여보내시게."

이참에 어디 한번 샅샅이 뜯어보잔 마음으로 강 회장은 눈에 불을 켜고 말했다.

잠시 후, 문이 열리고 두 사람이 방 안으로 들어왔다. 예상대로 찬재와 함께 온 건 이다였다. 강 회장은 찬재를 거들떠도 보지 않고 이다만을 주시했다. 잡아먹을 듯이 서슬 퍼런 눈빛이었지만 이다는 의연하게 강 회장을 마주했다. 그리고 허리 숙여 인사를 건넨 다음 말문을 열었다.

"아버님, 많이 놀라셨을 텐데. 몸은 좀 괜찮으세요?"

강 회장은 입도 뻥긋 않고 이다를 쏘아보기만 했다.

상대는 않겠지만, 관찰은 하시겠다?

찬재는 재빨리 강 회장의 의중을 파악하고서 숨을 깊이 들이마셨다. 그리고 숨과 함께 우렁찬 목소리를 내뱉었다.

"아버지! 막내며느리가 인사 왔습니다!"

천장을 뚫을 듯한 목소리가 강 회장의 고막을 후려쳤다. 순간 강 회장은 흠칫하고 말았다.

아, 저 우라질 놈이…….

반사적으로 찬재를 쏘아보게 된 강 회장이 어금니 바득 깨물었다. 그러나 찬재는 태연히 이다에게로 고개를 돌렸다.

"아무래도 귀가 잘 안 들리시는 모양이야. 우리가 크게 말해야겠어."

"그럴 리가."

"그럴 나이 되셨지."

찬재는 부러 눈치 없는 척 대꾸했다. 그리고 양손으로 이다의 귀를 감싸 막더니, 강 회장을 향해 더욱 큰 소리로 외쳤다.

"아! 버! 지! 제! 말! 들! 리! 세! 요?!"

못 견디고 귀를 틀어막는 강 회장의 모습에 이다는 생각했다.

강찬재가 내 자식이었으면……. 진짜 패고 싶었겠다고.

그런데 찬재의 말이 멈추자 강 회장은 책상을 내리치며 반격했다.

"야, 이 썩을 놈아아아!"

찬재가 귀를 꽉 막아 주고 있었지만, 들려오는 강 회장의 목소리는 제법 선명했다.

"이! 제! 좀! 들! 리! 시! 나! 보! 네! 요! 계! 속! 이! 렇! 게! 말! 씀! 드! 려! 야! 겠! 네! 요!"

강 회장은 현기증이 나는 듯이 눈을 감고 손으로 이마를 짚었다. 그 모습에 이다는 얼른 찬재의 손을 내리고 강 회장에게로 달려갔다.

"아버님, 괜찮으세요?"

이다는 가까이 무릎을 꿇어앉으며 걱정스럽게 물었다. 그러자 찬재가 뒤를 따라오며 참견했다.

"이다야, 그렇게 작게 말하면 못 들으셔. 나처럼 해야지. 자, 봐."

"그만……!"

소리치려 시동 거는 찬재에게 이다가 다급히 브레이크를 걸었다. 찬재는 하는 수 없다는 듯 푸시식 숨을 내뱉었다. 그리고 얌전히 입을 다물고서 이다의 옆에 앉았다.

어느 틈에 다시 귀를 막고 있던 강 회장은 안도하며 손을 내렸다.

"아버님, 괜찮으세요?"

이다는 다시금 질문하며 강 회장의 안색을 살펴봤다. 강 회장은 그런 이다의 눈을 가만히 뚫어지게 쏘아봤다. 어디 너 혼자 떠들어 보라는 듯이.

"혹시 불편하시다면 다음에, 아버님이 편하실 때 다시 찾아오겠습니다."

"……."

"괜찮으신 건가요?"

"……."

강 회장은 석고처럼 단단히 얼굴을 굳힌 채 묵묵부답했다.

"나가라고 하시면 나가겠습니다."

"……."

나가든지 말든지. 강 회장은 너 좋을 대로 하란 눈빛으로 이다를 지켜봤다.

"저 꼴도 보기 싫으실 텐데. 이렇게 마주할 수 있는 기회 주셔서 감사합니다."

이다가 고개를 숙였다가 드는 사이, 찬재의 미간에는 깊은 주름이 생겨났다. 보지 않아도 다 아는 것처럼 이다는 그런 찬재의 무릎에 한 손을 올렸다. 돌발 행동하지 말고 잠자코 있으라는 의미였다. 그 바람에 인내심을 발휘하느라고 찬재의 주름은 더 깊어졌다.

이다 말은 들어야지…….

단단히 다짐하며 찬재는 무릎 위 이다의 손을 그러잡았다. 잠시 찬재에게로 시선을 옮긴 강 회장이 그 모습을 목격하고 이맛살을 구겼다.

"아버님이 저를 사기꾼이라고 생각하시는 건 당연합니다."

이다는 겸허하게 강 회장만 바라보며 말했다.

"저는 돈을 받는 조건으로 제 쌍둥이의 신분을 사칭했고, 아버님은 물론이고 다른 많은 사람들을 속였으니까요."

"……."

"부끄러운 얘기지만, 저는 사기꾼이 맞습니다."

고백하는 이다의 시선이 무겁게 바닥으로 가라앉았다.

"1년이면 10억을 번다는데, 나랑 똑같이 생긴 사람 흉내 내는 것쯤 뭐가 대수냐. 그렇게 생각하고 돈을 선택했었습니다. 그 돈이면 제가 원하는 거 다 이룰 수 있다고 생각했거든요."

"……."

"그리고 전 전과자가 됐습니다. 사랑하는 사람이 생겼지만, 아마 그 사람의 가족이 될 수는 없을지도 모릅니다."

"……."

"일이 이렇게 되고 나서야……. 돈에 양심을 판다는 게 어떤 짓인지, 세상 앞에 떳떳할 수 없다는 게 어떤 대가인지 배우고 있습니다."

이다는 다시 강 회장의 눈을 바라봤다.

"이제 분명한 건, 제가 두 번 다시 그런 선택을 하지 않을 거란 사실입니다."

단언하는 이다의 목소리는 침착했다. 조금의 과장도 거짓도 없어 보였다.

이거 정말 보통이 아닌 사기꾼이네…….

강 회장은 미심쩍은 눈초리로 팔짱을 꼈다.

고작 몇 마디로 내 귀가 팔랑거리다니. 이 솜씨로 내 아들놈 홀려 먹은 겐가?

혹하는 마음만큼 경계심을 높여 보려는데, 최 회장의 발언이 귓전을 때렸다.

'아니, 나라고 자네 얼굴에 먹칠하고 싶었겠나? 그런 일 없게 하려고, 내가 그녀 자수 말리려고 얼마나 애썼는지 알아? 평생 혜주로 살게 해 주겠다, 돈도 대 주겠다! 아주 내 전 재산을 다 내걸고 빌기까지 했었는데! 기어이 자네 얼굴에 먹칠한 건 그녀이라고, 내가 아니라!'

최 회장의 재산도 마다하고, 기어이 자수를 했다.

그 말이 사실이라면, 정말 이젠 달라진 건가……? 저 물건……. 한번 믿어 봐도 되는 건가?

조금 더 혹하는 마음으로 무게가 실렸지만, 강 회장은 아닌 체 꼬장꼬장한 태도로 날카롭게 질문을 던졌다.

"앞으로 두 번 다시 양심을 팔진 않겠다?"

"예. 저는 그 선택을 후회하고 있고, 다시는 그런 선택을 하고 싶지 않으니까요."

이다의 대답에 강 회장은 흐음, 하고 생각에 빠져들었다.

생각보다 정신은 똑바로 박힌 물건 같아 보이는데…….

아니지. 말만 들어서 어찌 알아? 말로는 뭔들 못 할까. 그리고 저 물건 말이 다 사실이라 해도, 그렇다고 저걸 내 아들놈 짝으로 붙여 줄 순 없는 노릇이야.

"우리 집안에 전과자 며느리라니. 절대 안 될 일이지."

강 회장은 혼잣말하며 절레절레 고개를 저었다. 그러자 찬재가 입을 열었다.

"아버지. 우리나라에 전과자 대통령은 될 일이고, 우리 집안에 전과자 며느리만 안 될 일입니까?"

"뭐야?"

"아버지 지난 선거 때, 전과 있는 후보 뽑아 대통령 만드셨잖아요."

"야, 이놈아! 그 전과랑 이 전과랑 같아? 정치인이 큰일 하다 보면 그럴 수도 있는 게지!"

"왜 다릅니까? 이 전과나 그 전과나 다 똑같은 호적의 빨간 줄이지."

강 회장은 기가 막혀 입을 떡 벌렸다.

"그리고 아버지, 냉정하게 이성적으로 판단해 보시죠. 이 결혼, 지금 저희 상황에선 최고의 선택입니다."

"최고의 호구가 하는 선택이겠지! 너 저 물건한테 속아서 사기 결혼 당한 거, 세상 사람들이 다 아는데. 다시 저 물건 데려다가 재혼을 해? 너 그럼 사람들이 널 뭐라고 생각하겠냐!"

"드라마보다 더 드라마 같은 러브 스토리의 주인공?"

"뭐?"

"혹은 세기의 로맨티시스트쯤 되겠네요."

"……."

"명색이 대기업 오너 일가가 사기당한 피해자로 이미지 박히는 거. 기업 이미지에 도움 될 건 없죠. 근데 이건 다릅니다. 사기 치러 온 여자와 진짜 사랑에 빠진 남자. 그 어떤 막장에 부딪혀도 이겨 내는 운명적 사랑. 요즘 같은 물질 만능주의 시대에 사람들이 꿈꾸는 건 바로 이런 조건을 뛰어넘는 진실한 사랑일 텐데. 이런 드라마틱한 로맨스를 진짜로 이뤄 낸 기업 이미지라……. 이거 뭐 드라마로 치면 시청률 50%는 나올 견적이네요. 그 시청률 50%는 당연히 기업 이미지에 도움이 될 테고요."

오……. 그럴싸한데?

이다는 감탄하는 눈빛으로 찬재를 바라봤다.

"썩을 놈이 입만 싱싱해서……. 하여간 말은 잘하지."

강 회장은 얄미운 듯 찬재를 쏘아보며 말했다. 그러나 찬재의 의견을 마냥 무시하지는 않는 눈치였다.

시청률 50%의 효과라……. 그게 가능하다면야 꽤나 남는 장사인데…….

강 회장의 머리에서 사업가로서의 계산기가 작동했다.

하긴 딸자식을 경호원과 연애 결혼시킨 김 회장네만 봐도……. 그런 스토리텔링이 기업 이미지에 보탬이 되긴 했지.

강 회장은 제법 긍정적인 결괏값에 고개를 끄덕였다. 하지만 불쑥 끼어드는 반론에 고개를 멈칫하고 이맛살을 찌푸렸다.

아니지. 근데 저 김 회장네 딸자식, 결국 이혼했잖아? 저 물건 함부로 들였다가, 또 사고 치고 제 발로 튀어나갈 종자면 어쩔 게야?

저 물건이 과연 내 집안에서 오래 버틸 깜이 될까……?

아무래도 신중해야 할 일이라 강 회장은 한참을 침묵하며 고심했다.

그래……. 최혜주 때의 실수를 반복해선 안 되지. 내가 그 아이를 제대로 겪어 보지 않고, 남의 말만 믿고 내 집안에 들인 게 실수였어.

마침내 강 회장은 근엄하게 입을 열었다.

"아무리 어떤 이유를 가져다 대도, 나는 지금 결정을 내릴 수가 없다."

"아버지."

끼어드는 찬재의 목소리를 무시한 채 강 회장은 이다를 예의 주시하며 말을 이었다.

"네가 어떤 물건인지를 먼저 알아야, 널 어째야 할지 결정할 수 있다 이 말이야."

찬재가 또 끼어들기 전에, 이다는 찬재의 무릎 위에 놓인 손을 움직였다. 가만있으라는 듯 무릎을 다독이는 이다의 손길에 찬재는 내키지 않았지만 일단 입을 다물었다.

"저도 아버님께서 당장 결정을 내리시는 건 어려운 일이라고 생각합니다."

이다는 담담하게 강 회장의 눈을 보며 말했다.

"그래, 당장은 어렵지. 그리고 앞으로도 지금까지처럼 멀리 지내서는 어려운 일이지."

강 회장의 말이 어째 불길하다 싶어 찬재는 눈살을 찌푸렸다. 그러거나 말거나 강 회장은 자신이 할 말을 마저 내던졌다.

"그러니까 네가 내 집으로 들어와서 널 증명해 봐. 네가 어떤 종자인지, 입으로 말고 행동거지, 일거수일투족으로 증명하란 말이다."

"뭐라고요?"

황당해하는 찬재와 달리 이다는 의연하게 반응했다.

"일종의 시험 기간인 거군요."

"말귀는 잘 알아듣는구나. 그래, 이 집으로 들어와서 내 앞에서 시험 치러 볼 테냐?"

이다는 아주 잠시 생각하다 금세 고개를 끄덕였다.

"예. 한번 해 보겠습니다."

주저하지 않는 이다의 모습에 강 회장이 덩달아 고개를 끄덕이려는데, 찬재의 목소리가 급하게 끼어들었다.

"나도 들어올 겁니다. 나도, 나도."

강 회장은 오만상을 찌푸렸다.

"네가 여길 왜 기어들어 와?"

"나 이 여자 없는 데서 잠을 못 자거든요."

"……."

"어디든 이 여자 있는 데가 나 살 곳입니다."

"아니, 내 자식이 언제 이런 등신이 된 게야? 이놈 혹시 귀신 씐 거 아냐?"

정말이지 딴사람이 되어 버린 모습에 강 회장은 귀신이라도 마주한 것처럼 눈이 휘둥그레졌다.

"귀신 씐 건 아니지만, 귀신 될 건 같습니다. 이 여자만 여기 두고, 저만 쫓아내면."

"뭐야? 너 지금 나 협박하냐?"

"아뇨. 살려 달라는 애원입니다."

찬재는 굳건한 눈빛으로 당당하게 부탁했다.

"아버지, 사람 하나 살리는 셈 치십시오. 나 이 여자랑 같이 들어올 겁니다."

이건 협박도 아니고, 애원도 아니고. 그냥 통보잖아?

이다는 이래도 되나 싶은 얼굴로 찬재와 강 회장을 번갈아 봤다. 안 된다면 쳐들어올 기세인 찬재에게 강 회장은 질 수 없다는 듯 눈에 불을 켰다.

"오냐! 그럼 너도 같이 와서 살아. 대신! 이 물건이 내 집에서 못 버티고 뛰쳐나갈 때는, 너도 군말 없이 이 물건하고 헤어져!"

강 회장의 으름장에 찬재는 잠시 침묵했다.

난 어떤 경우에도 얘랑 헤어질 생각이 없는데?

찬재가 생각하는 사이, 이다가 강 회장을 향해 말문을 열었다.

"아버님, 제가 못 버티는 일은 절대 없을 겁니다."

확신하는 단단한 목소리에 찬재는 고개 돌려 이다의 얼굴을 봤다. 이다도 그를 향해 눈을 마주쳤다. 그리고 뭐든 해낼 눈빛으로 믿음직하게 질문했다.

"나 믿지?"

"그래, 믿는다."

찬재는 바로 대답했다.

이다라면 믿어야지. 1초도 생각할 게 없었다. 이어 찬재는 강 회장에게 시선을 옮겼다.

"좋습니다. 그렇게 하죠. 이다가 못 버티고 뛰쳐나갈 때는, 군말 없이 헤어질 겁니다."

찬재는 시원시원하게 강 회장의 제안을 수락했다. 하지만 이다를 믿는 마음과는 별개로, 찬재의 머리는 계산을 했다.

내가 안고 뛰쳐나가면, 안 헤어져도 되는 거지.

힘든데도 버티는 꼴 보느니, 내가 안고 뛰쳐나가 버릴 거다.

그렇게 전략을 다져 놓고 찬재는 자리에서 몸을 일으켰다. 이다는 자연스레 그와 함께 일어섰다. 찬재는 강 회장을 향해 자신만만하게 입을 열었다.

"그럼 저흰 짐 싸러 가 보겠습니다. 이따 다시 뵙죠."

두 사람은 누가 먼저랄 것 없이 강 회장에게 꾸벅 고개 숙여 인사를 전했다. 내내 쥐고 있던 서로의 손을 여전히 놓지 않은 채. 앞으로도 놓지 않을 기세로.

* * *

저녁이 조금 지났을 때 이다와 찬재는 강 회장의 집으로 돌아왔다. 강 회장의 저택은 매우 넓었지만, 높지 않고 1층뿐인 구조였다. 저택 내부 인테리어는 대부분 한옥처럼 꾸며져 있었다.

두 사람이 현관으로 들어서자 종전에 그들을 강 회장에게 안내했던 가정부 한 씨가 서 있었다. 사오십 대쯤으로 보이는 그녀가 넉넉한 인심이 담긴 미소로 둘을 맞이했다.

"어서 오세요. 회장님께 말씀 들었어요. 당분간 여기서 지내신다고요?"

"잘 부탁드립니다."

이다는 그녀에게 고개 숙여 인사했다. 찬재는 그녀의 어깨 너머로 거실을 쓱 둘러봤다. 어째 평소와는 달리 인기척이 거의 없었다.

"여기 아버지 소수 정예 부대만 남으셨나 보죠?"

찬재는 한 씨에게 가볍게 질문을 던졌다.

"소수 정예 부대요?"

"집 밖으로 말 새어 나갈 일 없는 철통 수비 능력자들 있잖습니까? 아버지가 믿어 의심치 않는. 물론 우리 한 씨 아주머니가 그중 리더이시고."

다 안다는 듯 찬재는 한쪽 눈을 찡긋해 보였다. 넉살 좋은 칭찬에 한 씨는 어깨가 으쓱해져 싱글벙글하며 말했다.

"아이구, 우리 막내 도련님 눈치 빠른 건 여전하네요. 회장님이 손님 지내시는 동안, 바깥에다 말 떠들 만한 입은 줄이자고 하셨어요."

"손도 같이 줄었을 텐데. 설마 이 사람 손에 그 사람들 일 맡길 생각은 아니시겠죠?"

찬재는 능글능글 웃는 얼굴로 예리하게 지적했다.

"설마요."

그럴 리가 없단 투로 대꾸하고서 한 씨는 이다에게로 시선을 돌렸다.

"일단 방으로 안내할게요. 이쪽으로 오세요."

"아, 네."

이다가 그녀를 따라 발을 떼려는데, 찬재의 목소리가 끼어들었다.

"아니, 방은 제가 정해 뒀습니다. 그쪽으로 알아서 갈 테니까, 신경 쓰지 말고 다른 일 보세요."

"예?"

"우린 옛날에 내가 썼던 내 방에서 지낼 겁니다."

한 씨에게 대답한 뒤 찬재는 이다의 손목을 잡았다.

"자, 가자."

그때 한 씨의 몸이 이다의 앞을 가로막았다.

"어머나, 이런 우연이. 마침 손님 쓰실 방은 바로 그 옆방이네요."

한 씨는 정말 기쁘다는 듯이 활짝 웃었다.

"도련님이야 도련님 방 어딘지 모르실 리 없고. 저는 아가씨 안내만 해 드리면 되겠네요. 그렇죠, 아가씨?"

"옆방이라니. 우리 안방 나눠 쓰던 사이인데. 뭘 새삼 각방을 줘?"

"여기가 도련님 집 안방인가요?"

찬재의 항의에 일침을 쏘는 한 씨는 여전히 웃는 낯이었다. 순간 찬재는 눈살을 찡그렸지만, 이다의 입술에는 한 씨처럼 미소가 피어났다.

"아가씨 아니라 서이다입니다. 사이다 아니라, 서이다요. 편하게 이름으로 불러 주세요."

이다는 정중한 어조로 한 씨에게 자신을 소개했다.

"그래요?"

"네. 편하실 대로 불러 주세요. 전 뭐라고 불러 드리면 될까요?"

"나야 그냥 아주머니라고 불리는 게 편하답니다."

"그럼 그렇게 부를게요, 아주머니."

생긋 웃는 얼굴로 대답하고서 이다는 찬재에게 고개를 돌렸다.

"난 아주머니하고 내 방 갈게. 네 방까지 혼자 갈 수 있지?"

"야, 네 방 내 방이 어디 있어? 우리 사이에."

"여긴 있어. 네 방 내 방. 그리고 난 그게 좋아."

그러니까 네 방으로 혼자 가라. 내 방으로 따라오지 말고.

이다는 그렇게 잠시 경고의 눈빛을 내비쳤다. 그러자 찬재는 차마 뭐라 반발할 수 없어 입을 꾹 다물었다. 이다는 그런 찬재의 어깨를 토닥토닥 두드렸다.

힘내고, 이따 보자.

소리 내지 않고 입 모양으로 말해 준 뒤, 이다는 찬재에게서 몸을 돌렸다. 그리고 한 씨의 안내를 따라 걸음을 옮겼다.

짐을 풀고 방을 빠져나온 이다는 문 앞에서 기다리고 있던 찬재와 마주쳤다.

“네 방 따로 생기니까 좋냐?”

투덜거리는 찬재에게 이다는 엄지를 척 들어 보였다.

“최고야. 넓고 깨끗하고 멋있어.”

“내 방도 똑같거든?”

“아, 그래? 축하해.”

이다는 박수 하는 시늉을 하며 장난스럽게 덧붙였다.

“난 또 나만 이렇게 좋은 방 쓰는 줄 알고 미안할 뻔했네.”

“그런 뜻 아닌 거 알잖아. 어차피 똑같은 방, 내 방 네 방 할 거 없이 합방하잔 거지.”

아무래도 불만인 듯 찬재는 떨떠름한 표정으로 말했다. 그러자 이다는 검지를 세우고서 좌우로 까딱까딱 흔들었다.

“아버님 댁에 결혼 허락 받으러 들어와 놓고, 벌써 보란 듯이 한방 쓰는 건 좀 아니라고 봐.”

“어차피 결혼할 사이인데, 한방 쓰는 게 뭐 어떻다고.”

그냥 불만도 아니고 욕구 불만이라서, 찬재는 미간을 구기며 이다의 허리를 덥석 끌어안았다. 바로 코앞까지 얼굴을 들이밀고 두 입술을 맞붙이는 찰나, 한 씨의 목소리가 들렸다.

"서이다 씨, 회장님이 찾으세요."

순간 움찔한 이다가 찬재의 가슴을 팍 밀쳤다. 한 씨는 두 사람의 옆에서 빙그레 웃고 있었다. 못 봤을 리 없는 각도인데, 마치 아무것도 못 본 사람처럼 태연한 태도였다.

"아, 예. 갈게요. 어디로 가면 되죠?"

이다 역시 아무 일도 없었던 양 표정을 가다듬고 대응했다. 그저 입맞춤을 강제로 종료 당한 찬재만이, 무슨 큰일이라도 있었던 듯 오만상을 구길 따름이었다.

방으로 들어온 이다와 찬재가 맞은편에 앉자, 강 회장은 이다에게 종이 한 장을 내밀었다. 일정표라 적힌 종이에는 다음과 같은 일정이 나열되어 있었다.

[오전 5시 등산

오전 7시 조식

오전 7시 30분 수업

오후 12시 중식

오후 1시 수업

오후 7시 석식

오후 8시 수업

오후 11시 자유 시간]

일정표를 읽는 이다의 표정은 무덤덤했다. 반면 찬재의 얼굴에는 삽시간에 화르르 열이 올랐다.

"아버지, 여기 단어를 잘못 쓰셨네요."

찬재는 애써 침착하게 지적했다.

"11시는 자유 시간이 아니라, 사망 시간이겠죠."

찬재의 덧붙임에 강 회장은 혀를 쯧 찼다.

"이 정도도 못 버티고 죽을 물건이면 그냥 지금 나가."

강 회장은 날카롭게 경고했다.

"아닙니다. 못 버틸 리 없겠는데요."

이다는 아무렇지 않은 얼굴로 대답했다. 그러자 찬재는 정색하고 이다에게 반발했다.

"야, 네가 무슨 새벽 5시에 등산을 버텨. 게다가 이거 보나 마나 아버지하고 동반 등산이야. 아버지 매일 이 시간에 산 타신다고. 나나 형들이나 독립할 때까지 이 새벽 등산 매일같이 시달렸거든?"

"덕분에 가족 모두 건강하잖아."

"뭐?"

"그리고 나 원래 일찍 일어나서 몸 쓰는 거 잘해."

"……네가?"

몸 쓰는 거 잘하는 줄은 알겠지만, 일찍 일어나길 잘하는 줄은 모르겠던데. 찬재는 못 미더운 눈초리로 이다를 바라봤다.

"보면 알아."

이다는 자신 있게 말하고서 강 회장에게 시선을 옮겼다.

"아버님, 내일부터 이 일정표 바로 실행하면 될까요?"

"그래."

"여기 수업은, 아버님께서 직접 지도 편달해 주시는 시간인 건가요?"

"내가 고작 너 따위 가르치는 일에, 회사 내팽개치고 집에 들어앉아 시간 쓸 성싶냐?"

강 회장은 부러 모진 말을 골라 쏘아붙였다. 그러나 이다의 담담한 얼굴에는 변화가 없었다. 그저 아, 그렇구나, 하며 고개를 끄덕일 따름이었다.

"아버지 말씀 좀 지나치신데요?"

따지듯이 받아치는 쪽은 찬재였다.

"왜? 좀만 지나쳐서 불만이냐? 아주 지나치게 해 주랴?"

강 회장의 반문에 찬재가 또 뭐라 반박하려는데, 이다의 손이 지그시 찬재의 무릎을 눌렀다. 그만하라는 스위치를 누른 셈이었다. 순간 찬재는 아랫입술을 꽉 깨물며 말을 참았다.

요놈 봐라……?

강 회장은 한순간에 얌전해진 찬재를 괘씸한 듯 훑어봤다. 서이다 저 물건이 손 하나만 까딱해도 요 망나니가 고분고분해지니, 원. 이건 몇 번을 봐도 적응이 되지 않는 모습이었다.

"아버님, 그럼 수업 때는 뭘 배우게 되나요? 제가 미리 준비해 둘 건 없나요?"

이다는 마치 기대하기라도 하는 것처럼 눈을 반짝이며 질문했다. 강 회장은 그런 이다를 잠시 바라보다 헛기침을 했다. 그리고 한결 진중해진 목소리를 끄집어냈다.

"널 가르칠 선생은 내 자식들을 가르쳤던 최고급 교육자다. 경제, 경영, 외국어는 물론이고 법률, 철학, 정치까지. 내 자식들이 배운 것과 똑같은 기본 상식을 배우게 될 게다."

"기본…… 상식이요?"

경제, 경영, 외국어, 법률, 철학, 정치가요?

라고 묻는 듯한 이다의 눈빛에 강 회장은 단호하게 답을 내뱉었다.

"금수저 물고 태어나서 금값 하고 살려면, 그 정도는 기본이다."

"아, 네……."

"네가 기본이 되는 물건인지, 수업에서 증명해 봐."

강 회장의 말에 이다는 고개를 끄덕였다. 그러자 찬재는 뭔가 불길한 듯 눈살을 찌푸리고 입을 열었다.

"잠깐, 우리 가르쳤던 선생님이라면 안 선생 아니면 진 선생인데. 아버지, 설마 진 선생한테 우리 이다 맡기는 건 아니죠?"

"그럼 또 누가 있냐? 그 과목들 다 섭렵하는 데다, 우리 집안 기밀 사항 믿고 맡길 선생이."

응? 선생님이 한 사람인가? 그 많은 걸, 한 사람이 가르쳐?

이다는 귀를 의심하며 눈을 깜빡거렸다. 한편 귀를 의심하기는 찬재도 마찬가지였다.

"진짜 진 선생한테 맡긴다고요?"

"그래."

순간 불이라도 붙은 듯이 찬재가 벌떡 일어서며 소리쳤다.

"아버지, 진 선생은! 너무 심하잖습니까!"

* * *

[글쎄 너랑은 안 맞았어도, 나랑은 괜찮을 수 있잖아.]

벌써 몇 번째 했던 말을 또 하느라 그런 것인지, 수화기 너머 이다의 목소리는 살짝 잠겨 있었다. 자신의 방 안에서 이부자리 옆을 서성이던 찬재는 멈칫 발을 멈춰 세웠다.

"아니, 이건 인간적으로 맞고 안 맞고의 문제가 아니라니까? 그 선생은 그냥 세상 모든 사람들을 다 자기 발아래에 두고, 너희들이 얼마나 한심한지 알려 주고 싶어 하는 변태야."

[너 한심하단 소리 그 선생님한테 처음 들어 봤구나? 되게 오래 마음에 담아 두고 있네.]

"야, 나만 듣지 않았거든? 우리 형들 다 들었어. 아니, 오죽하면 그 범생이 셋째 형이 가출을 다 했겠어?"

[그래서 나까지 수업 듣다 가출할까 봐, 이렇게 전전긍긍 노심초사야?]

"수업 듣다 가출할 거 없어. 그냥 지금 해."

[…….]

"네가 뛰쳐나가는 거 아니라 내가 안고 나가는 걸로 해. 가출 아니라 납치인 걸로."

진지하게 뱉은 말에 이다는 침묵했다. 수화기 너머의 침묵이 길어지자 찬재는 슬쩍 뒤를 돌아 벽을 봤다. 그리고 벽 너머에 있을 이다에게 질문을 건넸다.

"너 자?"

[나는 네가 날 좀 믿었으면 좋겠다.]

잠이 든 게 아니었는지, 조용히 이다의 목소리가 건너왔다.

"믿어. 넌 어떤 상황에서도 잘 버티겠지. 근데 그런 기분 더러운 일, 아예 겪을 것도 버틸 것도 없었으면 해. 그 선생이 사람 얼마나 멸시하고 모욕 주는지 내가 뻔히 아는데. 널 어떻게 거기 맡겨."

[나는……. 한심한 취급 안 받을 수도 있지.]

"뭐?"

[내가 그 선생님 마음에 찰 거라고……. 난 다를 거라고 믿어 줄 수 없어? 나 그렇게 못 미더운가? 좀 서운하네……]

기운 없이 줄어드는 이다의 목소리에 찬재는 아차 싶어졌다.

"아, 그건……. 그건 널 못 믿어서가 아니라……. 진 선생을 못 믿어서 그런 거지. 네가 아무리 뛰어나도 절대 인정 안 해 줄 인간 같으니까."

[…….]

"하나를 가르치면 열을 아는 학생이 있잖아? 근데 진 선생은 그런 학생한테도 만족을 못 해. 왜 백을 아는 학생이 못 되느냐고 한심해하지."

[…….]

"대체 그 인간 눈에 안 한심한 학생이 있기나 하겠어?"

[…….]

"이다야? 기분 계속 안 풀려?"

[…….]

"……자니?"

찬재의 질문에도 침묵은 계속되었다. 자세히 귀를 기울여 보니, 새근새근 숨소리가 들리는 듯했다.

"너는 잠이 오냐……. 내가 옆에 없는데."

찬재는 물끄러미 벽을 응시하며 중얼거렸다.

"난 너 없어서 미치겠다. 잠도 못 자고."

고작 벽 하나로 가로막혔을 뿐인데. 이역만리 멀리 떨어진 것처럼 속이 답답했다.

고작 벽 하나인데…….

찬재는 미간을 모으고 뚫어져라 벽을 쏘아봤다. 정말이지 뚫어 버리고 싶은 벽이었다.

확 터 버릴까?

진지하게 고려하는 찬재의 머릿속으로 이다의 목소리가 끼어들었다.

‘아버님 댁에 결혼 허락 받으러 들어와 놓고, 벌써 보란 듯이 한 방 쓰는 건 좀 아니라고 봐.’

벽을 트면 혼이 날 게 틀림없겠지.

찬재는 이맛살을 찌푸리고 쓴 입맛을 다셨다.

하는 수 없지 그럼…….

“잠깐 얼굴이나 보고 와야지.”

혼잣말과 함께 찬재는 걸음을 옮겼다. 남몰래 슬그머니, 쥐도 새도 모르게 이다에게 다녀가려고. 문을 열고 이다의 방을 찾아가는 찬재의 몸짓은 흡사 자객처럼 고요하고도 민첩했다.

새벽 4시 30분. 이다의 머리맡에서 휴대 전화 알람이 울렸다.

요란한 소리에 이다는 잠을 깨고 눈을 떴다. 방 안은 어둡고 천장은 낯설었다.

아……. 여기 강 회장님 저택이지.

현실을 파악하고 몸을 일으키는데, 쇄골에 놓여 있던 찬재의 팔이 스르르 미끄러졌다. 옆을 보니 찬재가 그녀를 향해 누워 있었다.

나 자는 새에 들어온 건가?

이다는 재빨리 알람을 끄고 찬재의 얼굴을 확인했다. 잠이 깊이 들었는지 찬재는 눈을 감은 채로 꿈쩍을 않고 있었다.

"그새를 못 참아서는."

이다는 중얼거리면서 찬재의 얼굴에 손을 올렸다.

"왔으면 깨우기라도 하지."

보기 좋은 얼굴이 손에 닿자 이다의 입술에는 미소가 절로 번졌다. 겨우 하룻밤 떨어져 있었다고, 새삼 이 얼굴이 반갑고 더 사랑스러웠다. 감촉마저 뭐 이렇게 좋은 건지. 이다는 손만 대기가 성에 안 찼다. 그래서 이내 찬재의 얼굴에 입술을 가져다 댔다. 지그시 머무르는 입술이 찬재의 체온으로 물들었다. 따뜻해서 녹는 기분이었다.

한참 머무르고 싶었지만 이다는 마음과 달리 입술을 떼어 냈다. 오늘의 일정을 생각하면 하는 수 없는 일이었다. 얼른 씻고 나갈 준비를 해야 했다. 그런데 입술을 떼고 보니, 코앞에서 찬재가 가느다랗게 눈을 뜬 채 자신을 바라보고 있었다.

"뭐야, 언제 깼어?"

"갑자기 찌릿해서 깼다."

찬재는 여유롭게 대답하며 두 손으로 이다의 머리를 감싸 잡았다.

"벼락 친 줄 알았는데. 뽀뽀였네."

찬재의 덧붙임에 이다는 피식 웃었다.

"다시 화끈하게 쳐 봐. 나 잠 완전히 깨 버리게."

말을 마친 찬재가 곧장 입술을 맞붙이려는데, 이다의 손이 그의 입술을 막았다.

"지금 말고, 이따 할게."

"이따?"

"넌 지금 깰 때 아니거든. 그러니까 깨지 말고 더 자. 다녀와서 화끈하게 깨워 줄 테니까."

이다는 잘 자라는 듯이 토닥토닥 찬재의 가슴 위를 다독였다. 그리고 가볍게 상체를 일으켰다. 그러자 찬재가 얼른 따라서 몸을 일으켰다. 찬재는 얼른 시계를 확인하고 어리둥절한 표정을 지었다.

"좀 있으면 등산 시간인데. 더 자라고?"

"등산은 나랑 아버님이랑 오붓하게 다녀올게."

대답하며 이다는 몸을 돌려 찬재를 등지고 침대 바깥으로 발을 내렸다.

"무슨 소리야? 나랑 같이 가야지."

찬재가 뒤에서 이다를 껴안았다.

"지금 시험 치고 있는 건 나니까, 답은 내가 정하련다."

"뭐?"

"아버님이 나 테스트하는 동안 내가 뭘 어떻게 해야 할지. 그건 내가 정하겠다고. 그래야 나중에 후회가 없어, 어떤 결과가 나든."

"무슨 뜻인지는 알겠는데. 그렇다고 등산을 꼭 둘이서만 갈 필요가 있어? 이렇게 둘이 아니라 그렇게 둘이?"

"그래 보고 싶어."

이다는 찬재를 돌아보며 답했다. 그러자 코앞에서 찬재가 떨떠름한 표정을 지었다.

"난 안 내키는데. 그렇게 둘이 보내는 거."

"나 자는 사이에 몰래 여기 와서 누운 거 생각해 봐. 그거 너 내키는 대로 한 거 아냐?"

"그러니까 이번엔 나 안 내키는 대로 하자는 건가? 공평하게?"

"그래. 침대에선 너 하고 싶은 대로 했잖아. 대신 산에서는 나 하고 싶은 대로 하자. 공평하게."

"……."

할 말은 없지만 그래도 내키지 않는 표정으로 찬재는 갈등했다.

* * *

결국 찬재는 산에서는 함께할 수 없단 이다의 방침을 받아들였다. 대신 그는 산 앞까지, 등산로의 입구까지 차를 몰았다. 차 뒷좌석에는 이다와 강 회장이 나란히 타고 있었다.

차가 도착하자 이다와 강 회장은 각자 양쪽 문을 열고 차를 빠져나갔다. 이다가 운전석 옆을 지날 때, 찬재는 운전석의 차창을 내렸다.

"이다야."

차창 바깥으로 손을 뻗은 찬재가 이다의 팔을 붙들었다. 이다는 잠시 걸음을 멈추고 허리 숙여 그를 마주 봤다. 찬재는 이다를 가까이 당기면서 차창 너머로 고개를 내밀었다.

"힘들면 전화해. 바로 출동해서 업고 내려올 테니까."

흡사 철조망을 사이에 둔 남남북녀처럼 찬재의 눈빛은 애절했다.

"힘들 리는 없겠지만, 알았어."

"아버지가 구박할 테니까, 녹음 다 하고."

"……그건 모르겠다."

"무리하지 말고, 조심해서 다녀와. 너 막 운전할 때처럼 속력 내다 넘어지면 절대 안 된다."

찬재는 이다의 얼굴을 감싸 잡고 신신당부했다.

"나 아주 멀쩡하게 다녀올 거니까, 걱정 좀 그만해."

"너 혼자 보내는데, 어떻게 걱정을 안 해?"

이다 역시 두 손으로 찬재의 얼굴을 감싸 잡았다. 그리고 듬직한 목소리를 냈다.

"그냥 나 믿고 편하게 기다려."

곧 키스라도 할 것처럼 둘의 얼굴은 가까웠고 눈빛은 뜨거웠다.

"이것들이! 지금 전쟁 나가냐? 전쟁 나가?!"

보다 못한 강 회장의 목소리도 펄펄 끓듯 뜨거웠다.

강 회장은 챙이 넓은 선 캡을 뒤집어쓴 채 등산로로 진입했다.

그는 혹여 아는 사람을 마주쳐도 모르는 체를 할 작정이었다. 아직 내 집안에 받아들일 결정도 안 난 상황이기에, 바깥 사람들 앞에 이 물건과 함께 있는 모습을 보이고 싶진 않았다. 그러나 이다의 얼굴을 가리게 할 생각은 없었다. 이 물건이 어떤 물건인지, 표정 하나하나를 생생하게 살펴보고 싶었기 때문이다.

"그렇게 죽고 못 사는 놈, 왜 두고 와?"

"지금 아니면 아버님하고 둘만 있을 시간이 없잖아요."

"뭐?"

"등산 후엔 아버님 출근하시고, 아버님 퇴근 후엔 찬재 씨도 퇴근하고. 그러니까 하루 중에 이 시간만큼은 꼭 아버님하고 저희끼리 얘기 나눠 보고 싶어서요."

강 회장은 콧방귀를 뀌었다.

내가 너 그 입으로 얘기할 여유나 줄 줄 알아? 아주 숨차서 까무러지게 해 줄 게다.

계획을 곱씹으며 강 회장은 두 주먹을 꽉 쥐었다.

"오냐, 어디 한번 떠들어 봐라."

들어 준다고는 하지 않았다. 강 회장은 그저 이다가 떠들도록 내버려 둔 채 앞만 봤다. 평소 오르던 코스보다 훨씬 가파른 코스가 그를 기다리고 있었다.

나야 수십 년을 등산으로 다져 둔 몸이니까. 이쯤이야 거뜬하지.

강 회장은 자신하며 휙휙 등산로를 올라갔다.

"제가 어떤 사람인지 어떻게 설명해 드려야 할까, 생각해 봤는데요."

이다는 뒤처지지 않고 같은 속도로 이동하며 말을 이었다.

"아무래도 제가 어떻게 살아왔는지를 들려드리는 게 아버님 판단에 도움이 될 것 같아요."

그러든지 말든지. 강 회장은 심술궂은 얼굴로 속도를 더 높였다. 확확 빨라지는 그의 옆에서 이다의 걸음 또한 그만큼 빨라졌다. 그런데도 이다의 목소리에는 흔들림이 없었다.

"제가 자란 보육원 원장님이 사람 이름 짓는 거 정말 귀찮아하셨는데. 제 이름 지을 때 그 방에 사이다가 있었대요."

이다는 이름의 기원에서부터 자신의 일대기를 시작했다. 이야기 속 자신이 초등학교, 중학교를 거쳐 고등학교를 중퇴하기까지. 이다는 차곡차곡 바위 계단을 밟아 오르고, 미끄럽게 굴곡진 길을 내디디고, 밧줄을 잡아 암벽을 타고 올랐다. 이야기를 하는 입술과 등산을 하는 다리. 어느 것 하나 쉬는 게 없었고, 지치지도 않았다.

제발 좀 쉬자고, 지쳐 쓰러질 것 같은 쪽은 강 회장이었다. 그럼에도 앞장서서 아무렇지 않은 척, 꾸역꾸역 빠른 속력을 유지하느라고 강 회장은 그야말로 죽을 맛이었다.

내가 여기 뼈를 묻게 되는 겐가…….

눈이 핑핑 도는 지경인데, 등 뒤에서 이다의 목소리는 선명하게 귀를 파고들었다.

"배달 아르바이트는 한 시간에 얼마씩이 아니라 한 건에 얼마씩 돈을 쳐주거든요. 그래서 작정하고 빨리빨리 움직이면 돈이 금방 모이겠다, 생각했었어요."

저 물건은 숨도 안 차나?

"그때그때 하는 만큼 바로바로 번다는 게 일할 맛도 나고, 사는 재미였는데. 중간에 사고가 있었어요."

사고……. 사…….

"배달 중에 트럭에 부딪혀서 병원 신세 좀 졌죠. 그때 한꺼번에 큰돈 빠져나가니까, 다음부턴 운전할 때 집중력이 훨씬 높아지더라고요. 절대 사고 안 나게. 덕분에 그 뒤로는 사고 난 적 없으니까, 큰돈 쓰고 큰 교훈 얻은 거죠, 뭐."

사……. 살려…….

"아버님?"

이다는 우뚝 걸음을 멈춘 강 회장의 뒷모습에 눈을 깜빡거렸다. 꿋꿋하게 걷기만 하시더니, 무슨 하실 말씀이라도 있으신 걸까?

궁금해하는 이다의 눈앞에서 강 회장은 금세 바닥으로 철퍼덕 쓰러졌다.

"아, 아버님!"

*　*　*

이다의 호출을 받고 찬재는 한달음에 등산로로 달려갔다. 그가 산 중턱에 다다랐을 즈음 강 회장은 이다의 부축을 받아 조심조심 산에서 내려오고 있었다. 강 회장의 두 다리는 갓 태어나 처음 걷는 망아지처럼 후들후들 떨렸다.

"아버지 산에 간다시더니, 바다 건너셨어?"

땀에 흠뻑 젖은 강 회장의 몰골에 찬재는 황당한 듯 물었다.

"아무래도 오늘 컨디션이 안 좋으셨던 모양이야."

숨 몰아쉬기 바쁜 강 회장을 대신해서 이다가 대답했다.

"컨디션이 아니라 마음보가 안 좋으셨던 모양인데."

"마음보?"

"이 코스 선정하며, 벌써 저 위까지 찍고 내려오는 속도하며. 아버지 아주 용쓰셨네. 너한테 엿 주려다 떡 되신 거지."

정곡을 찔린 강 회장이 오만상을 찌푸렸다.

"이……! 이……!"

마음 같아서는 쥐어 패고 싶었지만, 주먹질은커녕 욕지거리조차 힘겨운 상황이라 강 회장은 그저 씩씩대며 눈총을 퍼부을 따름이었다.

“일단 업히시죠. 빨리 내려가서 출근하시려면.”

찬재는 강 회장에게 등을 보이고 앉았다. 이다는 찬재의 등으로 강 회장을 이끌었다.

“어휴……. 어우……!”

하는 수 없이 찬재의 등에 업히면서도 강 회장은 분통을 터뜨렸다. 찬재는 등에 착 달라붙은 강 회장의 몸을 확인하고서 그의 다리에 팔을 감았다. 그렇게 단단히 강 회장을 고정한 채 찬재는 훌쩍 몸을 일으켰다.

“넌 괜찮아? 안 힘들어?”

“난 좋아.”

“좋아?”

“오랜만에 새벽부터 움직였더니 몸 좋아진 거 같아.”

“누구 몸은 나빠진 거 같은데…….”

찬재는 의미심장하게 중얼거렸다. 그 소리를 얼른 덮으려는 듯이 이다가 강 회장을 향해 목소리를 냈다.

“아버님이 제 얘기 들어 주신 것도 좋았어요.”

빙그레 웃는 이다의 모습에 강 회장은 고개를 팩 돌려 버렸다.

듣긴 누가 들었다고!

“아버지, 마음이 나쁘니까 몸도 나빠지는 겁니다. 마음 곱게 쓰세요. 이다 힘들게 할 생각 마시고.”

“시……. 시끄러…….”

“애한테 엿 줘 봐야 애는 그 엿 안 먹어요. 엿 준 놈이 떡 받거나 떡 되거나. 둘 중 하나지.”

이건 내 자식이 아니라 웬수 자식이다, 웬수 자식.

강 회장은 바들바들 떨리는 손으로 찬재의 귀를 잡았다. 그리고 남은 힘을 모두 쏟아부어 귀를 비틀었다. 하마터면 악 소리를 낼 뻔했지만, 찬재는 이를 악물고서 참았다.

이 사람들……. 가까이 붙여 둬도 되는 걸까…….

이다는 강 회장과 찬재를 번갈아 보다 슬그머니 강 회장에게 질문을 던졌다.

“아버님, 제가 업어 드릴까요?”

“무……. 무어……?”

강 회장은 황당한 듯 이다를 쳐다봤다. 찬재도 그와 같은 반응이었다.

“지금 아버님도 찬재 씨도 서로 불편해 보이는데. 제가 업어 드리는 게 모두에게 편한 방법 아닐까요?”

얘가 지금 뭐라는 거야……?

같은 생각으로 찬재와 강 회장이 서로 눈을 마주쳤다.

“저 물건 저거……. 설마 진심…… 이겠냐?”

“하겠다면 하는 여자이긴 하죠.”

“…….”

“저 그 꼴은 못 봅니다.”

“나, 나도 그 꼴 못 봐…….”

새파랗게 어린 여자애 등에 업혀 산을 내려가다니. 강 회장은 진저리를 쳤다.

“그럼 평화롭게 휴전하죠.”

찬재가 제안하자 강 회장은 살포시 그의 목을 껴안으며 고개를 끄덕였다.

세 사람이 등산에서 돌아왔을 때, 강 회장의 저택 주방에는 아침상이 차려졌다. 이다는 배가 고파 부랴부랴 샤워를 마치고서 주방 식탁으로 향했다.

갓 지은 밥 냄새가 이다의 정신을 혼미하게 했다. 홀린 듯이 자리에 앉자 뒤이어 찬재가 강 회장을 부축해 주방으로 들어섰다. 세 사람의 등장에 한 씨는 밥공기와 국그릇을 식탁으로 날랐다.

“집에 무슨 손님 왔어? 저 고얀 것들, 간장에 흰밥이나 내줄 것이지. 뭐 예쁜 놈 와 있다고, 상다리 무겁게 상을 차려 놨어?”

자리에 앉자마자 강 회장은 못마땅한 듯 한 씨를 타박했다.

“아버지, 죄짓고 교도소 들어가도 콩밥에 국, 반찬은 다 나오는 세상인데. 아무리 저희가 아버지한테 죄인이라지만, 흰밥에 간장은 아니죠.”

“그럼 교도소 들어가서 콩밥에 국, 반찬 처먹든가!”

강 회장은 버럭 쏘아붙이고서 수저를 들었다. 곧장 밥 한술을 듬뿍 떠서 입에 넣고 씹었다. 식사 시작을 알리는 신호탄이었다. 찬재는 얼른 수저를 따라 들며 시원스럽게 인사를 건넸다.

“그냥 여기서 잘 먹겠습니다, 아버지!”

“잘 먹겠습니다, 아버님.”

눈치 빠르게 인사를 한 뒤 이다도 수저를 들었다. 후딱 밥 한 숟갈을 삼키고 된장찌개를 후루룩 떠 마셨다. 다시 밥으로 숟가락을 옮기는데, 밥 위에 고등어구이 한 조각이 곱게 놓여 있었다. 고등어구이를 꼭꼭 씹자 적당히 짭조름한 소금 간이 맛있게 혀를 자극했다.

"맛있어?"

찬재가 질문하자 이다는 반사적으로 고개를 마구 끄덕였다. 동시에 젓가락을 고등어구이 접시로 뻗었다. 쏙, 쏙, 쏙. 연달아서 고등어구이만을 먹어 대는 급한 손길에 찬재는 헛웃음을 쳤다.

"너 고등어구이 처음이야?"

"아니, 그건 아닌데. 이렇게 맛있는 건 처음이야."

이다는 냉큼 대답하고 또 한 조각을 삼켰다.

고등어구이가 생선계의 스테이크로 등극하는 건가?

맛에 꽂혀 찾고 또 찾을 기세인 이다를 지켜보며 찬재는 짐작했다.

"그것만 먹지 말고, 이것도 먹어."

우물우물 고등어만 씹고 있는 이다의 입 앞으로 찬재가 떡갈비를 내밀었다. 이다는 입을 비우자마자 또 덥석 떡갈비를 받아먹었다.

새벽부터 등산을 해 저런 거야……? 아님 원래 먹성이 저런 거야?

강 회장은 숟가락질을 멈춘 채로 이다를 빤히 응시했다. 이다는 강 회장이 보아 왔던 그 어느 때보다 열정적인 눈빛으로 식사에 열중하고 있었다. 떡갈비 홈 쇼핑에 나왔으면 당장 전화해서 주문을 하고 남을 광경이었다.

어디 나도 먹어 볼까?

보다 보니 입맛이 확 살아나 강 회장은 떡갈비가 담긴 그릇으로 손을 뻗었다.

맛있기는 하구만.

강 회장은 떡갈비를 씹으면서 무심코 고개를 끄덕거렸다.

같은 요리사가 만든 같은 떡갈비인데, 오늘따라 유난히도 맛있어 강 회장은 하나둘, 계속해서 떡갈비를 먹어 치웠다.

체력 좋은 이다와의 등산 탓에 기진맥진했던 강 회장이지만, 먹는 모습 보기 좋은 이다와의 식사 덕에 기력은 곧 회복되었다. 늘 해 오던 등산이, 식사가 평소와는 다르게 느껴진 아침이었다.

식사 후 강 회장은 출근 준비를 하고 안방을 나섰다. 그와 마찬가지로 출근 준비를 마친 찬재가 현관에서 이다와 함께 그를 기다리고 있었다.

"아버님, 정말 바로 출근해도 괜찮으시겠어요?"

이다는 살짝 걱정스러운 눈빛으로 강 회장에게 질문했다. 그러자 찬재가 이다의 얼굴을 감싸 잡고 자신을 마주 보게 했다.

"이다야, 나는 네가 걱정이다."

"나?"

"좀 있으면 진 선생 수업 시작인데. 진짜 괜찮겠어?"

"그게 왜 걱정이 돼? 난 기대되는데."

이다는 찬재의 어깨에 손을 얹고 대수롭지 않은 투로 덧붙였다.

"보나 마나 비싼 수업일 텐데, 난 공짜로 받는 거잖아. 정치, 경제, 경영, 나 그런 거 하나도 모르는데. 누가 쉽게 알려 주면 나야 좋지."

"사람 쉽게 알고 밟아 가며 가르친다니까."

"나 진짜 밟히는지 두고 볼까?"

그럴 리가 절대 없다고, 이다는 자신하는 눈빛으로 말했다. 그 모습에 강 회장은 코웃음을 쳤다.

"오냐, 어디 두고 보자."

강 회장 역시 자신하는 눈빛으로 말했다.

고등학교 졸업도 못 한 네가 진 선생 눈에 찰 리가 없지. 내 자식들도 못 한 일을 네가 퍽이나 해내겠다.

그렇게 이다의 실패를 예상하며 강 회장은 현관을 나섰다.

돌아와서 어디 두고 보자고, 마음으로 되뇌면서.

* * *

진 선생의 수업이 진행될 장소는 서재였다. 한 씨를 따라 서재에 도착한 이다는 백발이 성성한 진 선생과 마주했다. 진 선생은 자리에 꼿꼿이 앉은 채 서재에 들어서는 이다를 지켜봤다.

"말씀 많이 들었습니다, 선생님."

"앉지."

진 선생은 고압적인 태도로 명령하듯 말했다. 초장부터 기를 눌러놓겠다는 심산 같았다.

"그럴까요?"

이다는 싱긋 웃는 얼굴로 아무렇지 않게 자리에 앉았다. 명령이 아니라 제안을 받아들이는 듯한 자연스러운 반응이었다.

"노닥거릴 시간 없네. 자넨 할 일이 아주 많아. 가르칠 게 한두 개가 아닌 깡통이라던데. 어디 얼마나 비었는지 기본기 측정부터 하지."

진 선생은 책상 위로 시험지를 내밀었다. 그러자 이다는 다시 시험지를 진 선생에게로 내밀었다.

"저 완전히 빈 깡통입니다. 답이 아주 확실해서 측정이 필요 없을 정도예요. 그러니까 측정 대신 바로 지도 편달 부탁드립니다. 조금이라도 더 빨리, 많이 배우고 싶습니다."

속이 빈 건지 없는 건지. 뭐 얼마나 깡통이면 제 입으로 깡통 소리를 해?

벌써부터 느껴지는 한심한 기운에 진 선생은 경멸의 눈빛으로 혀를 찼다.

설마 깡통에 꼴통이기까지 한 건 아니겠지.

진 선생은 순간 자연스레 이 집 막내아들이 떠올라 얼굴을 일그러뜨렸다.

"다른 건 다 몰라도 깡통인 건 안다니까, 그거 하난 다행이네."

이미 포기한 듯 아무 기대도 없는 표정으로 비꼬고서 진 선생은 자리에서 일어났다. 그리고 등 뒤에 세워진 화이트보드 앞에 서서 펜 뚜껑을 열었다.

"그럼 수업을 시작하겠다."

진 선생은 화이트보드에 펜을 가져다 대고 빠르게 필기를 시작했다.

강 회장이 집으로 돌아왔을 때, 진 선생은 저녁 식사 직전까지인 오후 수업을 막 마친 참이었다. 강 회장은 진 선생을 안방으로 불러들였다. 이다를 서재에 둔 채 홀로 건너온 진 선생이 강 회장의 앞에 앉았다.

"그래, 어떻든가? 저 물건."

강 회장은 진 선생의 엉덩이가 방석에 닿자마자 질문을 터뜨렸다.

"어허……."

진 선생은 왜인지 난감한 표정으로 한숨 같은 소리를 냈다.

"어허라니? 이거 대체 무슨 반응인 겐가?"

"어허어어……."

"어허! 왜 이렇게 뜸을 들이나!"

강 회장은 몸이 달아 엉덩이를 들썩이며 채근했다. 진 선생은 고개 숙여 깊이 고민하는가 싶더니, 이윽고 묵직한 목소리를 냈다.

"아직 밥이 덜 됐으니, 뜸 좀 더 들여야겠습니다."

"뭐, 뭐야?"

"깡통인 줄 알았는데. 밥통은 되는 물건입니다."

"밥통?"

"근데 이 밥통에 물 넣고 쌀 넣으면 어떤 밥이 나오는지. 그건 좀 더 지켜봐야 알 일이지요."

"좀 쓸 만해 보인다……. 그 말인가?"

진 선생은 또다시 생각에 잠겨 잠시 침묵했다.

"깡통은 아닙니다. 밥통은 확실해요. 그렇지만 죽도 밥도 안 나오는 밥통일 가능성도 있으니까. 크게 기대는 하지 마십시오. 그런 밥통이면, 그저 아주 큰 깡통이나 다를 게 없으니까요."

"그럼 언제까지 뜸을 들일 텐가? 그 밥통에 밥, 언제 다 되는 게야?"

"일단 오늘 저녁 식사는 학생과 함께 서재에서 먹겠습니다. 수업과 식사를 분리해서 진행하기에는 시간이 아깝다는 생각이 드는군요. 저도 어떤 밥이 나올지, 빨리 알고 싶어서 말이지요."

진 선생은 냉철하게 대답했다.

"아, 알겠네. 그럼 두 사람 저녁 식사는 서재로 보내도록 하지."

"그럼 전 이만."

더 앉아 있을 시간조차 아깝다는 듯이 진 선생이 몸을 일으켰다. 강 회장은 당장 답을 알고 싶은 심정이었지만, 애써 참으며 한 씨를 호출했다.

진 선생이 자리를 비운 사이 이다는 휴대 전화를 끄집어냈다. 수업 내내 꺼 놓았던 휴대 전화의 전원 버튼을 누르자, 꼭 리모컨을 누른 것처럼 등 뒤에서 문이 열렸다. 누구지 싶어 뒤를 돌아보니 찬재가 서재로 들어섰다.

"왔어?"

이다는 반색하며 자리에서 일어났다. 찬재는 성큼성큼 이다에게 다가갔다.

"방금 전화하려고……."

말이 채 끝나기도 전에 찬재의 입술이 이다의 입술을 막았다. 속에 담긴 말을 건네받는 것처럼 찬재는 입을 움직였다.

"괜찮았어?"

한참 뒤에 입술을 떨어뜨린 찬재가 물어 왔다.

"나 완전 무식하대. 가르쳐 본 학생 중에 최고로 무식하다던데?"

"야, 그 소리 우리 셋째 형도 들은 거야."

"응. 그 셋째 형 기록 내가 깼대."

이다는 아무렇지 않은 투로 말했다. 찬재는 오만상을 구겼다.

"그런 말이 나왔으면, 더한 말도 나왔을 텐데? 그것도 아주 쉴 새 없이 따발총으로?"

"아니야. 이 텅 빈 머리에 가르칠 게 너무 많아서, 딴말할 시간조차 없다 그러셨어. 그러고 계속 수업만 하시던데."

"그래?"

뜻밖의 얘기라 찬재는 고개를 갸웃거렸다.

진 선생의 수업에 막말이 난무하지 않았다니. 그럴 수밖에 없을 만큼 무식하다니. 이게 대체 호재야, 악재야?

그때 등 뒤에서 드르륵 문이 열렸다.

"아이고, 꼴통 오셨는가?"

진 선생의 목소리였다. 이다는 고개 돌려 진 선생을 봤다. 진 선생의 시선은 찬재에게로 향해 있었다. 그렇다면 이건 찬재를 부르는 소리가 분명한데…….

"꼴통?"

이다가 의아해진 눈으로 찬재를 봤다.

"이거 봐. 내 말 맞지? 사람 이렇게 멸시하고 모욕하는 캐릭터라니까?"

찬재는 진 선생에게 눈길도 주지 않고 이다만을 향해 말했다.

"아무한테나 다 이러는 양반이니까, 아무 말도 신경 쓸 거 없어. 너 그렇게 무식하지 않아."

"이 아이는 무식하고, 너는 꼴통이다. 무식한 건 고칠 수 있어도, 꼴통은 못 고치지."

진 선생은 무 자르듯 딱 잘라 말하면서 두 사람을 지나쳤다.

"다시 수업 시작이다. 책 펼쳐라."

명령하며 진 선생은 이다의 맞은편에 앉았다.

"수업? 아니, 지금 7시가 다 됐는데. 저녁도 안 먹이고 무슨 수업 타령입니까!"

찬재의 항의를 무시한 채 진 선생의 시선은 이다에게로 향했다.

"앉지."

"얘가 배고픈 거 얼마나 못 참는데! 아, 설마 배고파서 못 버티고 도망가게 할 작전입니까? 아버지랑 그렇게 짜셨어요? 아주 작당들을 하고 굶기는 겁니까?"

찬재는 눈에 불을 켜고 따져 들었다. 그런데 그때 뒤통수로 손바닥이 날아들었다.

"에라, 이 꼴통 놈아!"

강 회장의 고함과 함께 퍽, 뒤통수를 가격하는 소리가 울려 퍼졌다.

* * *

진 선생과 이다의 저녁 식사는 서재에 차려졌고, 그 둘은 식사하는 동안에도 수업을 계속했다. 식탁에 차려진 저녁 식사는 강 회장과 찬재, 두 사람 몫뿐이었다.

"야, 이놈아. 내가 아무려면 그래도 내 집안에 들어와 있는 사람 밥을 굶기겠냐?"

강 회장은 마주 앉은 찬재에게 퉁명하게 말했다.

"진 선생 수업 들으면서 먹는 밥이 밥입니까? 교도소 가둬 놓고 넣어 주는 사식이지."

찬재는 썩은 음식 씹는 것처럼 온 얼굴을 구긴 채로 대꾸했다.

"그러는 넌 진 선생 수업 들으면서 밥 먹어 본 적이나 있고?"

"없으니까 다행이죠."

"쫓겨난 게 다행이야? 이런 꼴통 못 가르친다, 그 소리 들어 가며 쫓겨난 게 너는 다행이냐?"

"진 선생을 만난 불행 중 다행이었습니다."

찬재의 확고한 대답에 강 회장은 못마땅한 눈초리로 절레절레 고개를 저었다.

"그래도 진 선생이 저 물건한테 열의가 있으니까 저러는 게지. 식사 시간 아껴 가며 신경 써 주는 걸 고마운 줄 알아."

"가뜩이나 같이 있을 시간 모자란데. 쥐꼬리만 한 식사 시간까지 꼭 이렇게 뺏어야 합니까?"

찬재는 고맙기는커녕 바짝 약이 오른 얼굴이었다.

"그거 잠깐 못 보는 게 뭔 대수라고."

"그거 잠깐이 전부잖습니까?"

"뭐?"

"새벽부터 등산에 야밤까지 수업에. 잠까지 따로따로 각방에. 기껏 식사 같이하는 게 전부인데. 그걸 홀랑 뺏어요? 나 참, 내가 얘를 보쌈해서 나가 버리든가 해야지."

찬재는 속에서 열불이 나 냉수를 벌컥 들이마셨다. 그 모습에 강 회장은 기가 막혀 헛웃음을 쳤다.

"너 그러고 산 지 지금 기껏 하루 됐어, 이 자식아."

"하루니까 제정신이죠. 내일도 이렇게는 못 삽니다, 저."

내일 또 이러면 나 죽습니다.

찬재의 눈빛은 진지하고 단호하게 마음의 말을 덧붙이고 있었다.

"정말 얼씨구다, 얼씨구야. 네가 언제 그렇게 여자한테 목을 매고 살아 봤다고. 아주 열부 났다, 열부 났어. 너 혹시 죽을 때 됐냐? 그래서 이래? 안 하던 짓 하느라고?"

"저……. 회장님, 외람된 말씀이지만."

빈 물컵에 물을 채우던 한 씨가 넌지시 말을 걸어왔다.

"음, 말해 보게."

"막내 도련님이 죽을 때가 된 게 아니라, 드디어 회장님처럼 살 때가 된 게 아닐까요?"

"뭐, 나?"

"제가 보기에는 지금 막내 도련님, 딱 살아생전 사모님 대하시던 회장님 같아서요."

"……나?"

강 회장은 크게 한 방 맞은 듯이 얼떨떨해진 얼굴로 눈을 끔뻑끔뻑 감았다 떴다.

강 회장은 일찌감치 이부자리를 펴고 누웠지만 쉬이 잠이 오지 않았다.

지금 찬재 놈 하는 꼴이 나를 닮았다고? 그놈 그거 딴 건 몰라도, 여자 문제는 날 하나도 안 닮은 자식인데?

믿을 수가 없어 기억을 되감다 보니, 살아생전 부인의 모습이 어른거려 잠을 자고 싶지도 않았다.

계속 볼 수 있으면 좋으련만…….

아련한 눈빛으로 부인을 추억하는 사이 시간은 빠르게도 흘렀다.

이리 오래 떨어져서 살게 될 줄 알았으면, 그때 더 많이 붙어 지내는 건데…….

가슴속이 먹먹해지고 목이 메어 왔다. 소매로 눈물을 찍어 내던 강 회장은 물이라도 마셔야겠다 싶어 이부자리에서 허리를 일으켰다. 그런데 불현듯이 찬재의 목소리가 귓가에 맴돌았다.

'새벽부터 등산에 야밤까지 수업에. 잠까지 따로따로 각방에. 기껏 식사 시간 같이하는 게 전부인데. 그걸 홀랑 뺏어요? 나 참, 내가 애를 보쌈해서 나가 버리든가 해야지.'

'하루니까 제정신이죠. 내일도 이렇게는 못 삽니다, 저.'

그런 말을 하는 마음이 영 이해가 안 되는 건 아니었다.

"나도 그랬지……."

강 회장은 고개를 끄덕이며 자리에서 일어났다.

"정말 그놈이 날 닮아 가는 겐가……."

불 꺼진 방을 조심조심 빠져나온 강 회장은 주방으로 걸음을 옮겼다. 그런데 어째 주방에서 불빛이 새어 나오고 있었다. 불빛뿐이 아니었다. 솔솔 음식 냄새도 희미하게 새어 나오는 듯했다.

누가 이 야심한 시간에 주방을 쓰는 게지?

강 회장은 자정을 가리키는 손목시계를 확인하고 고개를 갸웃거렸다. 그때 누군가의 목소리가 들려왔다.

"너 진짜 잘할 수 있겠어?"

작은 목소리였지만 이다의 목소리라는 건 확실히 알 수 있었다. 강 회장은 슬그머니 발소리를 낮추어 주방으로 다가갔다. 그사이 찬재의 목소리가 났다.

"뭐야, 설마 내가 라면 하나 못 끓일까 봐?"

"요리 한 번도 안 해 봤다면서."

"라면이 요리냐?"

"그럼 라면은 해 봤다는 거야?"

"아니."

찬재가 당당한 말투로 대답했다. 주방 입구를 바로 코앞에 둔 채 강 회장은 걸음을 멈췄다. 그리고 빠끔 얼굴을 들이밀어 주방을 훔쳐봤다.

"어떻게 라면 한번 안 끓이고 살 수 있지?"

식탁에 앉은 이다가 노트에 무언가를 써 나가며 신기한 듯 말했다. 찬재는 그녀를 등지고 가스레인지 앞에 서서 라면 봉지를 살펴보고 있었다.

"너한테 처음 끓여 주려고, 여태 안 끓이고 살았지."

찬재는 아주 당연하다는 듯이 주장했다.

무슨 말 같지 않은 소리가 들린 것 같은데…….

강 회장은 귀를 의심하며 눈썹을 일그러뜨렸다.

"난 처음 아니어도 상관없어. 맛만 좋으면 돼."

이다가 필기를 계속하며 대꾸했다. 책을 펼쳐 놓고 내용을 베껴 쓰는 듯한 손놀림이 놀랍도록 빨랐다.

저 물건은 대체 뭘 하느라 저러고 있어?

대체 무슨 책을 베끼는 건지, 강 회장은 궁금해서 집요한 시선으로 책을 응시했다. 그런데 벌써 요리를 마친 찬재가 라면 냄비를 들고 식탁으로 건너왔다.

"맛이 없을 리가 있나. 너 먹인다고 최고급 미네랄워터 써서 만든 라면인데."

"무슨 라면에 미네랄워터야."

이다는 못 말린단 투로 찬재를 향해 피식 웃었다.

"이제 책 덮고, 라면 먹자."

"알았어."

이다가 책을 덮고 옆으로 미는 사이 찬재는 냄비를 내려놓고 라면을 그릇에 덜어 담았다.

"근데 너 손 괜찮아? 계속 필사하느라 손가락 아플 텐데."

"이 정도는 괜찮아."

이다는 오래 펜을 쥐고 있느라 자국이 남아 버린 손가락을 슬쩍 훑어보며 말했다.

"아니, 내가 안 괜찮다."

찬재가 단호하게 말하면서 이다의 옆자리로 가 앉았다. 그리고 라면이 담긴 그릇과 젓가락을 들고 이어 말했다.

"넌 가만히 있어. 내가 먹여 줄게."

경악에 찬 강 회장의 입이 떡 벌어졌다.

"그럴까?"

이다는 딱히 힘들 것도 없다는 듯 담담하게 반응했다. 그리고 찬재가 내민 라면 한 젓가락을 입에 호로록 받아먹었다. 찬재는 오물오물 라면을 씹는 이다를 빤히 지켜봤다. 잠시 후 입을 비운 이다가 신기해하는 표정으로 찬재를 마주 봤다.

"요리 처음이라고 하지 않았어?"

"맞아, 처음이야."

찬재가 어깨를 으쓱하며 자신만만하게 대답했다.

"와……. 그렇다고 이렇게까지 못해……?"

이다는 정말이지 놀라워서 혀를 내둘렀다. 그러자 찬재의 눈동자가 충격에 흔들거렸다.

"너 지금 장난하는 거지?"

"장난이 아니라."

이다는 그릇에 놓인 라면으로 시선을 내렸다.

"야……. 진짜 장난이 아니다. 어떻게 라면에서 이런 맛이 나?"

"뭐?"

"나 이렇게 맛없는 라면 처음 먹어 봐. 국물은 싱겁고 면은 흐물흐물해."

신랄한 맛 평가에 찬재는 인상을 썼다.

"농담이 리얼하네."

찬재는 믿을 수가 없단 듯이 라면 한 젓가락을 입에 넣었다.

우물우물, 우물우물.

천천히 씹다 삼키고서 찬재는 한숨을 내뱉었다.

진짜 더럽게 맛없네…….

"물을 잘못 썼나? 너무 많이 넣었거나, 너무 특이한 걸 넣었거나."

"아냐. 내가 너를 잘못 썼지."

이다는 겸허하게 반성하는 표정으로 고개를 끄덕였다.

"넌 요리에 쓸 남자가 아니란 거, 이제야 깨달았다. 실패를 통한 배움은 값진 거야."

"처음이라 그래. 요리는 처음 해 봐서."

"밤일은 처음 아니라서 잘했나 봐?"

이다는 대수롭지 않은 투로 질문하며 라면에 젓가락을 들이댔다. 버릴 수는 없으니까, 그냥 먹어야지. 그런데 별 뜻 없는 이다의 말에 찬재는 움찔 굳었다.

"야, 넌 뭐!"

발끈하는 목소리에 이다는 의아한 눈빛으로 찬재를 봤다. 얼굴이 새빨개진 찬재가 벌떡 자리에서 일어났다.

"뭐 그딴 걸 계속 먹으려고 그래! 맛도 없는데. 일어나! 그냥 나가서 먹어. 맛있는 거 사 줄 테니까."

찬재는 괜히 씩씩거리면서 이다의 팔을 붙잡았다.

"난 이거 먹어도 괜찮은데."

"내가 안 괜찮아! 내가!"

버럭버럭 화제를 전환하면서 찬재는 이다의 어깨를 안다시피 해 일으켜 세웠다.

"지금 12시도 넘었는데. 사 주긴 뭘 사 줘?"

"찾아보면 24시간 운영하는 식당 많아."

"됐어, 이동 시간 아까워. 나 공부할 거 많으니까, 그냥 여기서 먹고 방으로 갈래."

"그럼 기다려. 내가 맛있는 거 사 올 테니까."

"……그냥 이거 먹으면 안 돼?"

"맛없다면서."

"맛없는 게 나아. 너 없는 거보단."

이다는 단호하게 대꾸했다. 이어 이다의 입술이 살짝 찬재의 입가에 닿았다가 떨어졌다. 그러자 찬재의 입꼬리가 귀에까지 올라갔다.

"나 없으면 싫기는 해?"

"당연하지."

"안 그래 보이던데. 등산도 나 빼고 가고, 진 선생 수업도 안 빼고 듣고. 수업 끝나자마자 계속 책 붙잡고 공부하고."

"너 붙잡고 평생 안 놓을 준비 하는 거야."

똑 부러지는 눈빛으로 말하면서 이다는 찬재의 허리를 꽉 붙들어 안았다.

"뭘 그렇게까지 해. 네가 안 잡아도, 내가 평생 붙어 있을 텐데."

찬재는 다정하게 허리를 마주 안으면서 눈을 보고 말했다.

"준비해서 나쁠 거 없잖아? 안 하는 것보다 더 좋기만 하지."

"나쁠 게 왜 없어? 매일 그렇게 살면 몸 축나고 힘 다 빠지는데."

"힘 안 빠져. 더 생기지."

"힘이 더 생긴다고?"

찬재는 이게 무슨 소린가 싶어 되물었다.

"진 선생님 수업 받는 거, 머리 아프기는 한데. 이거 꼭 그 느낌 같아. 머릿속에서 안 쓰던 근육 쓰니까, 뇌가 쪼개지는 것처럼 근육통 오는 거. 근데 근육통 오고 나면 근육 생기는 거잖아. 근육 생기면 그만큼 힘 더 생기는 거고."

"머리에 힘 더 생겨서 좋단 얘기야?"

"그렇지, 그거지."

이다는 참 잘했어요, 도장 찍듯 찬재의 입술에 입술을 눌렀다. 그런 다음 다시 찬재의 눈을 보며 덧붙였다.

"나 학교 다닐 때는 공부 시간 아깝다고 생각했었거든. 그 시간에 빨리빨리 돈 벌어 두자는 게 내 선택이었는데. 이렇게 돈 신경 안 쓰고 공부에만 집중할 수 있게 되니까, 공부 시간 하나도 안 아까워. 머리 좋아지는 기분이라 기분도 좋고."

정말 피곤하지도 않은 건지, 이다의 눈동자가 초롱초롱 빛을 냈다. 보는 사람까지 기분 좋게 하는, 기분 좋은 눈빛이었다.

"네가 이렇게 좋다는데, 내가 어떻게 말리겠냐?"

찬재는 웃는 얼굴로 졌다는 듯 두 손을 들어 보였다. 이다는 그런 찬재의 두 손에 자신의 두 손을 착 마주쳤다. 손뼉이 마주치는 소리가 시원스러웠다.

"안 말리길 잘했단 거 보여 줄게."

이다는 찬재와 손바닥을 맞붙인 채 장담했다.

"이미 잘했다고 생각 중이야."

찬재가 이다의 손가락 사이사이로 손가락을 채워 넣었다.

"그러니까 그거 대신, 나 사랑한다는 거 보여 줘."

"그건 계속 보여 주고 있는데?"

"수위가 낮잖아."

의미심장하게 대답한 찬재가 이다와 입술을 마주쳤다. 얼마만큼을 원하는지, 몸소 제대로 설명하는 진한 키스가 이어졌다. 어깨로, 허리로, 여기저기 온몸으로 찬재의 크고 뜨거운 손이 휩쓸고 다녔다. 이다는 찬재의 손길에 정신마저 휩쓸린 듯 눈을 감았다.

얼마 후 다시 눈을 떴을 때, 이다는 자신이 식탁 위에 앉아 있다는 걸 깨달았다. 찬재는 그런 이다의 앞에 선 채 그녀의 목에 입술을 파묻었다.

“이거 청소년 관람 불가 같은데.”

“당연하지.”

“그 버전 여기선 좀 그렇지 않아?”

“여기 청소년도 없는데, 개들 배려를 왜 해?”

“네 애비가 있다, 이 자식아!”

순간 참지 못한 강 회장이 버럭 소리쳤다.

* * *

부들부들, 부들부들.

몇 시간이 훌쩍 지난 새벽 등산 시간임에도 강 회장은 열불이 식지 않아 두 주먹을 떨었다. 선 캡으로 가린 얼굴이 마치 벌써 산 정상에라도 오른 양 불긋불긋했다.

고얀 것들, 어디 식탁에서!

지난밤을 상기하며 어금니를 꽉 무는데, 곁에서 이다의 목소리가 들렸다.

“아버님, 어제 무리하시다가 쓰러지기까지 하셨는데. 오늘은 천천히 오르시는 게 좋지 않을까요?”

이다의 표정은 아무 일도 없었던 사람처럼 태연했다.

“너 몇 시간 전에 내 앞에서 못 볼 꼴 보여 놓고, 그새 까먹었냐? 치매 왔어? 어찌 이리 아무렇지가 않아, 그래?”

“몇 시간 전이라면, 주방에서 아버님이 화내셨던 그 일 말씀이신가요?”

"오호라! 기억이 있으면서, 염치가 없는 겐가?"

강 회장은 기막히고 괘씸한 눈초리로 이다를 흘겨봤다.

"아직 화가 나 계실 줄은 몰랐어요."

이다는 머쓱해져 뺨을 긁적였다.

"내가 그때 찬재 그놈 개소리, 더 듣기 남세스러워서 관두자고 했다만! 그렇다고 너 이렇게 다 끝난 얘기인 양 뻔뻔하면 안 되는 거지! 차마 너는 나 볼 낯이 없어야지 정상인 거지!"

"아버님, 저는 찬재 씨가 한 말이 개소리는 아닌 것 같아서요."

"뭐야?"

"아버님 계신 줄 모르고 그런 모습 보여 드린 거, 민망하고 죄송스럽지만. 사랑하는 사이에 그런 행동 했다는 게 비난 받을 일은 아닌 것 같아요."

"……."

"물론 아버님 계신 집에서 그런 행동을 할 땐 좀 더 주의를 기울였어야 하는데. 부주의했던 점 사과드립니다. 다음부턴 주위를 잘 살펴보도록 하겠습니다."

"살펴봐 가면서 또 하겠다는 얘기냐?"

"안 할 수는 없으니까요."

이다는 빙긋 미소를 지었다.

"꼴값들을 쌍쌍이 쌍값으로 하고 있네!"

"식탁에선 절대 안 할게요."

선서하듯 오른손을 척 들어 보이면서 이다는 엄숙하게 맹세했다.

"어이구, 진짜……."

강 회장은 못 말린단 투로 한숨을 내쉬었다. 그러고는 잠시 생각하다 질문을 던졌다.

"너 도대체 내 아들한테 뭔 짓을 한 게야?"

"예?"

"대체 무슨 짓을 해서 그놈 그런 팔불출을 만들어 놨어?"

이다는 곰곰 기억을 되짚어 봤다.

내가 무슨 짓을 했더라?

"음……. 이거 저도 궁금해지는데요?"

"뭐?"

"찬재 씨는 언제부터 마음이 바뀐 걸까요?"

"……."

"처음에는 싫어 죽겠다는 마음 같았는데. 언제부터 좋아하게 된 건지 잘 모르겠어요. 저는 딱히 마음에 들 행동을 한 것 같진 않거든요."

"넌 그냥 가만히만 있었는데. 저놈 혼자 홱 돌아서 좋아 날뛴 거다, 이 말이야?"

강 회장은 자존심이 상한 얼굴로 따지듯이 물었다. 그러자 이다는 우뚝 걸음을 멈추었다. 그리고 좀 더 집중해서 기억을 되새겨 봤다.

강찬재가 반했을 법한 순간이라…….

'젠장, 내 코피를 터뜨린 여잔 네가 처음이야.'

혹시 그때인가?

"저 때문에 찬재 씨가 코피 흘린 적이 있는데. 설마 그때였을까요?"

"코…… 피? 아니, 그, 그놈이 그걸 왜……."

강 회장은 당황한 눈빛이었다.

"그게 그러니까 어떤 상황이었냐 하면요. 음……. 결혼식 때 갈등이 좀 있었는데. 거기서부터 차례대로 설명을 드리는 게 아버님 이해하시기 편하실 것 같아요."

"그럼 올라가는 동안, 어디 한번 쫙 늘어놔 봐."

도대체 이 물건 어디에 그렇게 반했는지. 궁금한 마음에 강 회장은 고개를 끄덕였다. 그리고 산 위를 향해 발걸음을 옮겼다. 이다는 강 회장의 곁에 어깨를 나란히 하며 이야기를 시작했다.

"제가 결혼식 날 찬재 씨한테 그랬었어요. 사랑해서 하는 결혼 아니니까, 남들 안 보는 데선 스킨십 안 하겠다고."

"뭐야?"

"아버님도 아시다시피 전 1년짜리 대타 신부였는데. 부인이 가짜란 거 모르는 찬재 씨, 제가 몸까지 가지고 놀면 안 되는 거잖아요. 돈이 걸려 있으니까 이름 속이는 건 어쩔 수 없지만, 몸까지 가지지는 말자 싶었어요."

"뭐……. 그야 그렇지……."

사기 치는 와중에 양심이 아예 없진 않았군.

"근데 그것 때문에 찬재 씨는 화가 많이 났었나 봐요. 내가 하날 잃었으니, 너도 하날 잃어야 한다면서 신혼 여행지를 저 몰래 바꿨는데. 그게 하필 뉴욕이었어요."

"그게 그래서였나?"

싸웠단 건 알고 있었지만, 이런 이유에서였다니.

강 회장은 비로소 드러나는 전말에 귀를 쫑긋 세웠다.

"예. 뉴욕 공항에서 지문 조회를 하게 되면, 제 정체가 탄로 날 테니까. 저는 비행기에 탈 수가 없었어요."

지문 조회만 아니었어도, 한번 가 보는 건데.

새삼 아깝다는 생각이 들어 이다는 쩝, 입맛을 다셨다.

"그래, 그런 이유가 있었구먼."

강 회장은 이제야 좀 이해가 간다는 듯 고개를 끄덕거렸다.

"아니, 네가 비행기 못 탄 이유야 그렇다 치고. 찬재 놈은 뭐 한다고 뉴욕 찍자마자 한국으로 기어들어 왔던 게야?"

"저한테 엿 주려고요."

"엿?"

"떡이라고 해야 하나……."

"떡?"

"날 그렇게 날려 보내 놓고, 혼자 두 다리 뻗게 둘 줄 알았냐. 그러면서 달려들더라고요. 난데없이 나타나서는."

"달려들어? 너한테?"

아버님께 침대에서 덮쳤다고 말할 수는 없는 노릇이니까. 이다는 달려들었다는 대강 뭉뚱그린 표현에 고개를 끄덕였다.

"그때 제가 머리로 들이받는 바람에……. 그래서 코피가……."

가슴에 불 질러서 터진 코피인 줄 알았더니. 머리에 맞아서 터진 코피였어? 강 회장은 어처구니가 없어 걸음을 멈췄다.

"넌 그렇게 터진 코피가 사랑의 시작일 성싶냐?"

"내 코피를 터뜨린 여잔 네가 처음이라 했었거든요. 내 뺨을 때린 여잔 네가 처음이다, 그러면서 시작하는 사랑도 있으니까. 어쩌면?"

"내 아들이 변태냐? 맞으면서 사랑 느끼게?"

강 회장은 기도 안 찬다는 듯이 홱 고개를 돌리고서 전진했다.

"그럼 언제지……."

이다는 고개를 갸웃거리며 강 회장을 따라 움직였다.

"그렇게들 싸웠으면 일관성 있게 살 것이지. 어쩌다 이렇게들 변해 가지고."

불평하던 강 회장이 고개 돌려 찌릿 이다에게 눈총을 쏘았다.

"그래서 그다음에 어떻게 됐는데?"

"예?"

"코피 나고, 그다음 얘기 쭉 늘어놔 봐."

대체 그렇게들 싸워 대던 녀석들이 뭐 어쩌다 눈이 맞은 겐지.

강 회장은 궁금해져 못 참겠는 마음으로 뒷얘기를 기다렸다. 아무래도 긴 이야기가 될 것 같아 이다는 목청을 가다듬었다.

등산로 입구 주변 주차장, 찬재는 주차해 둔 차 안 운전석에 앉아 있었다. 긴 기다림 끝에 강 회장과 이다가 나타나자 찬재는 냉큼 차를 나섰다. 그런데 어째 두 사람의 분위기가 예사롭지 않았다.

"거기서 최서한이 저한테 고백을 하더라고요. 실은 내가 혜주 널 사랑했다, 네 남편 보는 거 괴롭다."

"뭐여, 그놈! 그놈 너 혜주 아닌 거, 빤히 알았을 것 아냐? 근데 왜 그딴 소리를 해!"

"그 핑계로 우리 다신 보지 말자고 밑밥 깐 거죠. 근데 최서한이 그러고 방에서 나가는데, 하필 문 앞에 딱 찬재 씨가 서 있는 거예요."

"아니, 아니, 그래서? 그래서?"

조곤조곤 맛깔나게 이야기를 들려주는 이다와 거기 푹 빠져 버린 강 회장. 두 사람의 분위기는 전에 없이 평화롭고 사이좋게 보였다.

이게 대체 무슨 조화인지.

찬재는 신기한 눈으로 둘을 지켜봤다.

"그래서……."

말을 하려다 말고 이다는 찬재와 눈을 마주쳤다.

"오늘 얘기는 여기까지 하겠습니다, 아버님."

"아, 왜!"

"제 남자 주인공 앞에서는 얘기가 솔직하게 못 나올 것 같아서요."

이다는 찬재를 향해 싱긋 웃으면서 말했다. 그러자 강 회장의 시선도 찬재에게로 옮겨졌다. 강 회장은 몹시도 괘씸한 눈초리로 찬재를 흘겨봤다.

"다음 이야기는 내일 이 시간에 들려드릴게요."

이다의 덧붙임에 강 회장은 콧방귀를 흥! 뀌었다.

"에잇! 꼴도 보기 싫은 것들."

강 회장은 성난 발걸음으로 두 사람을 뒤로한 채 먼저 차 안으로 들어가 버렸다.

* * *

진 선생과의 수업 두 번째 날, 이다는 첫날보다 한결 머릿속이 유연해진 기분이었다. 이틀 동안 혜주에 관한 정보를 모두 외웠던

때처럼, 지난밤 수업 교재를 밤새 달달 외운 덕분 같았다. 진 선생 역시 설명을 알아듣는 이다의 이해도가 불과 하루 사이 확연히 높아진 것을 느꼈다. 덕분에 수업은 더욱 빠르게 진행되었다.

일과를 마친 늦은 밤, 이다는 방으로 돌아왔고 찬재와 책상에 나란히 앉았다. 넓은 책상 위에 이다는 책을 펼쳤고 찬재는 준비해 둔 스테이크를 접시째 올렸다. 이다가 책을 훑으며 수업 후기를 들려주는 사이, 찬재는 스테이크를 썰었다.

"진 선생이 그럴 리가 없는데……."

간단한 후기가 끝났을 때 찬재는 고개를 갸웃거렸다.

"정말 그 입에서 무시, 조롱, 비꼬기. 셋 중 아무것도 안 나왔어?"

"응, 그렇다니까."

"신기하네."

찬재는 스테이크 조각을 포크로 찍어 이다에게 내밀었다. 이다는 손을 쓸 필요도 없이 스테이크를 입에 삼켰다. 그러는 사이 이다의 시선은 책에만 꽂혀 있었다.

"근데 너 너무 무리하는 거 아닌가?"

찬재가 다시 스테이크 조각을 썰며 물었다.

"무리다 싶어지면 말할게. 지금은 아냐."

"믿어도 돼?"

"나 그렇게 약하지 않다."

살짝 정색하는 이다의 입술로 찬재는 스테이크 조각을 내밀었다.

"알았다. 일단 믿는다, 너."

"네 덕분에 야식 충전하고, 푹 잘 거니까. 걱정 말고 나 이거 다 먹으면 네 방으로 가."

"야, 나 그냥 여기서 잘 수 없어?"

"안 돼. 나 요즘 뇌가 예민해져서 누구 옆에 있으면 잠 못 잘 거 같아."

이다는 단호하게 핑계를 댔다. 밤새 공부하겠다는 계획을 찬재가 알아 봐야 말리기만 할 테니까. 찬재는 내키지 않는 표정이었지만, 하는 수 없다는 듯 한숨을 내쉬었다.

다음 날 새벽, 강 회장은 어김없이 산에 오르려 집을 나섰다. 이다와 찬재 역시 마찬가지였다. 세 사람은 대문을 빠져나와 승용차 앞에 다다랐다. 찬재는 자연스레 운전석에 올라타 시동을 걸었다. 이다는 조수석에 앉아 안전벨트를 맸다.

"아들놈아, 내 모자 좀 가져와 봐."

강 회장은 뒷좌석에 앉아 찬재에게 말을 걸었다.

"모자요?"

"방에 두고 온 모양인데. 네가 후딱 가지고 와."

"어제 쓰셨던 그 모자 말씀이죠?"

"그래."

"그러죠, 뭐."

딱히 어려울 것도 없는 일이라 찬재는 가볍게 문을 열고 차를 빠져나갔다. 강 회장은 성큼성큼 대문으로 들어가는 찬재의 뒷모습을 예리하게 주시했다. 대문 너머로 찬재의 모습이 완전히 사라졌을 때, 강 회장은 후다닥 차 문을 열고 나갔다.

왜 저러시지?

이다가 의아해하는 사이 강 회장은 금세 운전석에 자리를 잡고 앉아 문을 닫았다.

"아버님?"

강 회장은 재빨리 핸들을 잡고 운전을 시작했다. 부릉, 소리와 함께 차가 출발했다.

"저기, 찬재 씨는요? 찬재 씨 아직 안 탔는데……."

"운전은 내가 할 테니까, 넌 얘기나 해."

"예?"

"찬재 놈 있는 데선 얘기 못 한다면서? 여기 그놈 없으니까, 어제 하던 얘기, 당장 계속해 봐. 너 내가 오늘 이 시간을 얼마나 기다린 줄 알기나 해?"

강 회장의 독촉에 이다는 기억을 되살렸다.

어제 얘기라…….

'거기서 최서한이 저한테 고백을 하더라고요. 실은 내가 혜주 널 사랑했다, 네 남편 보는 거 괴롭다.'

'뭐여, 그놈! 그놈 너 혜주 아닌 거, 빤히 알았을 것 아냐? 근데 왜 그딴 소리를 해!'

'그 핑계로 우리 다신 보지 말자고 밑밥 깐 거죠. 근데 최서한이 그러고 방에서 나가는데, 하필 문 앞에 딱 찬재 씨가 서 있는 거예요.'

'아니, 아니, 그래서? 그래서?'

아하, 거기까지 했었지. 이다는 고개를 끄덕였다.

뭐……. 하긴 강찬재는 출근도 해야 하는데. 아침잠 좀 더 자게 두고 가는 편이 낫겠지.

"그러니까 그때부터 무슨 일이 있었냐 하면요."

밤을 설치도록 궁금해한 뒷이야기가 시작되자, 강 회장은 마른침을 꼴깍 삼키면서 귀를 기울였다.

* * *

세상천지에 호구도 그런 호구가 또 있을까?

이다가 들려주는 두 사람의 이야기는 들을수록 기가 막힌 가관이었다.

다른 남자 있다는데, 양다리를 추천하질 않나. 신분 속여 결혼했다는데, 십 리도 못 가고 용서했다질 않나. 대체 내 아들놈이 왜 그렇게까지 목을 매는 상대인 건지.

볼수록 나쁘지 않은 물건이라는 건 어림짐작하는 바였지만, 그렇다고 그렇게까지 죽자 사자 매달릴 물건인가? 그렇게나 치명적이냐? 이 물건 매력이?

강 회장은 서이다의 매력을 전혀 인정하고 싶지 않았다. 그러니 모를 일이라고만 생각했다. 그러나 이거 하나는 인정하는 수밖에 없었다.

이 물건 말재주는 진짜 물건이구나.

하루하루 드라마를 챙겨 보듯이, 매일 새벽 이다의 이야기에 빠져 지내느라 강 회장은 시간 가는 줄을 몰랐다. 그러다 보니 어느새 5일이 지나 있었다. 이다가 강 회장의 저택에서 생활한 지는 일주일째였다.

"그래, 이제 좀 가닥이 잡히는가?"

저녁 식전, 안방에서 진 선생과 마주 앉은 강 회장이 질문을 건넸다.

"예, 뭐 대충은요."

"그럼 어디 한번 말해 보게. 저 물건, 쓸 만한 밥통인가?"

"쓸 만은 한데. 회장님 며느릿감으로는 아닙니다."

"허어……."

"회장님이 원하는 며느릿감. 다시 말해 회장님 아들 내조할 여자. 그거 시키기엔 저 친구가 너무 아깝지요. 회장님 아들에 비하자면."

"……뭐?"

뜻밖의 반전에 강 회장은 눈을 껌뻑였다.

"제가 회장님이라면, 며느리 아니라 브레인으로 삼을 겁니다."

"브레인?"

"책사 말이지요."

진 선생은 무뚝뚝한 표정이었지만, 눈빛에는 확신이 차 있었다.

"과장 조금 보태자면, 회장님 다섯 아들 다 합쳐도 저 친구가 낫습니다."

"저 물건이……? 대체 어디가?"

"Input 대비 output이 월등히 좋은 친굽니다. 모래를 넣으면 금이 나올 자판기라고 봐야겠지요."

"……."

"가성비, 환금성. 아주 좋습니다. 저런 제자라면 돈 안 받고도 가르치고 싶군요. 가르칠 맛이 납니다."

"정…… 말인가?"

"막내 아드님 꼴통이라고 했던 접니다. 회장님 속이고 사실 왜곡하고, 그러지 않습니다."

하기야……. 목에 칼이 들어와도 마음에 없는 말은 안 할 성격이지.

그럼 저 말이 다 사실이란 얘기인데…….

강 회장은 생각지도 못한 상황에 선뜻 적응이 되질 않아 미간을 좁혔다.

진 선생 입에서 저런 호평이 나오다니…….

이다는 저녁 식사가 차려진 주방 식탁에 홀로 앉았다. 넓은 식탁에 놓인 여러 반찬을 흥미진진한 눈빛으로 살펴보는데, 실내복으로 옷을 갈아입은 찬재가 들어왔다.

"너 입술에 뭐야, 그거?"

찬재는 이다의 옆자리에 앉자마자 입술을 빤히 보며 물었다.

"아, 이거? 좀 간지럽긴 한데 별거 아냐."

"어디 봐 봐."

찬재는 이다의 아랫입술에 난 작은 물집들에 눈을 가까이 들이댔다.

"근데 너 눈 되게 좋다. 이게 눈에 보여?"

"안 보일 리 있나? 눈 감고도 그릴 수 있는 얼굴에, 전에 없던 게 생겼는데."

대답하며 찬재는 눈살을 찡그렸다.

"이거 전에 생긴 적 있는데, 며칠 안 가. 저절로 없어지는 거니까, 신경 쓰지 마."

"너무 무리해서 몸에 이상 온 거 아니고? 야, 너 잠을 자긴 하는 거야?"

"응."

자긴 하지. 가끔 한두 시간 정도는.

이다는 대수롭지 않게 생각하며 고개를 끄덕였다. 그러자 찬재가 또다시 질문을 던졌다.

"몇 시간?"

"……."

"몇 시간 자는 건데?"

"그때그때 달라. 대중없어."

"아예 안 잘 때도 있나 보지?"

찬재는 집요한 눈빛으로 예리하게 캐물었다. 그리고 이다의 얼굴을 두 손으로 감싸 잡아 눈앞에 눈을 들이댔다. 순간 이다는 찔리는 마음에 눈을 깜빡거렸다.

"여기 눈 빨간 거 봐라. 이게 어디 제대로 자는 사람 눈이냐?"

"평소보다 덜 자는 건 사실이지. 근데 무리라고 느낄 정도는 아냐."

"무리라고 느끼는 감각 자체가 마비된 건 아니고?"

"뭐래."

이다는 어이없다는 듯 피식 웃었다. 그때 한 씨가 주방으로 들어섰다.

"회장님은 진 선생님하고 얘기가 길어지실 모양이네요. 두 분 식사는 안방으로 가져다 드릴 테니까. 기다릴 거 없이 식사 시작해요들."

얘기가 길어진다? 왜지?

찬재와 이다는 궁금해진 얼굴로 한 씨를 봤다.

"안방 분위기는 좋던가요?"

"글쎄요?"

상황을 떠보려는 찬재의 질문에 한 씨는 그저 웃으며 반문했다. 그리고 더 할 말은 없단 듯이 쪼르르 두 사람을 지나쳐 조리대로 향했다. 두 사람은 잠시 그녀를 바라보다 서로에게로 시선을 옮겼다.

"뭘까? 무슨 얘기지?"

"일단 밥 빨리 먹고, 방에 가서 한숨 자고 있어. 두 분 무슨 얘기 나누셨는지는, 내가 알아볼 테니까."

이다의 질문에 찬재는 듬직하게 대답했다. 때마침 그들에게 다가온 한 씨가 그들 앞에 밥그릇을 내려놓았다. 알겠다는 대답을 할 정신도 없이, 이다는 재빨리 수저를 들었다. 그리고 누가 쫓아오기라도 하는 듯이 푹푹 밥과 반찬을 떠 입에 옮겨 넣었다. 그게 대답이나 다름없으니까. 찬재는 그저 흐뭇한 미소로 이다를 지켜봤다.

* * *

저녁 식사 이후, 진 선생과 이다의 수업은 평소처럼 이어졌다. 그러나 그 수업이 다 끝날 때까지 강 회장은 찬재를 방 앞에 세워 두기만 했다. 방문을 굳게 걸어 잠근 채 그야말로 문전 박대를 했다. 수업을 마친 진 선생을 공략하려 해 봤지만, 그 또한 입을 꾹 다물고 문을 꼭 닫아 버릴 뿐이었다.

대체 두 사람이 무슨 얘길 나눴는지, 알 수 없는 상황에서 이다는 아예 호기심을 지워 버렸다. 할 수 없는 일에 집착하지 말고, 할 수 있는 일에 전념하자. 이다는 그렇게 다짐하며 방으로 돌아왔다. 찬재에게는 바로 잠을 청할 거라 약속했지만, 문을 걸어 잠근 이다가 향한 곳은 침대가 아닌 책상이었다.

책상에 앉은 이다는 오른손 엄지와 중지에 붕대를 감았다. 찬재 앞에서는 보인 적이 없었지만, 지난 며칠 동안 수업과 자습 시간마다 감아 둔 터라 붕대를 감는 손동작은 능숙했다. 붕대가 고정되게 테이프로 마무리를 한 뒤, 이다는 펜을 잡고 책과 노트를 펼쳤다. 필기를 시작하자 손가락의 통증도 시작되었다. 그러나 붕대를 감지 않았을 때보다는 통증이 덜했다.

이다는 사이사이 끼어드는 잡생각을 무시하며 손을 놀리고 정신을 집중했다. 그러나 무의식중에 마음은 싱숭생숭했던 건지, 오늘따라 잠은 오질 않았다. 몇 시간 뒤 새벽 등산 시간이 다가왔을 때에도 이다는 깨어 있었다.

반면 찬재는 두 다리를 쭉 뻗고서 잠이 들어 있었다. 바로 강 회장의 안방 문 앞에서, 이부자리를 깔고 온몸을 크게 펼쳐 누운 채.

"아이구야!"

막 잠에서 깨 방을 빠져나오던 강 회장은 찬재를 발견하고 화들짝 놀라 비명을 터뜨렸다. 그 소리에 찬재는 눈을 번쩍 뜨고 허리를 일으켜 앉았다.

"아버지, 잘 주무셨습니까?"

"이 자식이, 왜 여기 자빠져 있어!"

"엎어지면 코 닿을 곳에 있어야, 아버지 코빼기라도 볼 것 같아서요."

태연하게 대답하고서 찬재는 강 회장의 바짓가랑이를 덥석 잡았다.

"뭐, 뭐 하는 짓거리야!"

"아버지야말로 어젯밤부터 대체 뭐 하시는 겁니까? 진 선생하고 무슨 작당이라도 하셨습니까? 왜 두 사람만 쑥덕쑥덕하고, 저희 두 명 인간 취급합니까? 왜요? 이다 너무 잘 견디니까, 이대로는 안 되겠다 싶으세요? 더 강력하게 괴롭혀 줄 방법 없나, 머리 맞대고 작전 짜셨어요?"

"놔, 인마! 애비 뒷간 가야 돼!"

강 회장은 다리에 붙은 찬재의 팔을 잡아떼어 내려 했다. 그러나 찬재는 꿈쩍을 하지 않고 입술만 움직였다.

"아버지, 저희 그만 방해하시고 그냥 사랑하게 해 주시죠! 제발!"

쩌렁쩌렁 우렁찬 목소리와 달리 찬재의 표정은 간절했다. 정말이지 마음 같아서는 벌써 수백 번도 더 이다 안고 뛰쳐나갔을 텐데. 버티겠다 고집하는 이다 때문에 그럴 수도 없고. 환장도 이런 환장이 없었다.

"글쎄 놓으래도!"

"무슨 방법 쓰셔도 이다는 잘 버티겠지만, 그 꼴 제가 못 버팁니다. 저 진짜 이러다 죽을 것 같습니다!"

찬재는 바짓가랑이를 아예 두 팔로 꽉 안고 사정했다. 그러자 강 회장은 움찔하며 오만상을 일그러뜨렸다.

화, 화장실…….

급한 용무가 더욱 급해지는 감각이 온몸으로 번졌다.

"이, 이거 안 놔? 놔, 이 자식아!"

긴박하고 절박해진 강 회장이 냅다 찬재의 머리채를 휘어잡았다. 찬재는 떨어지지 않으려고 더 꽉 강 회장의 다리를 껴안았다.

"아버지부터 제 부탁 들어주십시오. 그럼 저도 그러겠습니다."

"이놈이!"

강 회장은 움켜쥔 머리칼을 힘껏 뒤흔들었다. 그러나 찬재는 이를 악물고 버텼다.

하마터면 큰일 볼 뻔했어.

강 회장은 아찔한 기억에 진저리를 쳤다. 아들놈은 바짓가랑이 잡고, 애비는 머리끄덩이 잡고. 새벽 댓바람부터 부자가 생 쇼하는 꼴을 이다에게 보이고 말았었지만, 강 회장은 창피한 마음보다 안도하는 마음이 앞섰다.

저 물건이 말렸으니 찬재 놈이 말을 들어 먹은 게지.

강 회장은 힐끗 고개 돌려 이다를 봤다. 이다는 강 회장의 옆에서 함께 산을 오르고 있었다. 아까 일은 기억에도 없는 것처럼 담담한 얼굴이었다. 어제 일이, 진 선생과의 대화 내용이 궁금하지도 않은 눈치였다. 이다는 그저 묵묵히 돌계단을 밟아 올라갔다.

'저라면 저 친구 가치, 누가 알아채기 전에 먼저 내 식구로 선점할 겁니다.'

강 회장은 진 선생의 조언을 떠올렸다. 진 선생이 긴 시간 늘어놓은 칭찬들도 차례차례 떠올랐다.

기대 이상이야……. 상상 이상이지. 체력 좋고, 근성 좋고, 말재주 환상이고. 내 아들놈이 좋아 죽어 환장이고.

제 눈으로 확인한 장점까지 더해 보니, 강 회장은 대체 내가 얘를 왜 반대하고 있는지 잠시 헷갈리는 지경이었다.

'뭐, 확실히 쓸 만한 물건인 건 맞아……. 그렇지만 진 선생, 내 그 녀석들 괘씸한 거 생각하면, 이렇게 빨리, 쉽게 허락은 못 해 주네. 내 그놈들 때문에 얼마나 기절초풍했었는지. 다시 생각해도 이가 갈려.'

'그 점, 충분히 이해합니다.'

'그러니까 내가 됐다고 할 때까진 자네도 내색하지 말게. 내 이 녀석들 고생 좀 더 시켜야겠으니까.'

강 회장은 어제의 대화를 곱씹으며 생각을 가다듬었다.

그래, 헷갈릴 거 없다. 이 물건이 어떤 물건이건, 어쨌든 이 물건이 한 일만큼 혼은 나야 쓰지.

아직 나는 반댈세, 반대야.

단호하게 생각하는 반면, 입꼬리는 슬쩍슬쩍 올라가려 씰룩거렸다.

이다 이 녀석은 척척 잘 버틸 거 빤한 일이고. 찬재 고 녀석만 아주 죽어나겠군. 애비 속을 그렇게 썩이더니. 쌤통이지, 쌤통이야.

사실상 이다가 아닌 찬재를 겨냥하는 작전이기에 강 회장은 벌써 고소한 맛이 느껴지는 듯했다. 그런 그의 옆에서 이다는 아무것도 모르는 채 한 발 한 발 강 회장과 속도를 맞춰 산을 타고 있었다.

강 회장은 그녀에게서 시선을 떼고 앞을 바라봤다. 그리고 등산에 집중하려 했다.

한 발 한 발.

씩씩하고 일정한 이다의 발소리가 들렸다.

한 발, 한…… 발…….

왜인지 느려지는 것도 같았다.

아니, 아예 멈춘 것 같은데?

무슨 일인가 싶어 강 회장은 흘끔 고개를 돌렸다. 두어 발자국 뒤, 이다가 눈을 감고 서 있는 게 보였다. 바로 다음 순간, 이다는 발아래로 순식간에 무너져 내렸다.

* * *

강 회장의 저택을 방문한 주치의는 이다의 방으로 안내되었다. 얼마 후 방을 빠져나온 그는 강 회장과 함께 현관으로 향했다.

"정말 별일 아닌 겐가?"

"그럼요. 과로로 기절한 것뿐이니까, 푹 쉬면 낫습니다. 수액도 놔 드렸으니, 깨고 나면 한결 좋아져 있을 겁니다."

"나 참……. 기절하기 직전이면 티를 냈어야지. 아, 그렇게 멀쩡하게 보이는데. 내가 저를 어떻게 알아차려? 저 지경인 줄."

강 회장은 억울한 표정으로 투덜거렸다. 무슨 말인지 알아듣지 못한 채 주치의는 그저 허허 웃기만 했다.

주치의를 배웅하고 난 강 회장은 다시 이다의 방으로 향했다. 방에 들어가자 여전히 의식 없이 누워 있는 이다가 보였다. 이다의 손등에는 링거 주사가 꽂혀 있었다. 곁에 앉은 찬재의 시선도 거기에 꽂혀 있었다. 찬재의 눈매는 험악해져 있었다.

"아버지는 속이 시원하시겠습니다."

무겁게 가라앉은 차가운 목소리였다. 강 회장은 이맛살을 찌푸리며 근엄하게, 부러 퉁명하게 반응했다.

"겨우 기절 가지고 유난 떨지 말고, 회사나 가 봐."

"회사는 아버지나 가시죠. 제가 어딜 가든 관심 갖지 마시고."

찬재는 강 회장에게 눈길조차 주지 않고, 이다의 얼굴을 바라보며 의미심장하게 대꾸했다.

"너 그거, 무슨 뜻이냐?"

"하나를 얻으려면 하나를 잃어야죠."

"뭐?"

"더 욕심부릴 생각 없습니다. 저 이다 데리고 이 집에서 나갑니다. 저희끼리 결혼해서 잘 살 테니 염려 마십시오."

"……."

"아버지 이 여자 며느리로 못 보실 거면, 저도 아들로 보지 마십시오. 전 아버지 호적 포기하고, 이 여자 호적으로 들어갈 겁니다."

그리 어려운 일도 아니라는 듯이, 이 집안에 아무 미련 없는 투로 찬재는 담담하게 선언했다.

"미친놈. 그게 어디 하나 잃고 하나 얻는 게야? 하나 얻겠다고 다 잃는 게지."

"다 잃어도 다시 시작할 수 있습니다. 이 하나만 나한테 있으면."

찬재는 이다의 손끝을 감싸 쥐었다.

이 하나가 빠지면 다 잃은 거나 다를 게 없지.

"아버진 저 하나 잃고 만수무강하십시오. 회사 일은 잘 정리해서 마무리 짓고 자리 비우겠습니다."

"너, 저 물건이 못 버티면 둘이 헤어지겠다고 약속하고 들어왔었다."

"물건 아닙니다. 이름으로 부르시죠."

"……."

"그리고 이다는 못 버틴 적 없습니다. 내가 못 버텨서 내가 데리고 나가는 겁니다."

차라리 화를 내든 비이성적인 소릴 할 것이지. 찬재의 태도는 비인간적일 만큼 싸늘하고 이성적이었다.

타협도 없고 번복도 없이, 제대로 끝장을 보겠다는 의미였다.

지금까지와는 차원이 다른 반발에 강 회장은 오만상을 사정없이 찌푸렸다.

상황이 내 뜻대로 되지만은 않겠구나.

강 회장이 판단하는 찰나 찬재는 흠칫 눈을 크게 떴다. 손안에서 이다의 손가락이 움직였기에 찬재는 얼른 이다의 얼굴을 봤다. 이다의 눈꺼풀이 살짝 떨리더니, 서서히 눈동자를 드러냈다.

"왜 벌써 일어났어? 더 자야지."

만세라도 외칠 듯이 반가운 눈빛이면서, 찬재는 더 자라는 듯 이다의 이마에 손을 포개었다. 그러자 이다는 뭔가 이상한지 찬재를 응시하며 눈을 깜빡거렸다.

"왜 그래? 어디 불편해?"

찬재의 질문에 이다는 입을 열었다.

"누구…… 세요?"

이다는 생전 처음 보는 사람처럼 찬재를 낯설게 바라봤다. 그 모습에 강 회장은 헉 하고 놀라 굳어 버렸다. 반면 찬재는 차분하게 정색하는 표정으로 낮은 목소리를 냈다.

"장난치지 마라."

"저…… 아세요?"

"알아. 우리 이런 사이야."

찬재는 대답을 뱉자마자 이다에게 입술을 마주 댔다. 두 손으로 이다의 뺨을 감싸고 입술 너머를 파고들었다. 그러자 멈칫했던 이다가 얼마 안 가 찬재의 머리칼을 그러잡았다. 이다는 턱을 움직였다. 입술 사이로 서로가 섞여 갔다.

쾅!

난데없는 문소리에 이다는 입술을 떼어 냈다.

"뭐야? 누구 있었어?"

이다는 당황한 눈으로 문을 주시하며 물었다. 방 안에는 그들 외에 아무도 없었다.

"아니. 옆방 소리겠지."

찬재는 태연하게 대답하고는 엄지로 이다의 입술을 매만졌다.

"머리 나갔던 기억은 입술로 다 찾으셨나 봐?"

찬재가 능청스레 질문하자 이다는 시원스러운 미소를 지었다.

"나 이런 거 꼭 해 보고 싶었어. 드라마틱하게."

"나는 너 만나고 온갖 드라마를 다 찍어서, 이제 이 정도는 드라마틱하지 않다."

"그건 미안. 내가 너무 고생시켰어."

"고생했단 뜻 아니야. 다른 드라마는 시시할 만큼 너랑 찍은 드라마가 최고라는 뜻이지. 난 우리 드라마 평생 안 끝나는 게 소원이다."

별소리를 다 한다는 듯이 찬재의 손이 이다의 뺨을 살짝 꼬집었다. 그때 방 바깥에서 문을 두드리는 소리가 났다.

"서이다 씨 죽 좀 쒀 왔어요."

이어진 건 한 씨의 목소리였다.

* * *

기억 상실 나오는 막장인가 했더니, 그건 아닌 것 같고. 어디 애비 앞에서 또 에로를 찍어!

강 회장은 홀로 아침 식사를 하다 말고 식탁을 탁 내리쳤다.

"회장님, 뭐 불편하신 거라도 있으신지? 혹 식사가 입에 안 맞으신가요?"

때마침 주방으로 돌아온 한 씨가 조심스레 물어 왔다.

"아니네, 아니야."

강 회장은 고개 젓고 쓴 입맛을 삼켰다.

"거……. 그 물건 몸은 좀 어때 보이던가?"

"괜찮아는 보이던데. 쓰러지기 전까지도 그렇게는 보였었지요?"

"하기야……. 쓰러지기 직전까지 멀쩡해 보였지. 그렇게 쓰러져 버릴 줄 누가 알았겠어."

힘들면 힘들다고 말을 했어야지. 제 몸 안 좋은 걸 제가 안 챙기면 누가 챙긴다고…….

아, 내 아들이 챙기는군.

강 회장은 국이 짠 것처럼 떫은 표정을 지었다.

'더 욕심부릴 생각 없습니다. 저 이다 데리고 이 집에서 나갑니다. 저희끼리 결혼해서 잘 살 테니 염려 마십시오.'

애비 기절초풍은 그렇게나 시켜 놓고. 제 여자 기절 한 번은 그렇게도 못 시킬 일이더냐?

"아주 기절 두 번 시켰다가는 애비도 못 알아볼 자식이구만."

강 회장은 무심결에 혼잣말을 흘리면서 절레절레 고개를 저었다. 그러다 고갯짓을 멈춘 강 회장의 못마땅한 표정이 점차 누그러들었다.

그래도 저런 여자 생겼으니, 제 가정에 뿌리 하난 튼실하게 박을 테지?

이다가 방 안에서 수액을 다 맞았을 때, 찬재는 벼르고 있던 말을 내뱉었다.

"짐 싸서 집에 가자."

"집?"

"아니다. 짐 쌀 것도 없어. 바로 가자. 나 회사 출근하는 길에 같이 가면 방향 딱 맞네."

"지금 펜트하우스로 가잔 얘기야?"

이다의 질문에 찬재는 고개를 끄덕이고 입을 열었다.

"여기 둔 건 나중에 가져오든, 새로 사든. 아무튼 일단 집으로 가. 가서 아무것도 신경 쓰지 말고 쉬어."

"뭐야, 나 잠든 사이에 아버님 허락이라도 받은 거야?"

"하늘의 계시를 받았다."

"……못 받았단 얘기네, 아버님 허락은."

이다는 무덤덤한 목소리로 반응했다. 그러자 찬재가 이다의 어깨를 감싸 잡았다.

"아버지한텐 나가겠다고 얘기해 뒀어. 네가 못 버티는 거 아니라, 내가 못 버티는 거라고."

"뭐?"

"이다야, 제발 이번 한 번만 내가 하자는 대로 해 줘."

"……."

"내가 정말 못 버티겠어서 그래. 너 이렇게 지내는 거, 더 보다간 내가 미쳐 돌아 버리겠어."

"나 괜찮다니까……."

이다는 미안해져 측은한 눈빛으로 찬재의 얼굴을 어루만졌다.

"그럼 괜찮은 네가, 안 괜찮은 나 좀 구제해."

찬재가 단호하게 부탁하며 이다의 손을 붙잡았다.

"죽어라고 참았는데. 이제 한계야. 더 참으라면 나 못 살아."

덧붙이며 찬재는 두 눈으로 괴로움을 호소했다. 그를 마주 보던 이다는 얼마 못 가 시선을 내렸다.

"언제는 내가 너 사랑하는 동안에는 힘들 일이 없다면서."

"그땐 네가 이렇게 너 자신을 학대할 경우의 수를 몰랐지."

"뭐 딱히 학대를 한 것 같진 않지만……. 네가 그렇게 느낀다면,

그래서 네가 힘들다면 나도 그러고 싶지 않아."

이다는 찬재를 끌어안고 말을 이어 갔다.

"나는 너 좋으라고, 너 편하게 해 주려고 내 힘으로 아버님 허락 받으려던 건데. 그게 이렇게까지 널 힘들게 하는 거면, 내가 그럴 의미가 없어."

"네가 힘든데, 내가 좋을 리가 없잖아."

찬재는 이다의 허리를 꽉 부여안으면서 대꾸했다.

난 그렇게까지 힘든 거 아니라니까…….

이다는 자칫 반박할 뻔했지만, 생애 처음으로 기절한 주제에 할 소리는 아닌 것 같아 속으로만 생각했다. 그리고 고개를 끄덕이며 입을 열었다.

"알았어. 이번엔 네 뜻대로 할게."

네가 항상 나에게 그런 것처럼.

이다의 선택에 찬재는 안도의 한숨을 크게 내쉬었다. 그런데 한숨이 채 끝나기 전, 방 밖에서 누군가가 문을 두드렸다.

한 씨의 안내를 받고 찬재와 이다는 강 회장이 기다리는 안방으로 건너갔다.

강 회장은 탁자 앞에 앉아 굳은 표정으로 두 사람을 맞이했다. 두 사람은 그의 맞은편으로 다가가 방석에 앉았다. 이다와 단둘이 있을 때와 달리 찬재의 표정은 차가웠다.

유종의 미.

마지막이라는 생각으로 찬재는 강 회장에게 인사를 꺼내려 했다.

그런 찬재 옆에서 이다는 담담하게 강 회장을 마주했다. 이번만은 무조건적인 찬재의 편이 되어 주려고, 단단히 다짐한 마음이었다.

강 회장은 어째 심상치 않은 기류를 감지했지만, 무시하고 먼저 입을 열었다.

"조건이 있다."

강 회장이 툭 던진 말에 두 사람의 눈빛은 의아해졌다.

"진 선생 수업은 계속 받도록 해. 무리하지 않는 선에서, 일정은 조정하마. 그리고 각서를 써라. 너희 둘 이혼은 절대 불가하다."

"……예?"

찬재는 얼떨떨해져 귀를 의심했다. 강 회장은 이다를 향해 말을 이었다.

"나는 아직 너를 완전히 믿을 수 없다. 네가 한 짓이 어디 보통 배짱으로 할 짓이더냐? 보통 사람들은 10억 줘도 간 떨려서 그렇게는 못 할 게다. 그런 네가 또 무슨 사고 칠지 불안하니까, 앞으로 내가 붙여 주는 수행 비서, 옆에 달고 다니도록 해."

"아버님, 혹시 이거……."

"결혼해! 이 쌍으로 못돼 먹은 천생연분 호래자식들아!"

강 회장은 책상을 탁 내리치며 크게 외쳤다. 그리고 꼴도 보기 싫다는 듯 벌떡 자리를 박차고 일어났다.

강 회장의 폭탄선언에 두 사람은 누가 먼저랄 것 없이 서로의 눈을 마주쳤다. 믿기지 않는 얼굴로 이다는 멍하니 입을 열었다.

"이거……."

"허락이지?"

거울처럼 같은 표정을 한 채 찬재도 입을 열었다. 강 회장은 쿵

쿵 빠른 걸음으로 그런 둘을 지나쳤다. 드르륵, 거칠게 문을 여는 소리가 곧 이어졌다. 그러나 그 소리가 들리지도 않는 듯이 두 사람은 가만히 서로만 바라봤다.

"갑자기 왜……."

"허락이지……?"

도무지 실감이 안 나 백지가 된 머리로 두 사람은 백지에 물음표만 그려 댔다.

"뭐, 아무튼……."

"허락이네."

"그치?"

"그렇지."

이다에게 찬재는 고개를 끄덕이며 대답했다. 그제야 실감이 나는 듯이 이다의 눈이 휘둥그레졌다. 고개를 멈춘 찬재도 눈이 커다래졌다. 머릿속의 물음표들이 느낌표로 바뀌는 순간이었다.

"아, 아버지!"

"아버님!"

두 사람은 동시에 다급하게 강 회장을 찾아 고개를 돌렸다. 그러나 휑하니 문이 열려 있을 뿐, 강 회장은 이미 사라지고 없었다.

[야, 이 자식아! 너 금붕어야? 기억력 3초짜리야? 아니, 대체 몇 번을 전화해서 똑같은 걸 묻는 게야!]

이다의 방 안, 스피커 모드인 휴대 전화에서 강 회장의 목소리가 우렁차게 터져 나왔다. 침대에 걸터앉은 찬재는 휴대 전화를 입 앞에다 댄 채 강 회장에게 다시금 말을 건넸다.

"오죽 안 믿기면 이러겠습니까? 우는 자식 떡 하나 더 준다, 생각하고 한 번만 더 들려주시죠. 저희 결혼……."

[아, 하라잖아! 하라는데, 뭔 말이 많아!]

버럭 외치고서 강 회장은 뚝 전화를 끊어 버렸다. 찬재는 싱글벙글 입이 귀에 붙은 얼굴로 이다를 향해 고개 돌렸다. 옆에 앉은 이다의 표정도 그와 다를 게 없이 환했다.

"들어도 또 듣고 싶네."

"그럼 녹음해서 반복 청취하면 되지 않아?"

"아, 그럴까?"

"근데 지금은 말고."

"알아. 이따 회사에서 점심시간에 해야겠다."

찬재는 휴대 전화를 주머니에 넣었다.

"맞다. 너 회사 가야지. 회사까지 내가 태워 줄까?"

"야, 너 오늘 쓰러졌던 사람이야. 태워 주긴 뭘 태워 줘. 내 속 태워 주려고?"

"나 지금 기운이 너무 넘쳐서. 어디라도 써야 할 것 같은데?"

이다는 한껏 들뜬 기분으로 되물었다.

"그럼 그 기운 차 모는 데 쓰지 말고, 우리 결혼 계획 짜는 데다 써. 하나부터 열까지 다 네 맘대로 하게 할 거니까, 너 생각할 거 많다."

"아……. 그래?"

결혼 계획이라…….

이다는 팔짱을 끼고 심각해진 얼굴로 눈을 내리떴다.

"딱히 구체적으로 생각해 본 건 없는데. 지금부터 빨리 해야겠네."

중얼거리면서 이다는 골똘히 생각에 빠져들었다. 금세 어찌나 열중한 건지 무의식적으로 미간이 잔뜩 모아졌다.

대체 이 머리에서 어떤 결혼식이 튀어나올지.

찬재는 기대하며 사랑하는 마음으로 이다의 이마에다 입술을 맞추었다.

* * *

이다의 결혼식 날, 신부 대기실을 찾은 세시는 눈을 휘둥그레 떴다. 궁중대례청의 신부 대기실 광경이 일반적인 예식장의 신부 대기실과 달라도 너무 달랐기 때문이다. 구중궁궐의 창고 같은 공간하며, 상궁처럼 한복을 차려입은 신부 도우미들하며.

"와, 나 태어나서 이런 신부 대기실 처음 봐."

세시는 신기한 듯 둘러보며 이다의 곁에 다가섰다. 거울 앞에 앉은 이다는 궁중 혼례복인 적의를 갖춰 입은 채 신부 도우미에게 머리 손질을 받고 있었다.

"이런 신부는 본 적 있고?"

이다의 질문에 세시는 자신 있게 고개를 끄덕였다.

"있어. 사극에서 중전 마마 결혼할 때."

"오……. 잘 아는데?"

이다는 세시에게 엄지를 척 들어 보였다. 때마침 이다의 머리 위로 신부 도우미가 하얀 손수건을 척 얹었다. 몇 겹으로 접어 놓은 손수건은 두께가 1센티미터쯤 되어 보였다.

"얼레? 이건 왜?"

"신부님 머리에 쓸 가체가 꽤 무겁거든요. 그래서 덜 힘드시게 깔아 두는 거예요."

세시의 물음에 신부 도우미가 친절히 답을 들려주었다. 그런 다음 그녀는 이다의 머리 위로 가체를 가져다 씌웠다.

가체인지 집 한 채인지.

머리를 짓누르는 엄청난 무게에 이다는 절로 미간이 구겨졌다.

"What the……. 야, 너 괜찮아?"

"아니……."

이다는 이를 악문 채로 신음하듯 대답했다.

"아니, 그러게 웬 궁중 혼례야, 궁중 혼례가……. 그냥 면사포 쓰고 웨딩드레스 입을 것이지."

"그건 전에 해 봤잖아."

"전에? 아, 형님이랑 처음 결혼할 때?"

이다는 무거운 고개를 끄덕이는 대신 엄지와 검지를 붙여 동그라미를 만들어 보였다.

"이왕 두 번째 결혼인데. 안 해 본 거 해 봐야지. 처음이랑 같은 거 말고."

"이왕 두 번째 결혼인데. 아예 새 남자랑 새 결혼할 생각은 안 들고?"

"전혀."

이다는 망설임 없이 바로 대답했다. 그러자 세시는 짓궂은 장난기가 발동했다.

"에이, 너 그러다 후회할 수도 있는데에?"

"뭘 후회해?"

"세상의 반이 남잔데. 너 그 반의반의 반의반, 반, 반도 못 만나 봤잖아. 이놈 저놈 더, 더, 더 보다 보면 나중에 훨씬 더 좋은 남자 만날 수도? Maybe?"

"……."

"어때? 불안해지지? 내가 너무 성급했나 싶지? 놀 만큼 더 놀아 보다 결혼할 걸 싶지?"

세시는 약 올리듯 촐싹촐싹 어깨춤을 춰 보였다. 그런 세시의 머리 위로 검은 그림자가 드리웠다.

"내가 이걸 왜 살려 뒀나 싶다."

서늘한 찬재의 목소리에 세시는 화들짝 놀라 뒤를 봤다. 조선 시대 왕의 즉위식 복장을 갖춰 입은 찬재가 거기 우뚝 서 있었다. 머리에 쓴 면류관과 몸에 두른 구장복이 마치 평상복인 양, 고개를 빳빳이 든 찬재의 모습에는 위화감이 없었다.

"우와! 형니임!"

세시는 방금까지 제가 했던 말을 까맣게 잊고 반색했다. 흡사 보석을 발견한 까마귀처럼 세시의 눈동자는 감탄으로 반짝거렸다.

"형님, 완전 성은이 망극할 비주얼이신데?"

"넌 이 좋은 날, 단매에 맞아 죽을 작정이냐?"

찬재는 찬사 따위 아랑곳하지 않고 세시의 이마에 꿀밤을 놓았다. 이마에서 똑 소리가 나자 세시는 이마를 부여잡고 울상을 지었다. 찬재는 무심히 그를 지나쳐 이다의 앞에 다가섰다.

"불안하면 지금 말해. 세상의 반 다 만나 볼 시간 줄게."

찬재는 자신하는 눈빛으로 이다에게 제안했다.

"됐어. 시간 낭비 뭐하러 해?"

무덤덤하게 대꾸하며 이다는 몸을 일으켰다. 붉은 비단에 금사로 수가 놓인 적의가 이다의 키를 따라 제대로 화려하게 펼쳐졌다.

"어차피 나한테는 네가 세상의 반 다 이겨 먹을 남잔데."

이다는 경쟁하듯 찬재의 눈앞에서 그 못지않은 자신감을 드러냈다.

"그럼 시간 낭비할 거 없이 바로 갈까?"

씩 웃으며 찬재가 손을 내밀었다.

"좋으실 대로."

이다는 함께 웃는 얼굴로 그의 손을 잡았다.

두 사람의 결혼식은 조선 시대 왕과 왕비의 책봉식을 재현한 궁중 대례식으로 진행되었다. 결혼식장은 야외였고, 하객과 구경꾼, 취재진들이 구별 없이 한데 어우러져 북적거렸다. 하객이 몇 없는 신부 측의 처지가 두드러지지 않아 다행이라고, 강 회장은 인파를 둘러보며 안도했다.

대기실에서부터 결혼식장으로 이어지는 언덕길을 신랑, 신부는 각각 가마를 타고 이동했다. 신랑 신부의 의복은 물론이며, 가마꾼과 상궁들의 의복까지 그럴싸하게 어가 행렬을 본 따 있었다.

각자의 가마에서 이다와 찬재는 옥으로 만든 직사각형 판인 규를 두 손으로 모아 쥐고 있었고, 이는 가마에서 내려 식장으로 걸어가는 동안에도 마찬가지였다. 마치 기도하는 자세 같아 경건한 마음이 들어서인지, 대례식을 치르는 둘의 표정은 전에 없이 엄숙했다.

한 시간가량의 식 순서를 마치고서 내빈들 앞에 나란히 섰을 때, 찬재는 정말 세상 다 가진 얼굴로 입을 열었다.

"내가 너랑 드라마를 찍다, 찍다 이제 사극까지 찍었구나."

"우리 아직 호러는 안 찍었던가?"

이다는 싱긋 웃으며 질문한 뒤 내빈들을 향해 감사의 절을 올렸다. 찬재 역시 뒤처지지 않고 거의 동시에 따라 움직였다. 그렇게 식의 가장 마지막 순서까지 마친 다음 두 사람은 함께 일어섰다.

"호러는 좀 참아 주라. 나 그건 안 했으면 싶다."

"장담은 못 해. 인생 내 뜻대로 되는 건 아니니까. 어쩌면 찍게 될 수도 있지."

이다는 담담하게 대꾸했다. 찬재는 그런 이다에게로 고개를 돌렸다. 이다도 고개를 돌려 그와 시선을 마주했다. 그리고 이번에는 든든하게 믿음직한 목소리로 말을 이었다.

"근데 호러를 찍건 액션을 찍건, 막장을 찍건. 그 와중에 로맨스는 꼭 지켜 줄게. 호러 로맨스, 액션 로맨스, 막장 로맨스. 뭘 찍어도 로맨스는 절대 안 빠질 거야."

"우리 장르 기본은 로맨스다?"

"맞아."

"뭐, 그럼 상관없지."

찬재는 흔쾌하게 어깨를 으쓱해 보였다.

"로맨스만 있으면 다 가능해."

확신에 찬 찬재의 장담에 이다는 엄지를 척 세워 들었다.

* * *

신부 대기실로 돌아와 천근만근 무게의 가체와 겹겹이 한복을 벗어 던진 이다는 정말이지 다시 태어난 기분이었다. 얇은 새 옷으로 갈아입은 몸은 가벼웠고, 바라던 결혼을 해낸 마음은 날아갈 듯 상쾌했다. 지끈지끈 두통은 남아 있었지만, 그런 것쯤 아무렇지 않아 이다의 얼굴에선 함박웃음이 떠나질 않았다.

"똑똑, 똑똑. 여기는 세시, 세시. 나 거기 들어가도 돼?"

바깥에서 세시가 손으로 노크하며 입으로 소리까지 냈다. 이다는 뒤를 돌아 찬재를 확인했다. 대기실의 가운데를 가르는 칸막이 너머가 바로 신랑 대기실이었고, 찬재는 거기서 옷을 갈아입고 있었다. 마침 옷을 다 갈아입은 그가 신부 대기실 영역으로 건너왔다. 그의 얼굴에도 함박웃음이 가득했다.

"그래, 들어와."

이다의 답이 떨어지자마자 세시가 문을 활짝 열었다. 그리고 두 팔도 활짝 펼치고서 이다에게로 달려들었다.

"아이고, Sister! 내 친구! 우리 이다야!"

세시의 두 팔이 이다를 콱 얼싸안았다.

"내가 죽기 전에 너 시집가는 거를 다 보고! 나 이제 여한 없네! 여한 없어!"

세시는 감격에 취해 이다의 등짝을 팡팡 두들겼다. 순간 제 얼굴이라도 두들겨 맞은 듯이 찬재의 표정은 험악해졌다.

"너, 이……."

욱해서 입을 열었다가 찬재는 곧 말을 멈췄다. 조용히 세시를 마주 안는 이다의 만감이 교차하는 얼굴 때문이었다. 고맙고, 애틋하고, 울컥하고. 이다는 꼭 하나뿐인 가족을 안은 듯한 표정이었다.

하긴 가족이지…….

찬재는 열이 났던 가슴을 훈훈하게 가라앉히면서 잠자코 둘을 내버려 두었다. 그런데 난데없이 누군가의 목소리가 쩌렁쩌렁하게 날아들었다.

"이 자식 이거, 뭐 하는 자식이야?!"

고함 소리를 따라 세 사람이 일제히 시선을 돌렸다. 그들의 시선을 한 몸에 받으면서 강 회장은 눈에 불을 켜고 신부 대기실 안으로 한 발을 들였다. 강 회장의 뜨거운 시선은 세시에게 꽂혀 있었다.

"너 당장 내 며느리한테서 못 떨어져?!"

강 회장의 불호령에 세시는 냉큼 이다와의 포옹을 풀었다. 그리고 항복하듯 두 손을 머리 위로 번쩍 들어 보였다. 행동하고 달리 세시의 표정은 해맑았다.

"아, 아아! 회장님이시구나! 사돈 어르신!"

"뭐, 사돈?"

"아유, 제가 진즉 찾아뵙고 먼저 인사를 드렸어야 하는 건데! 저요, 이다하고 피 한 방울 안 섞인 남매 되는 사람입니다! 사돈 어르신!"

세시는 손을 든 채 방긋방긋 웃는 얼굴로 발랄하게 주장했다.

"피…… 안 섞인 남매?"

아니, 고아라더니. 웬 피 안 섞인 남매가 있어?

강 회장은 귀를 의심하며 이다에게 눈길을 돌렸다.

"저 말 저거 사실이냐?"

"음, 사실이긴 하네요. 서로 부모님은 다르지만 진짜 남매처럼 컸으니까. 피만 안 섞였지, 진짜 가족 같은 친구예요."

돌이켜 보면 전혀 틀린 말이 아니라서, 이다는 금세 답을 내렸다. 그러자 세시는 자연스레 두 팔을 내리고서 자기소개를 시작했다.

"제 이름은 김세시. 새벽 세 시, 오후 세 시, 할 때 그 세시 맞고요. 그냥 이다 오빠다, 생각하시고. 편하게 사돈총각으로 대해 주시면, 저는 회장님을 최고로 모시겠습니다요."

세시는 배꼽에 두 손을 가지런히 모으고서 넙죽 허리 숙여 인사를 건넸다.

"김세시?"

"정확히는 새벽 세 시 아니고 오후 세 시. 오후 세 시에 주웠거든요. 그래서 김오후세시 될 뻔했는데. 다행히 오후는 떼고, 그냥 세시 됐습니다. 저희 보육원 원장님이 그래도 상식이 아예 없진 않으셔 가지고, 이름 편하게는 지으셔도 너무 튀게는 안 지으셨죠."

"이미 튀는데……."

"에이, 김세시가 김오후세시보단 덜 튀죠. 그리고 얘도요."

세시는 이다를 가리키며 말을 이었다.

"서이다니까 덜 튀는 거지, 사이다였어 봐요. 울 원장님이 성까지 그대로 상표명 안 쓰니까 망정이지. 걍 다 귀찮다 막 갖다 쓰자, 이런 분이셨음 얘 이름 박카스였을걸요? 뭐, 하긴 밀키스에서 딴 민키스였으면 성만 바꾼 의미도 없었겠지만."

사이다, 박카스, 밀키스.

세 단어가 입력되자 강 회장의 기억에서 이다의 목소리가 떠올랐다.

'제가 자란 보육원 원장님이 사람 이름 짓는 거 정말 귀찮아하셨는데. 제 이름 지을 때 그 방에 사이다가 있었대요.'

"아, 둘이 같은 보육원 출신이구만."

강 회장은 알겠다는 듯이 고개를 끄덕였다. 그러다 줄줄이 뒤를 잇는 기억에 고갯짓은 흠칫 멈췄다.

등산길에 즐겨 듣던 그 막장…….

"설마 그 제비가, 너냐? 내 며느리랑 짜고, 둘이 사귀는 척 내 아들놈 속 태운 제비 놈이?"

강 회장이 예리해진 눈빛으로 물었다. 순간 위험하다 싶어 찬재는 얼른 강 회장을 막아섰다. 동시에 이다는 세시의 팔을 당겨 제 뒤로 이끌었다.

"그다음 얘기가 더 중요하죠, 아버지. 그 제비가 살신성인 무보수로 흥부 박씨보다 귀한 박씨 물어다 준 그 제비잖습니까."

찬재는 넉살 좋게 웃는 얼굴로 대신 대답했다. 그러자 강 회장은 쯧쯧 혀를 찼다.

"너 내가 네 속 태워 먹은 제비 잡아먹을까 봐 싸고도는 모양인데. 나 그럴 일 없다. 네놈이 내 속 태워 먹은 게 얼만데. 내가 너 같은 호구냐? 네 편들게? 나는 아주 속이 다 시원하다, 네놈 저 제비한테 당한 거 생각하면."

강 회장은 조금도 흥분하지 않은 투였다. 뜻밖의 너그러운 반응에 세시는 이다의 등 뒤에서 눈을 반짝거렸다.

"뜻하지 않게 속 시원하게 해 드린 점 뿌듯합니다, 사돈 어르신! 또 뭐 도움 필요하시면 언제든 부담 없이 말씀만 하십쇼! I'll be there!"

잽싸게 예쁜 말을 골라 뱉는 세시에게 이다는 감탄의 시선을 보냈다.

하여간 사막에서 전기장판 팔아 치울 녀석이라니까.

강 회장은 그런 세시를 향해 말을 건넸다.

"오호, 그래? 그럼 내일 나랑 등산이나 가세."

"예? 등산이요?"

"내가 자네 말로만 듣고, 대체 어떤 총각인가 궁금했었는데. 이왕 사돈총각 된 김에, 같이 등산하면서 얘기나 좀 들어 볼까 싶어 그래."

"아니, 얘기를 왜 굳이 산에서……."

"어째 요즘 들어 산에 혼자 다니기가 이상하게 적적해서 말이야. 왜? 싫은가?"

"아유! 저야 영광이죠! Sure! Why not?"

세시는 냉큼 대답한 뒤 쪼르르 강 회장에게로 달려갔다. 이다를 지나치고 찬재를 지나치고, 금세 강 회장의 앞에 서서 세시는 휴대 전화를 꺼내 들었다.

"사돈 어르신, 전화번호! 전화번호, Tell me!"

세시가 재촉하자 강 회장은 세시의 휴대 전화에다 직접 전화번호를 입력했다. 자연스레 전화번호를 교환하는 두 사람을 바라보며 이다는 신기한 듯 중얼거렸다.

"아버님 화내실 줄 알았는데. 의외로 잘해 주시네."

"원래 며느리가 마음에 들면, 사돈에 팔촌까지 잘해 줄 맛 나는 법이지."

찬재는 이다의 곁에 나란히 다가서서 그녀의 허리에 팔을 둘렀다.

"그런 건가?"

이다는 잘 모르겠단 듯이 고개를 갸웃거렸다.

"네가 우리 아버질 잘 몰라서 그렇지. 아는 사람들은 다 알아챈다. 아버지가 너 마음에 들어 하시는 거."

"그런 거면…… 다행이고."

이다는 어째 멋쩍은 표정으로 얼굴을 붉혔다.

"뭐냐? 답지 않게 수줍은 이 반응은?"

"감사하고 부끄러워서. 난 아직도 내 잘못 생각하면 이불 뻥뻥 차고 싶은데. 아버님이 받아 주셨다고, 아무렇지 않게 마냥 좋아할 순 없잖아. 좀 부끄러운 줄은 알고 살아야지."

가슴속이 훈훈하면서도 낯이 뜨거운 기분이라고나 할까.

겸허하게 고개를 끄덕이는 이다의 뺨에 찬재의 입술이 닿았다.

"그렇게 생각할 수 있는 너라서, 나는 너 하나도 안 부끄럽다."

이어지는 찬재의 목소리는 굳건했다. 다시 눈을 마주치는 찬재의 눈동자는 새삼 더욱 반한 듯이 열렬하게 빛을 냈다. 그런 찬재의 모습에 이다는 다른 의미로 화르르 열이 올랐다.

"우리 비행시간 몇 시간이랬지?"

이다는 급한 어조로 질문했다.

"14시간."

"안 되겠네."

"뭐가?"

"나 에로 채널 틀고 싶은데. 비행 끝날 때까지 못 참겠거든."

급발진하듯 튀어나온 유혹에 부딪힌 찬재의 눈동자가 흔들거렸다. 반면 찬재의 손은 이다의 손을 꽉 붙들었다.

"웨딩 카 탈 때까진 참을 수 있지?"

의미심장한 질문에 이다는 고개를 끄덕였다. 그러자 찬재는 재빠르게 한 손으로 휴대 전화를 꺼내 전화를 걸었다.

"우리 지금 갈 거니까, 웨딩 카 그냥 두고 바로 퇴근해."

[예? 그럼 공항까지 운전은 누가 하고요?]

"내가 한다, 내가."

찬재는 주저 없이 대답했다. 그러고서 그가 전화를 끊자 이다는 그의 손을 이끌고 강 회장과 세시에게로 달려갔다.

"아버님, 저희 이만 출발해야겠습니다."

이다는 강 회장 곁에 잠시 멈춰 서서 말을 건넸다.

"오냐, 다녀와라. 니들 이번에는 꼭 다녀와야 한다! 또 싸움질하고 깽판 치지 말고!"

"예!"

가타부타 긴말 않고 시원스레 호언장담한 뒤, 찬재는 아예 이다를 번쩍 안아 들고 밖으로 뛰쳐나갔다. 곧이어 세시의 목소리가 두 사람의 등 뒤에서 울려 퍼졌다.

"혀엉니이이임! 선물 꼬오오옥! 데려오세요오오! Have a good time!"

* * *

이다가 운전대를 잡은 웨딩 카는 예정보다 훨씬 일찍 결혼식장에서 출발했다. 그러나 정작 웨딩 카가 공항에 도착한 시간은 당장 탑승 수속을 밟아야 할 만큼 빠듯한 시간이었다.

출발할 때와 달리 운전자는 찬재로 바뀌어 있었다. 주차를 마친 찬재는 황급히 차에서 내렸다. 조수석에서 이다가 역시 차 문을 열고 나왔다. 누가 먼저랄 것 없이 두 사람은 서로에게 달려가 손을 꽉 잡았다. 찬재는 빠르게 이다에게 질문을 던졌다.

"여권 챙겼지?"

"당연히."

이다는 대답하는 동시에 찬재를 끌고 달렸다. 뒤처지지 않고 함께 달리면서 찬재는 손목시계를 확인했다.

얼마 후, 출국장에 다다른 두 사람은 잠시 손을 놓았다. 출국 수속을 밟고 출국장을 통과하자 둘의 손은 다시 자석처럼 서로에게 맞붙었다. 이어 비행기로 뛰어가는 내내, 두 손은 떨어지는 법이 없었다.

마침내 비행기에 올라 나란히 자리에 앉았을 때, 이다는 비행기 일등석의 내부를 둘러보며 눈을 반짝였다. 널찍한 두 사람의 좌석 사이에는 팔을 걸칠 수 있는 높이의 칸막이가 있었다.

"자리 되게 넓네. 두 다리 쭉 뻗고 자도 되게."

"그래도 난 너 없으면 두 다리 못 뻗고 자. 그러니까 저번처럼 또 나만 두고 비행기 날려 보낼 생각 마라."

찬재는 지난 신혼여행을 떠올리며 당부했다.

"이번에 그럴 일이 뭐가 있어?"

이다는 피식 웃으면서 대꾸했다.

"그때도 난 그럴 일이 있을 거라 상상도 못 했었다. 신혼여행 비행기에 신부가 안 타고 내뺄 줄 누가 알았겠어? 근데 그런 일이 벌어졌었잖아. 이번에도 그러지 말라는 법 없지. 나 비행기 뜰 때까진 절대 방심 안 해."

꼭 알아 두라는 듯 찬재의 검지가 이다의 이마를 가볍게 두드렸다. 그러자 이다는 팔걸이에 팔꿈치를 대고 턱을 괴었다. 그리고 짓궂은 눈빛으로 입을 열었다.

"뭐 하긴. 마음만 먹으면 언제든지 내뺄 수 있지. 비행기 떠도 낙하산 타는 수가 있으니까."

"비행기 떠도 눈 뜨고 지켜야겠네."

이다의 말이 장난인 걸 빤히 알기에 찬재는 사랑스러워하는 미소를 띤 채 말했다. 그의 말은 반쯤만 장난이었다.

"너 낙하산 타면 나도 타고 쫓아간다."

찬재는 백 퍼센트 진심인 말을 덧붙이고 이다의 이마에 이마를 맞붙였다. 이어 이다의 입술로 입술을 옮기려는 찰나, 이다의 입술이 불쑥 먼저 찬재의 입술을 찾아왔다. 입을 마주치고 떨어지는 사이, 둘의 기분은 벌써 구름 위로 떠올라 있었다.

"나 진짜 어디 안 가니까, 두 다리 쭉 뻗고 자. 오늘 고생 많았는데. 비행기에서 푹 쉬어야지."

찬재의 코앞에서 이다가 그의 얼굴을 매만지며 약속했다.

"고생은 네가 했지. 그 무거운 걸 요 손바닥만 한 머리에 쓰고 있었는데. 너야말로 빨리 쉬어. 너 쉬는 거 보면서 나도 쉴 테니까."

찬재는 가체에 혹사당한 이다의 머리를 두 손으로 감쌌다. 그리고 주사라도 놓아 주듯 이마에 입맞춤을 전했다. 그러자 이다는 그때까지 남아 있던 두통이 녹아내려 사라지는 것만 같았다.

14시간 후, 착륙을 앞둔 비행기 안에서 찬재는 이다를 바라보며 혀를 내둘렀다.

"아니, 어떻게 14시간 동안 한잠도 안 잘 수가 있지?"

놀라워 혼잣말하는 찬재의 눈앞에서 이다는 헤드셋을 낀 채 말똥말똥한 눈으로 정면의 모니터를 주시하고 있었다. 좌석마다 하나씩 놓여 있는 모니터로 승객들은 비행시간 동안 다양한 오락거리를 이용할 수 있었는데. 음악, 게임, 영화 등등의 오락거리 중 이다가 선택한 건……. 당연히 드라마였다.

"아, 왜……!"

난데없이 이다가 항의하듯 모니터에 대고 말문을 터뜨렸다. 모니터에서 드라마가 멈추고, 안내 방송이 시작되었기 때문이다. 이제 곧 비행기가 뉴욕에 착륙한다는 안내였다.

"칫……."

이다는 미간을 꽉 좁히고서 헤드셋을 벗었다.

이제 딱 두 편만 더 보면 끝인데. 하필 제일 궁금한 데서 끊기다니!

"이다야, 너 안 피곤해?"

"안 피곤해, 궁금해."

이다는 욕구 불만인 표정으로 대답했다.
"드라마 말이지? 너 저거 14화 보는 중이던데."
"맞아. 여주 대신 남주가 칼에 찔렸는데. 의식 불명이야."
"비행기 착륙하면 나가서 뒷 내용 내가 들려줄 테니까. 넌 지금 잠깐이라도 눈 좀 붙여."
"지금? 어차피 착륙 시간 얼마 안 남았잖아."
"그렇다고 한숨도 안 잘 생각이야?"
찬재는 걱정 탓에 인상을 찌푸렸다. 그러자 이다는 뜻밖이라 눈이 동그래졌다.
"뭐야, 너 나 한숨도 안 잔 거 어떻게 알아?"
"봤으니까."
"나 드라마 보는 내내?"
"넌 나 한 번도 안 보더라. 밥 먹을 때 빼고."
찬재는 아무렇지 않은 투로 답을 줬다.
"와……. 14시간을 깨어 있었다고? 드라마도 아니고, 드라마 보는 나를 보느라고?"
이다는 믿어지지 않는 듯이 찬재를 바라보며 눈을 깜빡였다.
"드라마였으면 보다 잠들었을 텐데. 너라서 잠이 안 오더라. 드라마 여주인공보다 내 현실의 여주인공이 백배 천배 흥미진진해서."
"……내가 이런 내 남주를 옆에 두고, 드라마 따윌 봤다니."
이다의 눈빛은 감탄과 후회로 뒤섞여 있었다. 그 모습을 귀여운 듯 바라보며 찬재는 싱긋 미소를 띠고 말했다.
"14시간 동안 나 안 본 건 괜찮은데. 잠 안 잔 건 괜찮지가 않아. 얼른 자. 착륙까지 딱 10분이라도."

"알았어. 근데 너도 같이 자. 공평하게. 너도 안 잤잖아."

"좋으실 대로."

"좋아."

얼른 잠들어야지.

이다는 사명감마저 띤 얼굴로 눈을 감고 좌석에 몸을 푹 기대었다. 찬재 역시 그녀의 옆에 누워 눈을 감았다. 그런데 얼마 안 가 이다가 입을 열었다.

"강찬재 씨, 저쪽 남주는 16시간짜리밖에 안 돼. 알지? 넌 평생인 거."

"16시간짜리건 16년짜리건. 네 어장에 나 말고 딴 놈 몇 놈이든 풀어 봐. 거기 남을 놈은 나뿐인 거 제대로 보여 줄 테니까."

찬재는 눈을 감은 채 자신만만하게 가슴 위로 팔짱을 꼈다. 목소리만 들어도 지금 그의 표정이 눈에 선해서, 이다는 먹지 않아도 배가 부른 사람처럼 뿌듯하고 행복한 미소를 지었다.

"보여 줘 봐. 내가 평생 지켜보고 있을 테니까."

기대에 찬 맑은 목소리가 찬재의 귓가로 날아들었다. 이다의 팔은 찬재처럼 가슴 위로 팔짱을 꼈다.

평생 지켜보고 있을 거다.

이다의 예고에 찬재는 최고의 선물을 받은 듯이, 더 바랄 것도 없는 사람처럼 크고 환한 웃음을 온 얼굴에 그렸다.

그렇게 표정부터 자세까지 서로 같은 모습을 한 채, 부부는 똑같이 사랑하는 마음으로 잠을 청했다. 꿈에서도 볼 수 있길 열렬히 바라면서.

* * *

강찬재의 두 번째 결혼식이 있던 다음 날, 태강 그룹 비서실은 언론에 보도 자료를 배포했다. 강찬재와 서이다. 두 사람의 결혼을 알리는 보도 자료에는 강 회장이 손수 고른 결혼식 사진이 첨부되었다. 보도 자료의 서두를 장식한 문장은 다음과 같았다.

드라마보다 드라마틱한 러브 스토리.

"카피 참 상투적인데. 딱 어울리긴 해요. 그렇죠?"

배포를 마친 직후, 비서실 소파에 앉은 오 비서가 탁자에 놓인 보도 자료를 응시하며 말했다. 그러자 그녀의 곁에 앉은 정 비서의 시선도 같은 곳으로 향했다. 그는 반신반의하는 표정으로 입을 열었다.

"이거 진짜 사실이긴 할까?"

"이게 진짜 사실인진 몰라도, 회장님이 이 며느리 완전 밀어주는 거 하난 확실히 사실이죠."

오 비서는 보도 자료의 사진 속 이다를 가리켰다. 마치 사극 드라마의 한 장면을 보는 것처럼 이다는 가체를 쓴 채 붉고 화려한 궁중 혼례복을 입고 있었다. 오 비서는 말을 계속했다.

"까놓고 얘기하면 유전자만 쌍둥이지. 지금 며느리랑 이전 며느리, 조건으로 따지자면 천지 차이잖아요? 거의 공주와 하녀 급이던데. 근데 회장님은 이 며느리, 꼭 딸처럼 서포트 하시더라고요."

"딸처럼?"

"이번에 혼수고 뭐고 싹 회장님이 준비하셨잖아요. 그리고 다른 재벌가 딸들은 어디서 어떤 거 사서 쓰나, 누구한테 어떤 거 배우면서 크나. 그런 거 알아보고 다니시고. 대놓고 말은 안 하시는데, 꼭 늦둥이 딸 생긴 분 같다니까요?"

"예뻐서 그런가?"

정 비서는 이다의 얼굴을 뚫어지게 바라보며 추측했다.

"에이, 설마 그게 이유겠어요? 얼굴은 저번 며느리랑 똑같은데. 갑자기 이 며느리만 특별 대우하는 데는 다른 이유가 있겠죠."

"하긴……. 아, 근데 그 인간은 어떻게 됐대? 그 SJ 차남. 최혜주 살인 사건으로 재판 받는다지 않았어?"

"아직 결과 안 났어요. 그러잖아도 회장님 그거 아주 벼르고 계시잖아요. SJ고 그놈이고, 회생 절대 불가능하게 만들 거라고. 그놈 그거 차라리 감옥에서 사는 편이 나을 거예요. 나와 봤자 옥살이보다 세상살이가 훨씬 힘들 테니까."

"그래? 누가 부자지간 아니랄까 봐."

"뭐가요?"

"강찬재 쪽 비서도 그러더라고. 그놈 그거 감옥에서 사는 편이 차라리 행복할 거라고."

정 비서의 대답에 오 비서는 딱하다는 표정으로 혀를 찼다.

"아 참, 그나저나 이 새 사모님 신입 수행 비서 언제부터 교육이래요?"

"교육 따로 안 받고, 바로 출근이래. 저 부부 신혼여행 일정 마치고 입국할 때, 공항으로 마중 나가는 게 첫 업무라던데."

정 비서는 결혼식 날 태건에게서 들었던 말을 토대로 답했다.

"뭐야, 그래도 돼요?"

"강 이사가 특별 추천한 비서계의 인재라서, 우리가 가르칠 건 따로 없다더라고."

"비서계의 인재? 누구지?"

오 비서는 고개를 갸웃거렸다.

* * *

일주일 후, 신혼여행에서 돌아온 부부는 사이좋게 나란히 인천 공항 입국 게이트를 빠져나왔다. 그러자 기다리고 있던 신입 수행 비서가 잰걸음으로 다가와 그들 앞에 마주 섰다.

"오랜만입니다, 서이다 씨."

차분히 인사를 건네는 윤 비서의 모습에 이다는 아주 뜻밖인 표정으로 눈을 깜빡거렸다.

"윤 비서님……."

"오늘부터 제가 서이다 씨 수행 비서를 맡게 됐습니다. 미리 연락드릴까 했는데. 강 이사님이 말리셔서 지금에야 인사드리네요."

"그럼 윤 비서님이, 그 신입 수행 비서?"

윤 비서가 고개를 끄덕이자 이다는 찬재에게로 시선을 옮겼다. 찬재는 의기양양한 눈빛으로 이다를 바라보며 어깨를 으쓱했다.

"뭐야, 어떻게……."

이다의 시선이 윤 비서에게로 돌아갔다.

"윤 비서님 다시는 이 일 안 하실 것 같더니. 어떻게 된 거예요?"

"이 일 안 하면 어떤 일도 못 하게 될 것 같더라고요. 서이다 씨 남편 때문에."

"예?"

"아내 사랑 어찌나 유난이신지. 서이다 씨한테 최고의 파트너는 저밖에 없을 거라고, 초가삼간 다 태워 먹을 기세로 삼고초려 하시던데요."

농담처럼 건너온 대답에 이다는 밝게 웃었다.

"이렇게 다시 만나니까 기분 묘하네요."

"저만 하겠습니까? 서이다 씨 신혼여행 안 가고 혼자 돌아와서 제 눈물 뽑은 게 엊그제 같은데. 금슬 좋게 두 분 같이 손잡고 돌아와서 제 앞에 있으니까, 꼭 꿈같고 묘하네요."

"그렇죠?"

이다는 눈을 반짝이며 두 손을 뻗어 윤 비서의 어깨를 턱 붙잡았다. 그리고 뭔가를 찾듯 뚫어져라 윤 비서의 눈을 주시했다.

"왜, 왜 그러시죠?"

코앞에서 반짝이는 이다의 눈동자에 윤 비서는 빨개진 얼굴로 물었다.

"윤 비서님 눈에 땀 나실 때 된 것 같아서요."

이다가 대답하자 윤 비서는 멋쩍어 뺨을 긁적였다.

"오, 오늘처럼 좋은 날엔 땀 안 흘립니다."

"그래요? 그럼 앞으로 저랑 일하시는 동안, 눈에 땀 나는 일 절대 없겠네요."

이다는 자신하는 눈빛으로 단언했다.

"압니다. 이제 서이다 씨한텐 좋은 날만 있을 텐데, 제가 울 일이 뭐가 있겠습니까."

윤 비서 또한 믿어 의심치 않는 태도였다.

"나쁜 날은 당연히 없지."

이다의 등 뒤에서 찬재의 목소리가 건너왔다. 거의 동시에 찬재의 두 팔이 이다의 허리를 감싸 안았다. 이다의 등으로 찬재의 가슴이 포근하게 겹쳐졌다.

"보통 아닌 두 인간이 싸우다가 한편 먹었는데. 못 이겨 먹을 나쁜 일이 어디 있겠어? 다 이겨 먹고 좋은 날만 남지."

불을 보듯 빤한 미래를 말하면서 찬재는 이다의 어깨에 턱을 얹었다.

말을 마친 찬재의 입술이 이다의 목으로 파고들었다. 이어지는 진한 입맞춤에 이다는 윤 비서의 어깨에서 손을 옮겼다. 허리를 감싼 찬재의 팔에, 어깨를 빌린 찬재의 머리에 이다의 두 손이 각각가 닿았다. 그대로 찬재를 어루만지면서 이다는 기분 좋은 미소를 그렸다.

저 둘이서 싸울 때는 그렇게나 간이 떨어지고 피가 마르더니.

서로 사랑하는 투 샷 앞에 윤 비서는 더없이 안심이 돼 든든하기까지 했다.

정말 이 두 사람이면, 이렇게 한편이 된 두 사람이면 뭐든 다 해내지 않을까?

윤 비서는 흐뭇한 얼굴로 둘을 지켜보다 주머니에서 휴대 전화를 끄집어냈다. 휴대 전화로 시간을 확인하려는데, 때마침 전화가 울렸다. 윤 비서는 얼른 전화를 받았다. 발신자는 강 회장이었다.

"네, 회장님."

[이 물건들, 도착했나?]

"네, 네. 지금 막……."

[오냐! 나 기다린다!]

강 회장은 윤 비서의 답이 채 끝나기도 전에 우렁차게 반응했다. 전화는 거기서 뚝 끊겼다.

"강 회장님 성격 정말 급하시네요."

윤 비서는 살짝 적응이 안 되는 듯 어색하게 웃으면서 두 사람을 향해 말했다.

"아버님이세요?"

"네. 집에서 기다리고 계신다고, 빨리 오라시네요."

이다의 질문에 윤 비서가 대답했다.

"뭐, 씨암탉이라도 잡아 놓으셨나?"

찬재는 농담조로 말하고서 픽 웃는 입술을 이다의 뺨에 대었다. 이내 윤 비서의 대답이 건너왔다.

"씨암탉도 잡으시고, 아예 소를 한 마리 잡으셨던데요."

순간 이다의 눈이 번쩍 뜨였다. 찬재도 멈칫하고 놀란 눈으로 윤 비서를 쳐다봤다.

"소?"

두 사람이 동시에 같은 말을 뱉었다.

"제가 서이다 씨 스테이크 좋아한다고 말씀드렸더니. 어쩐지 떡갈비도 잘 먹더라 하시면서, 온갖 소고기 요리를 다……."

"가죠!"

이다는 찬재의 손을 덥석 잡고 외쳤다. 그리고 부리나케 발을 내디디려는데, 윤 비서가 다급하게 소리쳤다.

"저기 그런데! 회장님께서 두 분도 잡으실 모양입니다!"

이다는 멈칫하고 윤 비서를 봤다.

"실은 두 분 신혼여행 가신 동안, 회장님 본가에다 신혼 방을 아주 으리으리하게 차리고 계셨거든요. 두 분한테 비밀이라 하셨지만……. 어차피 오늘 알게 되실 거, 미리 마음의 준비를 하셔야 할 것 같아서 말씀드립니다."

윤 비서의 덧붙임에 찬재는 눈살을 찌푸렸다.

"뭔 소리야? 신혼 방을 왜 거기다가……. 우리 분가해서 사는 걸로 얘기 끝났는데?"

"아무래도 일단 방부터 차려 놓으시고, 오늘 두 분 마음 약하게 만들어서 잡아 두시려는 작전 같은데요. 서이다 씨 마음에 꼭 드는 방 만들겠다고, 저 불러다 얼마나 서이다 씨 취향 조사하고 공을 들이시던지……."

닭과 소는 미끼인가…….

이다와 찬재는 누가 먼저랄 것 없이 같은 생각으로 눈을 마주쳤다.

합가라니. 다른 며느리들한텐 생전 바라지도 않던 걸 왜 하필 얘한테만 바라는지.

전에 없던 강 회장의 태도 변화에 찬재는 이를 꽉 물고 눈에 불을 켰다.

"이다야, 우리 펜트하우스로 가자. 씨암탉하고 소는 내가 잡아 줄게."

"아냐, 벌써 음식 차려 놓고 기다리시는데. 안 가는 건 내 마음이 불편해. 그냥 아버님 댁으로 가서 정면 승부 하자. 인사도 드리고, 거절도 드리고."

이다는 담담한 눈빛으로 의연하게 대꾸했다.

"너 그 방 보고 마음 안 약해질 자신 있어? 아버지 아주 단단히 벼르고 준비하신 모양인데."

"마음 약해지면 네 얼굴 보면 돼. 난 네 얼굴에 제일 약하니까."

그 어떤 신혼 방을 들이대도, 신혼 방이 아니라 청와대를 들이대도 끄떡없을 대답이었다.

아, 내가 얘를 내 편으로 두고 뭘 걱정하는 거야?

순간 깨달음에 찬재는 피식 여유가 묻어나는 미소를 지었다. 그러자 이다는 아예 몸을 돌려 제대로 찬재와 마주 섰다. 이다의 두 손이 찬재의 어깨를 단단히 그러잡았다.

"보통 아닌 두 사람이 호적에서 인증하는 한편까지 됐는데. 어디 얼마나 더 팀플레이 좋아졌나, 가서 확인해 볼까?"

자신만만한 이다의 모습에 찬재는 질 수 없다는 듯 기세등등하게 가슴을 폈다.

"하는 김에 아버지표 신혼 방도 확인해 봐. 마음에 들면 내가 그것보다 훨씬 네 마음에 들 방, 우리 집에 새로 차려 줄 테니까."

"오……. 기대되는데? 빨리 가서 확인하자."

눈을 반짝이며 이다는 선뜻 찬재의 손으로 손을 뻗었다. 자석처럼 찬재의 손도 그녀의 손을 향해 불쑥 날아들었다. 덥석 서로의 손을 붙잡은 채 두 사람은 어깨를 나란히 하고 나아갔다. 긴 비행의 피로쯤은 싹 잊었는지, 둘의 발걸음은 시원시원하게 기운이 넘쳤다.

마치 마음먹은 모든 일이 가능한 사람들처럼.

외전 1. 로맨스가 가능해!

외전1

로맨스가 가능해!

신혼 3주 차에 접어든 찬재의 업무 시간은 숨 돌릴 새 없이 바쁘게 돌아갔다. 잔업도 야근도 없이, 태강 타워의 업계 매출 일인자 타이틀을 유지하려면 당연한 일정이었다. 퇴근 후엔 오로지 가정에만 집중하고픈 마음과 경쟁사에 지기 싫은 승리욕, 둘 다를 가진 찬재로서는 지극히 당연한 결정이기도 했다.

어느덧 퇴근 시간임을 확인하고 찬재는 사무실 의자에서 몸을 일으켰다. 벗어 둔 재킷을 걸치는 찬재의 얼굴에 싱긋싱긋 미소가 걸렸다. 바로 위층 펜트하우스까지 한달음에 달려가려는데, 문밖에서 누군가 문을 두드렸다. 찬재는 금세 문으로 가 문고리를 잡았다.

"무슨 일이야?"

질문하며 문을 열자 눈앞에 이다가 서 있었다.

당연히 태건일 줄 알았는데. 뜻밖의 등장에 찬재는 눈을 크게 떴다.

"뭐야, 나 데리러 왔어?"

어차피 곧 보게 될 얼굴이었건만, 뭐 이렇게까지 반가운 건지.

찬재의 입에 걸린 미소가 함박웃음으로 바뀌었다.

"빨리 보여 주고 싶은 게 있어."

이다는 찬재의 손을 붙잡으며 말했다. 기대에 찬 듯 이다의 눈이 반짝거렸다.

"보여 주고 싶은 거?"

"지금 퇴근 맞지?"

"그렇지."

"좋아. 일단 지하 주차장으로 가자."

"주차장? 왜? 어디 나가게?"

"가 보면 알아."

이다는 찬재의 손을 잡은 채 훌쩍 발걸음을 옮겼다. 그녀를 따라 찬재는 사무실 바깥으로 나가 복도를 성큼성큼 가로질렀다. 마음이 급한 건지, 들뜬 건지. 이다의 걸음은 어째 조금씩 더 빨라졌다.

주차장의 구석진 자리에 도착하자 이다는 우뚝 걸음을 멈췄다. 그리고 손으로 앞을 가리켰다.

"이거야."

찬재는 이다의 손끝을 따라 시선을 옮겼다. 그러자 그의 눈에 들어온 건 노란색 슈퍼 바이크였다. 흡사 블록버스터 영화에서 슈퍼히어로가 타고 다닐 법한……. 전투나 질주에 쓰일 법한…….

"뭐냐……? 이게……."

"보면 몰라? 바이크잖아. 이거 진짜 기동력 장난 아니야. 이름도 완전 마음에 들어. 스트리트 파이터."

이다는 흥분한 듯 열띤 어조로 대답했다.

"그러니까 이게……. 이게 나한테 보여 주고 싶은 거라고?"

"맞아."

"왜……?"

"멋지지 않아?"

이다는 사랑과 정열이 듬뿍 담긴 눈빛으로 반문했다. 어째 이 사랑과 정열이 저 슈퍼 바이크를 향한 것 같아 찬재는 불길한 예감에 미간을 좁혔다.

"이다야, 이거 지나가다 우연히 발견하고, 너무 신기해서 보여 주고 싶었던 거지?"

"아니. 내 거라서 보여 주는 건데."

"네 거?"

"모아 둔 돈 털어서 샀어. 나 이렇게 성능 끝내주는 바이크 꼭 한 번 몰아 보고 싶었거든."

"네 인생을 끝내 주는 바이크 아니고?"

"뭐래."

심각해져 묻는 찬재에게 이다는 대수롭지 않은 투로 반응했다.

"너 그냥 바이크도 KTX처럼 모는 애가, 이런 슈퍼 바이크로 뭐 하자는 거야? 아예 전투기처럼 날고 싶어? 그러다 사고 나면, 진짜 하늘까지 급방인 거 몰라?"

찬재는 정색하고 따끔하게 질문했다.

"걱정 마. 너 내가 사고 내는 거 본 적 있어?"

"전에 사고 났었다며!"

"그거야 옛날이고. 나 같은 실수 반복 안 해."

가볍게 어깨를 으쓱하고서 이다는 냉큼 바이크로 다가가 올라탔다.

"그러니까 인상 풀고 이리 와 봐. 시승식 해야지? 시원하게 한 바퀴 돌고 오자."

이다는 여기 타라고 한 손으로 탁탁 뒷자리를 두드렸다. 그리고 주머니에서 바이크 열쇠를 꺼냈다. 그저 열쇠를 쥔 것만으로 벌써 찌릿한 전율이 느껴졌다. 이다는 얼른 시동을 걸고 다시 찬재를 봤다. 찬재는 여전히 정색한, 몹시 못마땅해하는 얼굴로 바이크를 노려보고 있었다.

"어허, 최고 속도 빠르다고 다 위험한 거 아냐. 성능 좋은 거라 더 안전하면 안전했지."

장담하며 이다는 헬멧을 눌러썼다. 그리고 찬재를 향해 휘파람을 휘이 불었다.

"어이, 거기 잘생긴 유부남 씨. 얘 때문에 부인 잘못될까 걱정인 모양인데. 그럴 리 없다는 거, 내가 확실하게 보여 줄게."

이다는 핸들에 걸려 있던 또 하나의 헬멧을 들어 찬재에게 내밀었다.

"넌 여기 앉아서 내 허리만 꽉 끌어안고 있어. 겁내지 말고, 같이 재미 좀 보자고. 누나 믿지?"

들고 있던 헬멧을 까딱하고서 이다는 찡긋 가벼운 윙크를 건넸다. 그러자 찬재의 입술에선 웃음이 픽 새어 나왔다.

"난 이대로도 재미 아주 좋은데 말이야."

찬재는 항복하는 듯이 두 손을 머리 위로 슬쩍 들어 올렸다. 그런 채로 저벅저벅 이다에게 다가가며 이어 말했다.

“여기 멋진 누님이 더 재미를 봐야겠다면야. 그렇게 해 드려야지.”

우뚝 이다의 옆에 서서 찬재는 손을 내려 헬멧을 받았다.

* * *

시승식 후 한참 동안, 이다는 태강 타워 주차장의 남자 화장실 앞에 서 있었다. 안으로 뛰어 들어간 찬재가 왜 이리도 감감무소식인지. 이다는 걱정스러운 얼굴로 휴대 전화에 뜬 현재 시각을 확인했다.

어느덧 찬재를 기다린 지 15분이 지나 있었다.

한번 들어가 봐야 하나…….

고민하며 슬그머니 입구로 다가가는데, 반갑게도 찬재가 입구에서 빠져나왔다. 그러나 반색하기에는 찬재의 몰골이 말이 아니었다. 혼이 탈탈 털려 나간 듯이 비틀거리는 걸음하며, 창백해진 얼굴하며…….

“괜찮아?”

이다는 찬재의 몸을 얼른 부축하고 물었다.

“너……. 너 진짜……. 이게 재미있냐?”

찬재는 도저히 믿을 수가 없단 눈빛으로 반문했다.

“나야 그렇지.”

이다의 대답에 찬재는 울컥 멈춰 섰다.

“이게 재미있다고? 이게?!”

"너도 같이 즐겼으면 좋았을 텐데. 아무래도 네 취향은 아닌 모양이야."

"아니지! 절대 아니지! 그리고 난……!"

소리치다 머리가 띵해져서, 찬재는 질끈 눈을 감고 이마를 짚었다.

"왜 그래? 어디 아파? 머리?"

"아, 젠장……."

속에 든 걸 다 비웠으니, 이젠 괜찮아진 줄 알았는데. 잠시 잠잠해졌던 속이 다시 울렁거렸다. 대체 뭐가 남았는지, 아래에서부터 이내 격렬하게 뭔가가 치밀어 올랐다.

"우욱……!"

찬재는 황급히 입을 틀어막고 몸을 돌려 화장실로 뛰어갔다.

펜트하우스로 돌아온 두 사람은 저녁 식사가 차려진 식탁에 마주 앉았다. 어지러움이 사그라졌지만, 기력이 되살아나진 않았기에 찬재는 말을 아낀 채 우선 빈속부터 채우려 들었다.

이윽고 밥그릇의 밥알들을 모두 빈속으로 옮겼을 때, 찬재는 깊게 숨을 들이쉬고 가능한 침착하게 말문을 열었다.

"저 바이크 절대 안 돼. 꼭 한번 몰아 보고 싶었던 거, 한 번 몰아 봤으니까 이쯤 하자."

아직 식사가 한창이던 이다는 눈썹을 찌푸렸다.

"네 취향에 안 맞는 건 잘 알겠어. 싫다는 너한테 더 타라고 강요하면 안 될 일이지. 서로 취향은 존중해야 하니까. 근데 내 취향엔 맞아."

"그러니까 난 계속 탈 거다, 내 취향도 존중해라. 이 말 하고 싶은가 본데."

"잘 아네."

이다는 더 말할 거 없다는 듯 밥 한술을 입에 쏙 넣었다. 그리고 무덤덤한 표정으로 우물우물 턱을 움직였다.

"이다야, 불나방이 불빛에 날아드는 이유가 뭔지 알아?"

"……."

"불빛이 취향이라서. 그래서 좋다고 날아들다 타 죽는 거야."

묵묵히 밥을 씹던 이다가 눈살을 찡그리고 꿀꺽 밥을 삼켰다. 그렇게 단숨에 입을 비우고서 말을 내뱉었다.

"나 바이크 몰면서 눈먼 불나방처럼 군 적 없어. 두 눈 똑바로 뜨고 제대로 운전하지."

"교통사고라는 게, 꼭 양쪽이 다 운전을 못해야만 벌어지는 일이 아니잖아. 네가 아무리 운전을 잘해도, 다른 사람 실수에 휘말리면 큰일 날 수 있어. 도로에 변수가 얼마나 많은데. 너도 알잖아?"

"그 논리면 다들 걸어 다녀야지. 사고 무서워서 차는 어떻게 타?"

"차는 바이크랑 달라. 에어백도 있고, 안전벨트도 있으니까."

찬재의 대답에 이다는 수저를 내려놓고 한숨을 내쉬었다.

"강찬재 씨, 오늘 우리 바이크 타다 무슨 사고 났어?"

"……."

"내 속도가 네 속을 뒤집어 놓긴 했지만. 그거 말곤 아무 문제 없었잖아. 앞으로도 그럴 테니까, 꼭 아무 문제 없게 할 테니까. 내 취미 생활은 그냥 내 자유 영역으로 내버려 두라."

이다는 단호한 눈빛으로 당부했다. 그리고 말을 끝내기 무섭게 자리에서 훌쩍 일어나 침실로 향했다.

이다는 침실의 욕실로 들어가 옷을 훌렁훌렁 벗었다. 욕조로 걸음을 옮기는데, 세면대 앞 벽거울이 눈에 들어왔다. 거기 비친 자신의 얼굴은 뿌루퉁하게 부어 있었다. 이다는 그런 자신과 잠시 눈을 마주치고 섰다.

"진짜 나만 재미있는 거야?"

이다는 어째 서운한 기분에 사로잡혀 혼잣말을 흘렸다.

나는 정말 좋았는데. 같이 좋아해 주면 더, 더 좋았을 텐데.

시무룩하게 생각하다 말고, 이다는 확 눈살을 찌푸렸다.

"아, 유치해."

안 좋아할 수도 있지. 취향 다를 수도 있지. 그냥 예전처럼 혼자 타면 그뿐이지. 뭐 이런 걸로 서운하고 난리야. 애도 아니고.

이다는 스스로 못마땅해 혀를 쯧쯧 차며 고개를 저었다.

결혼했으면 더 어른이 되어야지, 왜 갑자기 애가 됐어?

이다는 비난하듯 거울 속 자신에게 눈총을 쏘아 주곤 욕조로 돌아섰다. 허리 숙여 수도꼭지를 틀고 욕조 안에 앉자, 수도꼭지에서 흐른 물이 점점 바닥부터 차올랐다. 이다는 욕조 벽에 등을 기대고서 눈을 감았다.

사실 대부분의 사람들은 바이크를 위험하다 여기니까. 찬재가 걱정하는 마음을 전혀 이해 못 하는 건 아니었다.

그렇지만…….

"으아……."

따끈한 물이 허리까지 차오르자 이다의 입에서 절로 신음이 흘러나왔다. 오랜만에 날다시피 쌩쌩 바이크를 즐긴 몸이 개운하게 풀어지니 천국이 따로 없었다.

정말로 위험한 건 운전자의 미숙함이나 부주의지, 바이크 자체가 아닌데. 누가 모느냐에 따라 위험도는 천차만별 다른 건데. 다른 사람도 아닌 내가 모는 바이크를 걱정하다니. 내 실력 뻔히 알면서. 잘만 다루면 바이크만큼 스릴 넘치고 짜릿한 재미가 또 없다는 걸 왜 몰라주는지.

이다는 바람으로 몸속까지 다 씻어 낸 것 같은 질주의 여운을 느끼면서, 스르르 물속으로 빠져들었다.

샤워 가운을 입은 이다가 욕실에서 나왔을 때, 찬재는 방 한가운데에 선 채 침대 위를 노려보고 있었다. 이다가 욕실로 들어가기 전, 아무렇게나 던져 둔 바이크 열쇠가 찬재의 시선 끝에 있었다. 바이크 열쇠를 아주 씹어 먹을 기세인 찬재의 눈빛에 이다는 눈살을 구겼다.

"뭐야, 왜 그러고 있어?"

"야, 나 이거 그냥 못 넘어가."

찬재는 이다를 쳐다보지도 않고 성난 목소리로 대꾸했다. 이어 성큼성큼 침대로 다가가 바이크 열쇠에 손을 뻗으려는데, 이다가 재빨리 달려와 바이크 열쇠를 먼저 낚아챘다.

"너 지금 뭐 하자는 거야?"

이다는 바이크 열쇠를 꽉 움켜쥔 채 따지듯 물었다. 그러자 찬재의 시선이 이다에게로 향했다.

"열쇠 내 놔."

"뭐?"

"내가 너 없을 때 처리하려다가, 그래도 너 나올 때까지 기다린 거야. 아무리 부부 사이라도, 네 물건 내 마음대로 처리하는 건 예의가 아니니까."

"내가 보는 앞에서 네 맘대로 처리하는 건 예의고?"

"오죽 뭣 같은 물건이면 내가 이러겠냐!"

"뭣 같은 물건?"

이다는 불쾌해져 인상을 썼다.

"그래, 뭣 같지만! 백번 양보해서 소장 가치는 인정한다. 그러니까 열쇠 나한테 주고, 집에 관상용으로나 둬."

"네가 내 취미 생활 내버려 두라고 했을 텐데?"

"웬만해야 내버려 두지!"

찬재가 외치는 동시에 열쇠를 향해 손을 와락 뻗었다. 이다는 열쇠를 쥔 손을 냉큼 뒤로 빼고, 다른 손으로 찬재의 머리채를 움켜잡았다. 그러자 찬재는 두 팔로 이다의 허리를 안아 번쩍 들어 올렸다. 곧바로 찬재의 등이 순식간에 침대 위로 넘어갔다. 침대에 등이 부딪치자 풀썩 반동이 일었다. 다음 순간 찬재는 얼른 몸을 돌렸다.

눈 깜짝하는 사이 이다는 침대에 눕혀져 있었다. 찬재는 이다의 어깨를 쥔 채 위에서 그녀를 내려다봤다.

"너 선택해. 저 바이크야, 네 남편이야?"

"뭐?"

"나보다 저딴 바이크가 더 중요해?"

유치하게 굴지 말자, 목욕물에 마음 씻듯 도를 닦다 나왔건만. 이 남편이 먼저 이렇게 유치하게 나오다니.

이다는 욱한 눈빛으로 대답 아닌 질문을 던졌다.

"넌 되는데 난 안 되고, 그런 거 없다는 거 알지?"

"뜬금없이 뭔 소리야?"

"너 이렇게 유치하게 나오는데. 나라고 유치하지 말라는 법 없단 소리야."

"뭐?"

이다는 눈을 감고 한숨을 내쉬었다. 이어 몸을 돌려 누우면서 스스로 머리 아래에다 팔베개를 댔다.

"그딴 치사한 질문에 대답해 줄 생각 없어. 나 잔다, 깨우지 마."

무심한 목소리로 통보한 후, 이다는 입을 꾹 닫아 버렸다. 이어지는 찬재의 어떤 말에도 대꾸하지 않았고, 어깨를 흔드는 손길에도 전혀 반응하지 않았다. 그저 바이크 열쇠를 쥔 주먹을 머리로 꾹 눌러둔 채, 단단히 고집스러운 표정으로 잠을 청했다.

찬재는 꿈쩍없는 이다를 깨우려고 한창 실랑이를 하다 결국 침실을 박차고 나왔다. 속 터지는 마음에 거실을 서성이던 그는 세시에게 전화를 걸었다.

"내 와이프 바이크 끊게 하면, 원하는 거 다 들어준다."

다짜고짜 용건을 말하자 수화기 너머 세시는 에휴, 소리를 냈다.

[형님, 걔는 그거 못 끊어요. No way! No 방법!]

"아니, 하루 종일 배달하고 살았다면서. 저놈의 바이크 지겹지도 않아?"

[하루 종일 일하는 거 지겨운데. 그나마 바이크가 좋으니까 계속 한 거죠. 이다 재가 재미 느낄 일이 뭐가 있었겠어요. 만날 일만 하다 집에 와선 잠만 자고, 밥은 일하면서 짬짬이 대충 먹고. 그나마 바이크 타는 게 사는 재미였을걸요.]

"그런 거였나……?"

찬재의 목소리는 갑자기 무거워진 마음만큼 무겁게 가라앉았다.

[아유, 그럼요. 그러니까 그 사고를 당하고도 바이크를 다시 타지. 저 같으면 두 번 다시 바이크 못 타요. 아니, 그렇게 다쳐 봐 놓고 바이크가 웬 말이야? 자전거도 못 탈 판국에. 전요, 그때 이다 다쳤던 거 생각하면 비 오는 날 제 다리가 다 쑤셔요. 그런데도 재는 저렇게 좋다고 타고 다니는 거 보면, 이건 팔자예요. 뭘 해도, 뭘 당해도 바이크는 꼭 탈 팔자.]

세시가 사고를 상기시키자, 찬재는 화르르 열이 올라 눈을 부릅떴다. 가라앉던 마음이 엔진을 단 것처럼 불붙어 머리끝까지 솟구쳐 올랐다.

이 여자가 진짜! 또 다치면 어쩌려고!

[그러니까 형님, 그냥 내비 둬요. 포기하면 편해. 어차피 때 되면 가는 인생, 팔자대로 살다 가는 거죠, 뭐.]

불붙은 데 기름 붓는 세시의 덧붙임에 찬재는 버럭 목청을 높여 외쳤다.

"가긴 어딜 가! 내가 가게 둘 것 같아?!"

* * *

다음 날 새벽, 샤워 가운 차림으로 잠에서 깬 이다는 등 뒤에 누워 있는 찬재를 확인했다. 씩씩대며 나가서는 한참 안 돌아오기에 딴 방에서 자는가 싶었는데. 자신이 먼저 잠든 사이 돌아왔던 모양이다. 찬재는 창문을 마주하고 누워 있는 이다의 뒤에서, 마치 바이크를 탈 때처럼 그녀의 허리를 꼭 끌어안고 잠들어 있었다.

화해하잔 의미인가?

평소처럼 따뜻한 찬재의 팔에 손을 올리고서 이다는 그를 향해 몸을 돌렸다. 제대로 마주하게 된 찬재의 얼굴은 어째 고집스럽게 인상을 쓴 것처럼 보였다.

"설마 꿈에서 계속 싸우고 있냐……."

이다는 중얼거리면서 찬재의 얼굴로 손을 뻗었다. 그런데 자신의 손이 시야에 들어오자, 번뜩 떠오르는 생각이 있었다.

나 어제 바이크 열쇠 쥐고 자지 않았나?

순간 이다는 눈을 크게 뜨고 벌떡 몸을 일으켰다.

내 열쇠!

이다는 비어 있는 두 손을 번갈아 보고는 주위를 두리번거렸다. 그런 이다의 옆에서 찬재는 인기척을 감지하고 잠을 깼다. 그가 눈을 뜬 줄도 모르고 이다는 잔뜩 심각해진 표정으로 이불을 들쳐 안을 확인했다.

"뭐야? 왜 그래?"

찬재는 무슨 문제가 생겼나 싶어 얼른 일어나 앉았다. 그러자 이다의 다급한 시선이 그에게로 향했다.

"내 바이크 열쇠, 못 봤어?"

"바이크 열쇠?"

반사적으로 찬재의 얼굴이 구겨졌다.

"너 지금 그거 없어졌다고 나라 잃어버린 표정 하고 있냐?"

찬재의 목소리와 눈빛에는 반발심이 가득했다.

"지금 내 표정이 중요한 게 아니야. 내 열쇠 못 봤냐니까?"

"못 봤지만 볼 예정이다. 봐서 확 치워 버려야지."

경고하듯 대답한 뒤 찬재는 베개를 휙 들었다.

"치우긴 내 걸 네가 왜 치워?"

이다는 반발하며 베개가 있던 자리를 빠르게 훑어봤다. 그녀처럼 찬재도 빠르게 시선을 움직였다. 그러나 베개 아래에는 아무것도 없었다.

"찾기만 해 봐."

찬재는 베개를 내팽개치며 이를 갈았다. 그에 질세라 이다는 이불을 힘껏 당겨 침대 바깥으로 훌렁 날려 버렸다. 달랑 시트만 남은 침대 위에서 두 사람은 서로 누가 먼저 찾나 경쟁이 붙어 침대 구석구석을 뒤졌다. 그러나 온 구석을 다 보아도 열쇠는 나타나지 않았다.

"이상하네. 이게 왜 없지?"

이다는 중얼거리다가 의심의 눈초리로 찬재를 쳐다봤다.

"혹시 네가 숨겨 놓고 없어진 척하는 거 아냐?"

"아니거든."

찬재는 퉁명하게 대꾸했다. 그럼에도 이다는 그냥 넘어갈 수 없어 찬재의 어깨를 잡아 힘껏 밀어 눕혔다. 바로 이어 찬재의 허리 위로 올라앉고 그의 잠옷 주머니에 손을 댔다. 더듬더듬 살피는데 주머니는 비어 있었다.

"어디 다 뒤져 보시든가."

찬재가 여유로운 눈빛으로 놀리듯이 도발했다.

"그래 보자고."

승부욕에 찬 이다는 아예 본격적인 몸수색을 시작했다. 샅샅이 몸을 훑는 손길이 배를 지나 가슴으로 올라갔다. 찬재는 그런 이다의 다리로 손을 옮겼다. 샤워 가운 아래로 뻗은 매끈한 허벅지가 찬재의 손에 잡혔다. 이다는 멈칫 찬재와 눈을 마주쳤다.

"뭐 해?"

이다가 묻자 찬재는 씩 입꼬리를 당겨 올렸다.

"네가 숨겨 놓고 있을지도 모르잖아?"

반문하는 찬재의 손이 슥 허벅지를 타고 올라왔다.

"내가 왜?"

"이렇게 나 만지려고?"

이다는 피식 실소가 터졌다.

"어디 이 안에 있나 볼까?"

덧붙이며 찬재가 이다의 허벅지 위 샤워 가운 속으로 손을 밀어 넣었다.

"그럼 넌 거기서 찾아. 난 여기서 찾을 테니까."

이다는 찬재의 잠옷 단추를 풀며 말했다.

누가 먼저 찾는지를 경쟁하는 건지. 누가 먼저 벗기는지를 경쟁하는 건지. 분간할 수 없는 둘의 손길이 이어졌다.

등산로 입구 주변 주차장, 강 회장은 주차 된 차 안 뒷좌석에 앉은 채 시계를 확인했다.

새벽 5시 59분.

“인석들이 왜 아직 코빼기도 안 보이는 게야?”

약속 시간 1분 전이건만 강 회장은 상대가 지각이라도 한 것처럼 성화를 냈다. 이러다 6시가 되면 얼마나 더 열을 올리실지. 운전석에 앉은 기사는 곧 귀가 따가워질 거라는 마음의 준비를 했다. 그런데 막 6시가 된 찰나, 주차장으로 찬재의 차가 들어섰다.

“양반은 못 될 놈들 같으니라고.”

강 회장은 못마땅한 척 투덜거리면서 냉큼 차 밖으로 나섰다. 찬재의 차는 강 회장의 차 바로 맞은편에 주차를 완료했다. 이어 강 회장처럼 등산복 차림인 찬재와 이다가 그 안에서 문을 열고 나왔다. 강 회장과 눈이 마주치자마자 두 사람은 꾸벅 고개 숙여 인사부터 건넸다. 비라도 맞은 건지 두 사람의 머리칼은 흘딱 젖어 있었다.

“아니, 머리 꼴이 왜들 이래?”

강 회장은 둘의 머리칼을 번갈아 보며 황당한 듯 물었다. 그에게 이다가 대답했다.

“샤워하고 보니까 시간이 늦어서요. 지각하기 싫어서, 머리 안 말리고 그냥 바로 왔어요.”

“이 새벽에 샤워를 왜 벌써 해? 어차피 등산 끝나고 또 하게 될걸.”

강 회장이 지적하자 이번에는 찬재가 대답을 건넸다.

"침대가 오죽 더웠어야죠."

"침대가 더워?"

"예, 땀이 아주 뻘뻘 나게 더웠습니다. 새벽부터 산꼭대기 정상 찍은 기분이던데요."

찬재는 활력이 넘치는 얼굴로 당당하게 대답했다. 강 회장은 그를 잠시 쳐다보다 이맛살을 찡그리며 헛기침을 했다. 무슨 뜻인지 짐작이 가는 탓이었다.

원, 꼭두새벽부터. 하여간 시도 때도 없는 것들 같으니라고. 남들은 신혼에 그렇게들 싸운다는데. 이것들은 싸울 틈도 없겠구먼.

"일주일에 달랑 토요일 하루 등산인데. 이런 날은 푹 자고 오도록 해. 산에서 또 쓰러지지 말고."

강 회장은 근엄하게 당부한 뒤 휙 고개 돌려 등산로 입구로 발을 옮겼다.

"잠은 푹 잤어요, 아버님. 제 컨디션 최곤데. 아버님은 어떠세요?"

이다는 상쾌한 걸음으로 뒤를 따르며 질문했다. 시원시원한 목소리에 기분이 개운해져 강 회장은 미소를 띠었다.

요 녀석 데려다 매일 보고 살면 얼마나 좋을까 싶다만.

'아버님, 전 아버님 댁에서 살면 금방 간사해질 것 같아요. 결혼하고도 아버님 댁에 남을 수 있는 자식은 아무도 없었다는데. 저만 그런 특혜를 누리는 게 다른 사람들 눈엔 편애로 보일 수 있잖아요. 사람들이 그렇게 생각하고 저를 특별하게 대우하면, 전 버릇 나빠질 것 같은데.'

합가를 사양하던 이다의 목소리가 떠오르자 강 회장은 금세 욕심을 내려놓았다.

저 말발을 대체 누가 이기겠어?

똑소리 나는 며느리를 이길 생각 대신, 이젠 그저 만족스럽다는 생각이 들어 강 회장의 미소는 더욱 선명해졌다.

* * *

일주일에 한 번, 매주 토요일로 지정된 강 회장과의 새벽 등산을 마치고서 두 사람은 태강 타워로 돌아왔다. 펜트하우스로 올라가는 승강기 안에서 이다는 찬재에게 질문을 던졌다.

“정말 너 아니야?”

“아니라니까.”

“이상하네. 나 분명히 열쇠 내가 쥐고 잤는데.”

“뭐야. 아까 침대에선 열쇠고 나발이고 다 필요 없는 것처럼 나랑 재미 봐 놓고서.”

찬재는 등산 전 침대 위에서의 난장판을 상기시켰다. 그리고 나란히 선 이다의 허리에 팔을 두르면서 이다의 귓가에 입술을 댔다.

“사이좋게 샤워도 같이했으면서, 설마 2차전 시작하잔 거야?”

“그땐 지각이라 정신없이 한 욕조 쓴 거지. 열쇠고 나발이고 다 필요 없어져서 종전한 거 아니네요.”

이다는 짓궂은 목소리로 대꾸하고 찬재의 입가에 짧게 입을 맞췄다.

“잠깐 휴전했던 거지.”

이다가 덧붙이자 찬재는 아쉬운 듯 흐으음, 소리를 냈다.

"그놈의 바이크 열쇠 꼭 필요하다, 이거지?"
"맞아, 그거야."
이다는 고개를 끄덕였다.
"하는 수가 없네. 같이 찾는 수밖에."
찬재는 체념 조로 말하고는 이다의 허리를 바짝 끌어안았다.
"찾아서 너 줄 테니까. 넌 나랑 다른 것도 좀 찾자."
"다른 거?"
"네 취미 말이야. 바이크보다 더 재미있게 느낄 만한 거. 물론 더 안전한 걸로. 이왕이면 나랑 같이할 수 있는 걸로 찾아보자고."
"그런 거 찾아서, 바이크 시들해지라고?"
"너 아직 많이 못 놀아 봤으니까. 나랑 같이 많이 놀아 보잔 얘기지. 세상에 즐길 게 얼마나 많나, 내가 보여 줄게."
무작정 바이크는 안 된다는 강경책이 아닌, 더 많은 걸 함께 즐기자는 회유책이었다. 어제보다 한결 부드러워진 찬재의 태도에 이다는 덩달아 마음이 부드러워지는 기분이었다.
"뭐, 바이크보다 더 스릴 넘치는 게 생기면 더 좋긴 하지."
이다가 말하는 사이 승강기는 펜트하우스 층에 다다랐다. 문이 열리자 이다는 찬재의 손을 잡고 함께 승강기를 빠져나갔다. 두 사람은 금세 현관문 앞에 섰다. 찬재는 현관문에 비밀번호를 입력하며 제안을 건넸다.
"내일 같이 놀이공원 가 보는 건 어때? 거기 가면 스릴 넘치는 거 많다는데."
"좋아. 그러자."
흔쾌히 받아들이는 이다의 앞에서 찬재가 현관문을 활짝 열었다.

이다는 안으로 발을 옮기며 덧붙였다.

"근데 그런 거 못 찾아도, 나 바이크 타는 시간 많지 않을 거야. 정말 아주, 아주 가끔. 어쩌다 한 번씩만 탈게. 그것도 안전한 데서만, 엄청 조심하면서."

"그래. 그리고 앞으로는 바이크 꼭 나하고 같이 타."

뒤따라오는 찬재의 발언이 놀라워서 이다는 눈을 동그랗게 뜨고 그를 향해 물었다.

"너 어제 바이크 타다 토했잖아. 또 탈 수 있겠어?"

"타야지. 내가 어떻게든 적응하고 즐겨야지. 네가 그렇게까지 좋아하는 취미라는데."

찬재는 굳건한 눈빛으로 대답했다.

"그렇게까지 안 해도 돼. 너 괴로울 텐데."

이다가 미안한 듯 반응하자 찬재는 이다의 어깨를 안았다.

"그렇게 안 하면 더 괴롭다, 내가."

그 위험한 걸 기어이 타겠다는데. 내가 널 어떻게 혼자 둬? 같이 딱 붙어 있어야지. 너 혼자는 절대 못 보내지.

찬재는 어제처럼 다시 눈에 불을 켜고 속으로 결심을 되뇌었다. 이다를 안은 두 팔에는 단단히 힘이 들어갔다. 이다는 그런 찬재를 화답하듯 마주 안았다. 뭐든 함께하겠다는 그가 무진장 사랑스러워서, 둘 사이에 종이 한 장 낄 틈 없을 만큼 힘껏 부둥켜안았다.

둘 사이로 아무것도 끼어들 수 없을 것 같은 포옹이 한참 이어졌다. 이윽고 포옹을 푼 두 사람이 서로 눈을 마주쳤을 때, 복도에서 가사 도우미의 목소리가 들려왔다.

"아, 사모님 마침 오셨네요."

두 사람은 소리를 향해 고개를 돌렸다. 그러자 이다의 샤워 가운을 든 가사 도우미가 그들에게로 걸어오며 말을 이었다.

"세탁하려고 보니까 여기 주머니 안에 열쇠가 들어 있어서요. 침실에 가져다 둬야지, 하던 참이었는데."

가사 도우미는 손에 쥐고 있던 바이크 열쇠를 이다에게 내밀었다. 이다는 영문을 모르겠단 눈빛으로 입을 열었다.

"이게……."

"샤워 가운 주머니에 있었다고요?"

찬재의 질문에 가사 도우미가 고개를 끄덕였다.

"내가……. 잠결에 주머니에 넣었었나?"

이다는 영 기억이 나질 않아 중얼거렸다. 잠결이었다면 무의식에 가까운 상태니까, 기억이 안 날 수야 있는 일이었다.

하지만…….

"아니, 어떻게 이걸 바로 주머니에 두고 못 찾을 수가 있지?"

이다가 하고픈 말을 정확히 그대로 내뱉는 찬재였다.

"내 말이."

이다는 나지막이 동의하며 바이크 열쇠를 받아 들었다. 어이없지만 재미있기도 해서 찬재는 피식 코웃음을 흘렸다. 바이크 열쇠를 넘긴 가사 도우미는 그들에게서 등을 돌려 걸음을 옮겼다.

"너무 절박하면 판단력이 흐려진다는데. 너 그렇게 절박했냐? 열쇠 찾겠다고 온갖 데 다 뒤지면서 주머니는 생각도 못 할 만큼?"

"응. 없어진 줄 알고 잠깐 정신이 나갔었어."

이다가 단숨에 인정하자 찬재는 졌다는 투로 혀를 내둘렀다.

"이렇게나 좋아하는 걸 무슨 수로 말려."

“그래도 그 와중에 열쇠 찾다 말고 너한테 넘어간 거 보면, 널 더 좋아한단 뜻이겠지?”

이다는 새겨들으라는 확고한 태도로 찬재의 어깨를 잡았다. 그러자 찬재는 장난스럽게 되물었다.

“그럼 나랑 재미 보다 말고 아버지 등산 약속으로 넘어간 건, 나보다 아버질 더 좋아한단 뜻이 되나?”

“아버님은 내가 사랑하는 강찬재 씨를 세상에 있게 해 준 분인데. 그런 분한테 약속한 건 꼭 지켜야 하지 않아? 세상에 아버님보다 더 고마운 분이 어디 있다고.”

이다가 당연한 듯 뱉은 말에 찬재의 눈빛이 진지해졌다.

“그 말 들으니까 나까지 효심이 막 솟구치네.”

“이런 나랑 결혼하게 허락해 주셔서?”

“아버지 덕에 태어나서, 너 만났잖아.”

대답을 건넨 찬재의 입술이 곧장 이다의 입술을 삼켰다.

효심이 아니라 딴 게 솟구치는 것 같은데……?

불을 지피는 듯한 열렬한 입맞춤이 이어지자 이다는 잠시 의아해했다. 그렇지만 이내 의문은 잊고 맛을 보듯 함께 입술을 움직였다.

아버님에게든 누구에게든, 세상만사에 다 감사해야 할 것 같은 행운의 맛이 느껴졌다.

* * *

다음 날 아침, 이다는 찬재와 함께 펜트하우스를 나섰다. 결혼 후

진 선생의 수업은 평일에만 펜트하우스에서 진행되었고, 따라서 일요일인 오늘은 실컷 늦잠을 잘 수 있는 날이건만. 이다는 누구보다 먼저 놀이공원에 도착할 기세로 일찌감치 찬재를 재촉했다.

이전에는 딱히 가고 싶단 생각을 해 본 적이 없었는데. 막상 갈 일이 생기니까 호기심이 쑥쑥 자라나 몸이 달았다. TV에서 보던 놀이공원을 직접 보면 어떤 느낌일지. 궁금하고, 빨리 보고 싶고, 신이 났다.

놀이공원 앞에 도착한 이다는 매표소에서 주저 없이 자유 이용권을 두 장 구매했다. 시간이 허락하는 한, 최대한 많은 놀이 기구를 즐길 작정이라 다른 선택권은 전혀 고려하지 않았다. 찬재에게 자유 이용권을 나눠 주는 이다의 얼굴이 방긋방긋했다.

"놀이공원 진작 오자고 할 걸 그랬네."

찬재는 덩달아 미소를 띤 얼굴로 자유 이용권을 받아 쥐고 말했다.

"나도 내가 여기 오는 거 이렇게 신나 할 줄 몰랐지."

이다는 대꾸하는 동시에 찬재의 팔에 팔짱을 꼈다. 이어 빠르게 놀이공원 입구로 성큼성큼 걸었다. 입구에 도착하자 직원이 두 사람 앞을 가로막고 표를 확인했다. 금세 확인을 마친 직원이 길을 비켜 주며 입을 열었다.

"환영합니다, 즐거운 시간 되세요!"

직원의 경쾌한 환경 인사가 이다에게는 마치 경주의 시작을 알리는 출발 신호총 소리처럼 들렸다.

놀이공원 안에서 이다는 가장 무섭기로 손꼽히는 놀이 기구들을 차례차례 모조리 체험했다. 그리고 그중 가장 마음에 드는 놀이 기구를 다시 타고, 다시 타고, 다시 탔다. 구불구불 중구난방으로 이어지는 위태로운 레일 위를 초고속으로 달리는 롤러코스터였다.

"이건 뭐, 놀이 기구계의 스테이크네. 질리지도 않고 계속 즐기는 거 보니."

무려 여섯 번째 롤러코스터 탑승을 마쳤을 때, 찬재는 혀를 내두르며 평가했다.

"응. 나 이거 정말 마음에 들어. 바이크보다 훨씬 빠른데, 손 들고도 탈 수 있잖아."

"그래서 이거 또 탈 생각이지?"

"역시 내 남편이다. 정답."

이다는 감탄하듯 눈을 반짝이며 엄지를 척 들어 보였다.

"남자계의 스테이크지."

자부하는 투로 말하면서 찬재가 이다의 엄지를 감싸 잡았다. 그리고 선뜻 롤러코스터를 향해 발길을 돌렸다.

"근데 넌 괜찮겠어? 저거 또 타도 돼?"

"백번도 더 탈 수 있으니까, 너 타고 싶은 만큼 얼마든지 타."

"오오, 의왼데? 바이크에는 약하더니, 바이크보다 빠른 거에 강하다니."

"바이크는 속도가 문제인 게 아니야. 어디서 뭐가 튀어나올지 모르는 게 문제지. 롤러코스터는 아무리 빨라 봐야 어차피 레일 따라 정해진 코스대로 움직이잖아. 옆에서 트럭이 튀어나올지, 차가 미끄러질지 모르는 바이크 상황하곤 전혀 달라."

찬재의 설명에 이다는 잠시 생각하다 입을 열었다.

"따지고 보면 위험한 척하는 안전한 스릴 제공이네. 놀이 기구 타는 거 말이야."

"그런 셈이지."

"그럼 넌 놀이 기구는 아무리 빠르고 무서워도 즐길 수 있어?"

"가능해. 보시다시피."

찬재가 호언장담하는 사이 두 사람은 롤러코스터 입구에 다다랐다. 같은 커플을 일곱 번이나 마주하게 된 직원의 얼굴에는 놀란 기색이 역력했다. 두 사람은 그를 향해 표를 들어 보였다. 그러자 직원은 얼른 표정을 추스르고 두 사람을 입장시켰다.

"넌 어때? 놀이 기구 타는 거, 바이크랑 비교하면 뭐가 더 재미있어?"

찬재는 대기 중인 롤러코스터로 이동하며 질문했다.

"둘이 매력이 좀 다른데……."

이다는 곰곰 생각해 보다 먼저 롤러코스터에 올라탔다. 뒤따라서 찬재가 옆자리에 착석했다. 안전장치를 착용한 뒤 둘은 자연스레 서로의 손을 잡았다. 이다는 다섯 손가락 사이사이를 채운 다섯 손가락을 바라보며 말했다.

"나 혼자 타면 둘 다 똑같이 재미있을 거야."

"그래?"

위험한 바이크보다 롤러코스터를 택해 주길 바랐건만.

찬재는 아무래도 더 스릴 넘치는 놀이 기구를 찾아봐야겠다고 속으로 다짐했다.

"근데 둘이 탈 땐 이게 더 좋다. 바이크 탈 땐 네 손 못 잡잖아."

듣던 중 반가운 소리라서 찬재는 입이 귀까지 올라갔다. 안전장

치를 확인하는 직원의 안내 음성이 울려 퍼졌지만, 찬재의 귀에는 들리지 않았다. 그저 이어지는 이다의 목소리만 귀에 들어왔다.

"그리고 오늘 느낀 건데. 난 이렇게 너도 같이 즐길 수 있는 취미가 제일 좋다."

찬재는 아주 입이 하늘까지 오를 지경이 되었다.

"바이크 탈 때보다 지금이 더 좋단 말이지?"

찬재의 질문에 대답이라도 하듯 롤러코스터가 덜컹 굉음을 냈다. 이어 서서히 전진하는데, 그러거나 말거나 찬재는 기대하는 눈빛으로 이다의 대답만 기다렸다.

"그런 말 맞아."

이다가 대답하는 찰나 롤러코스터가 쏜살같이 엄청나게 빨라졌다. 제트기처럼 질주하는 속력에 탑승자들의 비명이 터졌다. 반면 찬재는 두 손을 높이 들고 환호성을 터뜨렸다. 그 와중에도 이다의 한 손을 놓지 않은 채, 세상에 이보다 더 즐거운 놀이가 없을 사람처럼.

점심시간을 훌쩍 넘기고서야 두 사람은 놀이공원 야외 테이블에 마주 앉아 식사를 챙겼다. 빨리 먹고 빨리 더 놀자는 이다의 선택에 따라 메뉴는 패스트푸드인 햄버거와 감자튀김, 음료수였다.

노느라 정신이 팔려 배고픈 줄도 몰랐는데. 이다는 찬재가 테이블에 내려놓은 음식을 보자마자 버튼을 누른 것처럼 꼬르륵 배에서 소리가 났다.

"거봐. 내가 세상에 즐길 거 많다고 했지?"

찬재는 뿌듯한 얼굴로 이다를 향해 말했다. 덥석 햄버거를 입에 문 이다가 고개를 끄덕거렸다.

"다음 주엔 다른 놀이공원 갈까?"

"좋아."

이다는 그새 입을 비우고서 대답했다. 그 모습에 찬재는 눈을 휘둥그레 떴다.

"야, 너 햄버거 씹지도 않고 삼켰어?"

"아냐, 씹었어. 엄청 빨리."

엄청 빨리 대답을 뱉고 이다는 또 햄버거 한입을 베어 물었다. 그러고는 우물우물 두어 번 턱을 움직이더니, 꿀꺽 삼켰다.

"그러다 혀 깨문다. 좀 천천히 먹어."

"빨리 먹어야 그만큼 더 놀지."

"그깟 몇 입짜리 햄버거 먹는 데 몇 분이나 차이 난다고 그래?"

"그 몇 분도 아까워. 나 여기 진짜, 진짜 마음에 들거든. 문 닫을 때까지 시간 꽉꽉 채워 놀 거야."

이다는 열의에 찬 눈빛으로 선언했다.

"드라마에 처음 재미 붙였을 때도 하루 종일 TV 앞에 붙어살더니. 이번엔 아주 놀이공원에 텐트 치고 살 기세다, 너."

"그럴 수 있으면 그럴지도?"

농담조로 말하고서 이다는 음료수를 빨대로 쭉 들이마셨다. 그런데 찬재는 어째 진지해진 얼굴로 팔짱을 끼고 생각에 잠겼다.

"그러고 보면 너, 그렇게 하루 종일 놀던 때도 있었는데."

"그랬지."

이다는 혜주인 척 생활하던 시절을 떠올리며 말했다.

"나랑 진짜 결혼하고 나서는 그때만큼 쉴 시간이 많질 않네. 평일이면 나 출근해 있는 시간 동안, 매일 진 선생 수업 들어야 하고. 토요일은 새벽부터 아버지 만나야 하고."

"그렇기야 하지."

"그때처럼 살고 싶지 않아?"

"그때처럼?"

"하루 종일 드라마를 봐도 되고, 매일 놀이공원을 와도 되고. 그렇게 살 수 있으면 더 좋지 않겠냐는 뜻이야."

"그런 생각 안 해 봤는데."

"지금 해 봐."

찬재의 권유에 이다는 의아한 눈빛으로 질문을 던졌다.

"왜?"

"혹시 그때가 더 좋았던 거면, 그때처럼 하루하루 네 마음껏 즐기면서 지냈으면 해서."

대답을 들은 이다는 빨대를 물고 음료수를 마시면서 상상했다.

하루 종일 드라마도 보고, 아무 때나 놀이공원도 가고……

"그렇게 살면 힘들 건 없겠지만. 딱히 보람도 없겠는데?"

이다는 얼마 안 가 결론을 내렸다.

"대신 노는 재미는 훨씬 많잖아."

"노는 재미라……."

이다는 다시 곰곰 생각해 보다 말을 이었다.

"매일 놀고먹는 거 물론 재미있었지. 근데 오늘만큼 재미있는 날은 없었어. 이게 놀이공원 덕분인가……. 생각해 봤는데. 그건 아닌 것 같아."

"그럼?"

"그냥 먹는 물보다 땀 빼고 먹는 물이 훨씬 시원한 격이지. 어제까지 내가 할 일 다 해 놓고 노니까, 오늘이 훨씬 재미있는 거야."

이다의 눈빛에는 확신이 가득 차 있었다.

"배부를 때 먹는 밥보다 배고플 때 먹는 밥이 훨씬 맛있다는 얘기 같다?"

"맞아, 그 얘기야. 그러니까 난 예전보다 지금이 훨씬 좋아."

이다가 대답하자 찬재는 알겠다는 투로 고개를 끄덕거렸다.

"네가 좋으면 나도 좋지. 뭐, 혹시라도 마음 바뀌면 말해. 평생 땀 안 빼고, 배고플 새 없이 사는 쪽이 더 좋아지면 말이야."

"그래, 마음 바뀌면 말할게."

이다는 시원스럽게 약속하고 햄버거를 입에 물었다. 찬재도 그녀를 따라 자신의 햄버거를 크게 한입 물었다. 잠시 후 햄버거를 삼킨 이다가 질문을 건넸다.

"근데 넌 내가 일하는 거 별로인가?"

"그래 보여?"

"자꾸 놀라고 자리 깔아 주니까, 혹시 내가 그냥 놀았으면 좋겠는 건가 싶어."

"놀라고 자리 깔아 주는 건 맞는데. 일하는 게 별로라서가 아니야. 아버지가 대놓고 너 일하는 거 바라시니까. 네가 의무감 때문에 아버지가 좋아하는 일을 택할까 봐. 난 자꾸 일 안 해도 괜찮다는 말을 하게 되는 거지."

찬재는 이다가 오해하지 않도록 분명한 목소리로 설명했다. 그리고 부탁하듯 덧붙였다.

“나는 네가 일을 할지 안 할지, 네 마음 가는 대로 편하게 선택했으면 해. 어느 쪽을 선택하건 그게 네가 원하는 거라면, 난 무조건 찬성이야.”

“내가 원하는 거면, 일을 선택해도 좋아?”

“좋고말고.”

“오……. 내가 일하느라 바빠지면 너한테 소홀해질 수도 있을 텐데?”

이다가 겁주듯이 장난스럽게 질문하자 찬재는 피식 웃었다.

“너 바빠지면 나도 바빠져야지. 너 일에 꽂히면 나한테보다 너 자신한테 소홀할 확률 백 퍼센트니까. 내가 널 지금보다 더 잘 챙겨야지.”

찬재는 전혀 문제 될 게 없다는 듯 듬직하게 말했다. 그러자 이다는 한입 남은 햄버거를 몽땅 입안으로 냉큼 넣고 포장지를 내려놓았다. 그리고 두 손 모두 엄지를 들어 보였다. 도토리 문 다람쥐처럼 볼이 불룩 튀어나온 채, 이다는 눈빛으로 찬재에게 말을 전했다. 네가 정말 최고라고.

* * *

해가 저문 뒤의 놀이공원은 마치 다른 공간처럼 느껴졌다. 캄캄해진 밤하늘 아래, 형형색색 수많은 조명을 켠 놀이 기구들이 눈부시게 화려했다.

이 놀이 기구가 낮에 탔던 그 놀이 기구가 맞는지. 이다는 일일이 다 확인하는 기세로 다시금 한밤의 놀이공원을 샅샅이 체험하고 다녔다. 밤이 깊을수록 조명 불빛은 더욱 밝게 대비되었고, 덕분에 동화 속 세상 같은 분위기는 더욱 무르익었다. 그 안에서 이다는 어린 시절로 돌아간 것 같은 기분으로, 그러나 그 시절엔 전혀 겪어 보지 못한 하루를 만끽했다.

놀이공원에서의 첫날, 끝을 모르고 놀던 이다에게 끝을 알려 준 건 폐장 시간을 알리는 안내 방송이었다.

"뭐야, 벌써 11시야?"

이다는 방송을 듣고 시계를 확인하며 놀라워했다.

"집에 가면 바로 곯아떨어져야겠다. 내일 아침 수업 제대로 들으려면."

이다의 다짐이 이어지자 찬재가 그녀의 어깨를 한 팔로 감쌌다.

"너무 피곤할 것 같으면 그냥 수업을 좀 미뤄."

"아냐. 빨리 들어가서 푹 자면 돼."

이다는 찬재의 허리에 팔을 두르면서 대꾸했다.

"그럼 그냥 지금부터 자. 집까지는 내가 옮겨 줄 테니까."

"뭐?"

"안겨서 잘래, 업혀서 잘래?"

"아니, 여기서 집까지 뭐 얼마나 오래 걸린다고. 그냥 주차장까지 몇 분 걸어가면 차 타고 편하게 갈 텐데."

"그 몇 분이라도 더 재우고 싶어 그런다."

"와……. 진짜 극성이다, 너."

"극성에 두 자 더해 지극정성이지."

부정할 수 없는 말이기에 이다는 픽 웃고 말았다. 찬재가 다시 입을 열었다.

"정성을 생각해서 사양 말고 꼭 하나는 선택해 줘. 안겨서 잘래, 업혀서 잘래?"

이다는 잠시 당황했지만, 곧 무덤덤하게 생각했다.

태워 준다면야 편하긴 하니까, 사양할 건 없지.

"그야……. 업히는 게 낫겠지."

"오케이."

찬재는 이다를 멈춰 세우고서 그녀 앞에 등을 보이고 자세를 낮추었다.

"자, 여기 타."

스스럼없는 찬재의 목소리에 이다 역시 스스럼없이 찬재의 등에 가슴을 기대었다. 이다가 뒤에서 목을 끌어안자 찬재는 몸을 일으켰다. 찬재의 두 팔은 이다의 두 다리를 감싸 고정했다. 찬재는 그렇게 이다를 업은 채 놀이공원 출구 쪽으로 발걸음을 옮겼다.

"그러고 보니까 나 너 안아서 옮긴 적은 몇 번 있는데. 업어 준 적은 한 번도 없네."

"그래서 업히는 거 고른 거야."

"덕분에 업어도 보네. 이제 눈 감고 자. 자는 동안 내가 알아서 집까지 모셔 놓을게."

찬재의 말에 이다는 그의 어깨에 턱을 괴었다.

"그럼 어디 편하게 잠 좀 자 볼까?"

눈을 감고 잠을 청하는데, 가슴에 닿은 단단하고 넓은 등이 한층 선명하게 느껴졌다. 품을 가득 채우고도 남는 찬재의 등이 따뜻하게 체온을 전했다.

자려고 했는데…….

더해진 체온보다 뜨거워진 가슴이 두근두근 뛰었다. 속속들이 다 아는 몸인데도 색다른 접촉에 새로운 기분으로 설레었다.

"못 자겠어."

"왜? 불편해? 자세 바꿀까?"

"아니. 좋아서 못 자겠어."

"좋아서?"

"오늘 탄 것 중에 제일 좋다."

이다는 찬재의 목으로 빰이 닿게 얼굴을 기대었다.

"이 기분 계속 느끼고 싶은데. 잠들면 놓치잖아."

이다가 귓가에서 덧붙이자 찬재는 입이 귓가까지 오를 만큼 크게 웃음을 지었다.

"앞으로 매일 업어 줘야겠네."

다짐하는 찬재의 빰에다 이다가 입술을 맞추었다. 그리고 귓가에다 바짝 입술을 들이대고 속삭였다.

"나 지금 네 가슴 좀 만져도 돼?"

"야, 안 돼! 여기서는. 차에 가서, 차에 가서 해."

당황한 찬재가 뒤를 돌아보며 다급히 말했다.

"왜? 사람들 볼까 봐?"

"내 가슴 터져서, 너 떨어뜨릴까 봐."

"넌 뭐 아직도 그래? 내가 네 가슴 하루 이틀 만진 것도 아니고, 매일 만지는데."

"난 아직도 그래. 매일 만지는데, 매일 터질 듯이 뛴다."

찬재는 정색한 얼굴로 진지하게 대꾸했다. 무슨 이렇게나 귀여운 이유가 있는지. 안 된다는 거절인데도 이다의 얼굴에는 활짝 웃음꽃이 피어났다.

"뭐, 그럼 하는 수 없지."

"차에 빨리 뛰어갈까?"

"아니, 괜찮아."

"만지고 싶다면서?"

"이대로도 좋아. 뛸 거 없어."

이다는 고개를 젓고 바짝 찬재의 목을 끌어안았다. 찬재의 등에 닿은 이다의 가슴이 심장 소리를 전할 만큼 밀착했다.

"천천히 가자. 아주 천천히."

오늘 경험 중에 최고로 행복한 경험이기에. 이다는 지금 이 기분을 오래오래 느끼려고 주문했다. 그리고 찬재의 귀에 다시 속삭였다.

단 세 글자의 고백이 들려오자 찬재는 머리 위로 폭죽이 터진 듯한 착각에 휩싸였다. 그에게도 지금 순간이, 오늘 하루에서 최고로 행복한 경험으로 남을 모양이었다.

* * *

결혼 1년 후, 이다는 한때 찬재가 거친 시험을 시작하게 되었다. 제작 준비 중인 드라마에 태강 그룹의 제품으로 PPL을 기획, 결정하는 일. 이를 통해 실질적인 사업 능력을 발휘하라는 게 강 회장의 당부였다. 이다는 1인 부서나 다름없는 구조에서 홀로 모든 일을 판단하고 강 회장에게 직접 결재를 받는 대신, 결과에 대한 모든 책임도 홀로 져야 하는 입장이었다.

"난 이거 이상해요."

이다는 펜트하우스에 마련된 자신의 집무실 책상에 앉아 시놉시스를 바라보며 말했다. 1년 사이 목을 반쯤 덮을 만큼 자라난 이다의 머리카락은 구불구불 자연스러운 물결을 그리고 있었다.

"별 재미가 없는데……."

"재미는 사람에 따라 다르게 느낄 수도 있죠."

앞에 앉은 윤 비서가 이견을 제시했다.

"윤 비서님은 이 시놉 재미있으세요?"

"사실 전 드라마는 잘 안 봐서……. 시놉 봐도 뭐가 재미있고 뭐가 없는 건지 감이 안 옵니다만. 그래도 거기 주인공으로 캐스팅된 배우가 얼마나 인기 있는 배우인지는 압니다."

"그야 저도 알죠."

이다는 시놉시스 옆에 놓인 남자 배우의 사진과 프로필을 흘끗 확인했다.

"이전 작품 시청률도 엄청났고, 영화까지 흥행해서 요즘 주가 최고라면서요."

"예. 하는 작품마다 줄줄이 히트하는 배우니까, 이번에도 그럴 확률이 높지 않을까요?"

"이번에도 그럴 확률……. 있기야 하죠."

이다는 썩 시원치 않은 표정으로 대답했다. 이다의 눈길은 배우의 사진을 떠나 시놉시스로 옮겨 갔다.

"근데 이야기만 놓고 보면, 재미가 없어요."

이어진 평가에 윤 비서는 고개를 갸웃거렸다.

"글쎄요. 정말 재미없는 얘기라면 저 배우가 출연 결정을 안 했을 것 같은데…….”

“그래서 저도 헷갈리네요. 내 느낌이 맞는 건지, 이 배우 선택이 맞는 건지.”

PPL에 드는 돈이 한두 푼도 아니고…….

억 단위로 넘어가는 투자 비용을 계산하며 이다는 미간을 찡그렸다.

“이럴 땐 강 이사님 의견이 도움이 될 텐데요. 이 분야엔 도가 트신 분이니까요.”

“안 돼요.”

“네?”

“도움이 안 되는 게 아니라 도움 받으면 안 된다고요. 이건 내 능력으로 해야 하는 일인데, 옆 사람이 답 안다고 커닝할 순 없죠.”

이다는 딱 잘라 말하고서 시놉시스를 잡아 눈높이까지 들어 올렸다. 그리고 돋보기라도 들이댈 듯 집요한 기세로 글자 하나하나를 다시금 찬찬히 읽어 내려갔다.

샤워를 마친 찬재가 욕실을 빠져나왔을 때, 이다는 잠옷 차림으로 침대에 앉아 시놉시스를 읽고 있었다. 찬재는 욕실 문 앞에서 잠시 그런 이다를 지켜봤다. 그러다 문 옆 화장대로 시선을 돌리고는 화장대에서 무언가를 찾아 손에 쥐었다. 이어 찬재는 이다의 등 뒤로 다가가 앉았다.

“머리 많이 길었네.”

새삼스레 깨달은 듯 중얼거리면서 찬재는 이다의 머리칼에 손을 댔다. 그리고 스윽, 스윽. 두 손으로 머리칼을 부드럽게 모아 쥐었다. 다정한 손길에 이다는 잠자코 머리를 맡겼다. 이윽고 찬재는 조금 전 화장대에서 챙긴 머리끈으로 이다의 머리칼을 묶었다.

"근데 머리는 왜 묶은 거야?"

"네 목 휘었을까 봐, 확인하려고."

찬재는 대답하며 이다의 훤히 드러난 목 뒤를 만졌다.

"휘기 직전이네, 아주."

중얼거리듯이 덧붙인 찬재가 이다의 굳은 근육을 주물렀다.

"오……. 시원하다."

이다는 잠시 눈을 감고 찬재의 안마를 즐겼다. 찬재는 손을 움직이는 동시에 시선을 움직여 이다의 손에 들린 시놉시스를 슬쩍 훑었다.

"근데 이건 무슨 시놉시스야? 어제 보던 거랑 달라 보이는데. 새로 들어온 건가?"

"아니. 아내의 남자."

"뭐야, 그거 이미 방영된 거잖아?"

"맞아. 내가 아주 재미있게 봤던 거지."

"그걸 지금 왜?"

"비교 좀 해 보려고."

"어제 보던 시놉시스랑?"

"음……. 정확히 말하자면 드라마로 볼 때랑 시놉으로 볼 때를 비교해 보는 거야. 드라마로 볼 땐 재미있었는데, 시놉으로 볼 땐 재미없게 보일 수도 있는 건지. 전에 너도 그런 식으로 공부했었다며."

"그랬지."

찬재는 이다의 목에서 어깨로 손을 옮겨 안마를 이었다.

"근데 역시 재미있다. 이건 시놉으로 봐도 재미있네."

"어제 건 시놉으로 볼 때 재미없었어?"

눈치 빠른 찬재의 질문에 이다는 착잡해져 한숨을 쉬었다. 그러자 찬재가 조언을 건넸다.

"재미없으면 딴 거 찾아. 재미있는 걸로."

내 눈엔 재미없는데. 인기 최고라는 배우 눈엔 재미있나 봐. 그래서 내 눈이 틀린 건가, 의심하는 중이야.

이다는 마음속의 말을 꺼내지 않고 그저 시놉시스를 침대 옆 바닥으로 내려놓았다.

"집에서 일 얘기는 여기까지."

시놉시스 옆에다 머릿속 고민까지 함께 내려놓은 것처럼 이다는 홀가분한 투로 말했다. 그리고 몸을 돌려 찬재와 마주 앉있다. 이다의 두 손이 찬재의 얼굴을 감싸 잡았다.

"너 있을 때 실컷 봐 둬야지. 회사 가면 얼굴도 못 보는데."

"보기만 하려고?"

찬재가 짓궂은 미소를 띠고 의미심장하게 물었다.

"보고만 있어도 좋지."

이다는 찬재의 뜻을 못 알아들은 척 고개를 끄덕거렸다.

"어허, 이 여자 봐라?"

어떻게 이러냐는 듯이 눈을 동그랗게 떠 보이고서 찬재는 이다의 어깨를 끌어안았다. 그리고 와락 뒤로 넘어가 베개에 자신의 머리를 꽂았다. 찬재는 그렇게 눈 깜짝할 사이 누워 버린 채 이다와 눈을 마주쳤다. 이다의 몸은 찬재의 위에 엎드리다시피 포개어져 있었다.

“보기 좋은 음식이 맛은 더 좋다는 거, 뻔히 잘 알면서 왜 이래?”

찬재가 넉살스럽게 질문하자 이다는 피식 웃었다. 찬재는 그런 이다의 손을 잡아 자신의 가슴에다 얹었다.

“여기 잘 차린 밥상 있으니까, 숟가락만 얹어.”

“보기만 하지 말란 얘기네.”

“너도나도 더 좋자는 얘기지.”

찬재는 보란 듯이 스스로 셔츠 단추를 풀었다. 그를 잠시 지켜보다가 이다는 입맛을 다셨다.

오늘은 보고만 있겠다고, 장난으로 좀 애를 태워 볼까 싶었는데.

이다는 끝내 몇 초도 못 버티고 찬재의 입술에 입술을 얹었다. 그가 마치 진수성찬인 것처럼, 온 얼굴로 온몸으로 입맞춤이 절로 이어졌다.

* * *

강 회장의 저택 안방, 탁자 위에 이다가 작성한 첫 투자 계획서가 놓였다. 강 회장은 돋보기안경까지 착용하고서 계획서를 깐깐히 살펴봤다. 찬재와 이다는 어깨를 나란히 한 채 강 회장과 마주 앉아 있었다. 무덤덤한 얼굴로 잠자코 기다리는 이다와 달리 찬재는 미간을 꽉 모으고 초능력이라도 발휘할 기세로 계획서를 뚫어져라 주시했다. 계획서에 적힌 글자가 어지간히 궁금한 탓이었다.

“아버지, 다 보고 나시면 저도 좀 보여 주시죠.”

찬재의 말에 강 회장은 흘끗 이다에게 시선을 보냈다.

"너, 이놈한테 이거 아직 안 보여 줬냐?"

"예. 아버님 결재 받고 보여 주려고요."

"흠……. 그래?"

강 회장은 계획서로 시선을 되돌렸다.

"이게 전부 네 머리에서 나온 판단이라 이거지?"

"그렇죠."

"좋다, 그럼. 어디 한번 네 마음대로 해 봐."

강 회장은 더 볼 것도 없단 듯이 계획서를 덮었다. 이다는 의아해서 눈을 동그랗게 떴다.

"아버님, 끝까지 읽지도 않으셨는데. 벌써 결정하셨어요?"

"사업이라는 게, 아무리 신중하게 결정해도 생각처럼 돌아가질 않을 때가 많은 법이야. 내가 이 나이가 되고 보니, 생각보다 촉에 더 믿음이 가."

"촉이요?"

"한데 지금은, 그 촉보다 네가 더 믿음이 간다."

"……."

"믿고 맡길 그릇인 게 훤히 보이는데. 내가 망설일 게 뭐가 있어? 어디 마음껏 해 봐."

강 회장은 화통하게 탁자를 탁 내리쳤다. 강 회장의 전폭적인 지지가 느껴지자 이다는 얼얼한 듯 눈을 깜빡거렸다. 그때 찬재가 옆에서 끼어들었다.

"뭡니까? 어차피 다 읽지도 않고 허락하실 거, 계획서는 왜 써오라 하셔서는. 차라리 계획서 쓸 시간에 잠이나 더 자라고 해 주시지."

"자기 능력 써 오라는 계획서에 자기 능력 써 왔으니 허락인 게야. 네놈 능력 빌려 써 왔으면 어림없지."

"아니, 제 능력 좀 빌려 써 왔으면 뭐 어때서요? 부부 사이에 서로 돕는 게 당연한 거지."

"어허! 나중 돼선 돕더라도, 시험 칠 때 커닝은 말아야지!"

"나 참. 어쩜 이렇게 며느리랑 시아버지가 똑같은 말만 골라 하는지."

찬재는 질린 듯이 절레절레 고개를 흔들었다.

안방에서 일 얘기를 마친 세 사람은 주방으로 자리를 옮겼다. 식탁에는 스테이크 세 접시와 샐러드가 차려져 있었다.

한옥에 스테이크. 이젠 위화감조차 느껴지지 않을 만큼 익숙한 조합이었다. 막내며느리가 오는 날마다 이곳 식탁에선 지극히 당연한 풍경이었으니 말이다.

"막내며느리 올 때마다 스테이크 준비하는 아버지도 아버지지만, 너도 참……. 어떻게 스테이크 볼 때마다 처음 본 사람처럼 이래?"

찬재는 옆에 앉은 이다를 바라보며 혀를 내둘렀다. 이다는 열렬하게 칼질하며 이번에도 어김없이 스테이크 삼매경에 빠져 있었다.

"하여간 스테이크 엄청 좋아한다니까. 무슨 전생에 소한테 잡아먹힌 풀이었나? 이쯤 되면 이거, 소한테 이번 생에 원수 갚는 수준인데."

"전생은 기억 안 나지만, 그때 기억은 나. 우리 처음 마주 앉아서 식사했을 때. 그때 메뉴가 스테이크였던 거."

잠시 입을 비운 이다가 뱉은 말에 찬재도 같은 때를 떠올려 보았다.

"그때부터 며칠 내리 주야장천 네 메뉴는 스테이크였지."

"그땐 그냥 맛있어서 좋아했는데 말이야. 언제부턴가 이유가 좀 바뀌더라."

이다는 스테이크를 썰며 말했다.

"어떻게?"

"스테이크 보면 그때 기억이 나고, 찬재 씨 생각이 나고. 그럼 기분이 좋고, 입맛이 살고. 그래서 질리지가 않고 계속 좋은가 봐."

대답을 마친 이다의 입안으로 스테이크 조각이 쏙 들어갔다.

"그럼 나 때문에 그렇게까지 좋아한단 얘기인가?"

찬재는 가정만으로도 이미 벅차게 기쁜 표정이었다. 그때, 맞은편에서 강 회장이 식탁을 쾅 때렸다.

"이놈들이! 어디서 소 잡아먹고 닭 털 뱉는 소리야! 조용히 소나 먹어!"

그러잖아도 열심히 씹고 있던 이다가 알겠다는 듯이 고개를 한 번 끄덕였다. 그리고 입이 비워지기 무섭게 또 한 조각을 입에 채워 넣었다. 그 바람에 대답을 못 듣게 된 찬재는 불만으로 눈살을 찌푸린 채 스테이크를 삼켰다. 찬재의 표정이 어떻거나 말거나 강 회장의 시선은 이다에게만 가 있었다. 강 회장은 시원시원 잘도 먹는 이다를 한동안 흐뭇하게 바라봤다. 그러다 강 회장은 문득 떠오르는 생각에 혼잣말을 흘렸다.

"지금도 이리 잘 먹는데. 애 들어서면 얼마나 더 잘 먹으려나 그래."

그런가?

이다는 그럴 수도 있겠다 싶어 고개를 끄덕이며 식사에 열중했다. 그런데 불쑥 강 회장의 질문이 날아들었다.

"근데 왜 이렇게 애가 안 서?"

답답한 듯 재촉하는 어조였다.

"아, 혹시 기다리고 계셨어요?"

이다는 얼른 입을 비우고서 되물었다. 그러나 강 회장이 뭐라 답하기도 전에 찬재가 먼저 목소리를 냈다.

"저희 아직 아이 생각 없습니다."

"뭐야?"

"남의 투자 받으려는 MOU식 정략결혼도 아니고. 그냥 저희끼리 좋아서 한 결혼인데. 남의 눈 의식해서 억지로 아이 가질 필요야 없죠."

"야 인마, 애비가 남이냐? 애비 눈은 의식 안 해?"

강 회장은 정색하고 따지듯 물었다.

"아버지, 왜 이러십니까? 손주도 많으신 분이."

"그러는 넌 애도 하나 없는 놈이 왜 이래!"

"아예 안 낳겠단 얘긴 아닙니다. 좀 천천히 갖겠다는 거지."

"아예 안 낳을 게 아니면! 어차피 낳을 거 빨리 낳아야지! 왜 시간을 잡아먹어?"

강 회장의 질책에 이다가 침착하게 말문을 열었다.

"아버님, 전 어차피 낳을 거, 가장 좋을 때에 낳고 싶습니다."

"그럼 더더욱 빨리 가져야겠구먼. 한 살이라도 젊을 때가 가장 좋을 때지."

"저는 마음의 준비가 됐을 때가 가장 좋을 때라고 생각해요."

"얘야, 넌 그냥 낳기만 해라. 키우는 건 내가 알아서 할 테니까,

어렵게 생각 말고 그냥 낳기만 해."

"아니, 그냥 낳기만 하라니요. 낳는 건 뭐 쉬운 일입니까?"

찬재가 황당한 듯 끼어들었다.

"어려워도 남들 다 하는 일 아니냐!"

"아버지는 한 번도 안 하셨던 일이죠."

"나야 남자니까 못하는 일이고!"

"그러니까요. 남자라서 못해 본 일이고, 남자라서 평생 안 할 일이 임신이고 출산인데. 모르는 분야 함부로 쉽게 말씀하시면 안 되죠. 직접 감당해야 하는 사람한테 이래라저래라 하실 일도 아니고요."

듣고 보니 맞긴 맞는 말이라서, 강 회장은 반박할 말이 떠오르지 않아 분한 얼굴로 입을 꾹 다물었다. 이다는 그를 향해 넌지시 입을 열었다.

"아버님."

"알았다, 알았어!"

강 회장은 이다의 말을 다 듣지도 않고 외쳤다.

"둘이서 한편 먹고 하는 말에 내가 어찌 당하겠냐! 에라이, 둘이 합쳐 나라 세울 말발 같으니라고. 흥! 어디 너희들 마음대로 해 봐!"

한두 번 당해 본 협동 말발이 아닌지라 강 회장은 아예 전의를 상실한 투였다. 그런데 이다는 뜻밖의 말을 이었다.

"아버님 그게 아니라요. 아버님께서 다 키워 주신다는 말씀, 좀 솔깃해서요."

"으응?"

강 회장은 눈을 휘둥그레 뜨고 이다를 쳐다봤다. 맞은편의 찬재도 마찬가지였다.

"지금 제가 맡은 일이 처음이라 아직 신경 쓰고 배워야 할 게 많은데. 이 상황에 아이까지 처음 갖게 되면 둘 다 잘 해내기 힘들 것 같았거든요. 그래서 당장은 아이 가질 마음의 준비를 못 했었던 건데. 아버님께서 그렇게 말씀해 주시니까, 어쩌면 둘 다 잘할 수 있지 않을까……. 마음이 솔깃하네요."

"야, 너……. 배 속에서 아이 키우는 것만 해도 네 몸 고생일 텐데. 괜찮겠어?"

찬재는 놀라움 반 걱정 반인 눈빛으로 물었다.

"그야 언제 해도 겪을 고생이니까, 나중에 한다고 덜 고생하는 거 아니잖아."

담담한 이다의 대답에 강 회장이 반색하며 무릎을 탁 쳤다.

"그렇지! 아예 안 낳을 생각이면 모를까, 낳을 생각이면 임신이야 피할 수 없는 게지! 오냐, 너 임신으로 고생하는 거는 내가 대신 겪을 수가 없는 거다만. 대신 아이 낳고 고생할 일 절대 없게 하마!"

강 회장이 호언장담하자 이다는 빙그레 웃음을 띠고 찬재에게로 시선을 돌렸다.

"찬재 씨는 어때? 우리 지금 아이 갖는 거."

"난 뭐, 생기면 기쁘게 낳고. 안 생겨도 행복하게 살고. 어느 쪽이든 대환영이지."

찬재는 다정하면서도 차분한 태도로 답했다. 그리고 고개 돌려 강 회장을 향해 말했다.

"아버지, 그래도 아이 소식 재촉하진 마십시오. 지금부터 노력이야 하겠지만, 노력처럼 안 되기도 하는 일에 이 사람 압박감 느끼게 하긴 싫습니다."

"암 그래야지! 그러고말고!"

강 회장은 찬재의 신신당부를 흔쾌히 받아들였다.

워낙 불같은 성미시라 이 약속을 얼마나 오래 지키실지 두고 봐야 알 일이지만. 오래 지키실 필요도 없이 아이가 금방 생길 수도 있겠지. 혹시 안 생긴다 해도, 아버지 성화쯤은 내가 확실히 막아낼 테고.

찬재는 그렇게 한결 마음을 놓고 고개를 끄덕거렸다.

"좋습니다, 그럼."

순간 강 회장은 광대뼈가 뻐근할 만큼 함박웃음이 절로 차올랐다. 그의 앞에서 찬재는 이다와 얼굴을 마주하고 눈을 마주쳤다. 여전히 웃는 얼굴을 한 채 이다는 그를 듬직해하는 눈빛으로 바라보고 있었다. 찬재의 입가에는 비로소 그녀와 같은 미소가 떠올랐다.

스테이크를 반도 안 먹었건만, 두 사람을 바라보는 강 회장의 배는 몹시도 불렀다. 마치 더 안 먹어도 평생 살 수 있을 것처럼 배가 가득 찬 기분이었다.

강 회장의 저택을 나선 부부는 대문 앞에 세워 둔 차에 올라탔다. 이다는 운전석에 앉아 운전대를 잡고, 찬재는 조수석에 앉아 이다의 사업 계획서를 펼쳐 들었다.

"차 안에서 뭐 읽으면 멀미 안 나? 집에 가서 읽지?"

이다는 시동을 걸며 권유했다.

"그때까지 못 참겠다. 지금까지 하도 오래 기다려서."

찬재가 사업 계획서에 시선을 고정한 채 대꾸했다. 대체 어떤 드라마에 어떤 투자를 결정했는지, 찬재는 궁금해 참을 수 없는 눈빛이었다.

"그럼 뭐, 좋으실 대로."

이다는 가볍게 어깨를 으쓱하고서 운전을 시작했다.

멀미 안 나게 살살 운전해야겠네.

이다가 주의하며 펜트하우스로 차를 모는 동안, 찬재는 한눈 한 번 팔지 않고 사업 계획서를 읽었다. 이윽고 내용을 모두 확인한 찬재가 말문을 뗐다.

"시놉시스는 재미있는데. 캐스팅이 왜 이렇게 약하게 됐지?"

"하필 경쟁 드라마에 흥행 보증 수표 두 장이 붙었거든. 그래서 웬만한 배우들은 이 드라마 다들 거절했대. 질 거 뻔하다고."

"흥행 보증 수표 두 장?"

"쓰는 족족 시청률 1위 하는 스타 작가 한 장. 요즘 대세 한류 스타 한 장."

"그렇게 두 장이면 상대하기 겁날 만하지. 드라마는 대진 운도 중요한데, 상대가 너무 세잖아."

"그래도 난 우리 쪽에 승산 있다고 봐. 작가 이름, 배우 이름 다 떼어 놓고 이야기만 따졌을 때, 내가 재미 느낀 쪽은 이쪽이거든."

이다는 운전하느라 앞만 보며 말했다.

"그래? 저쪽 시놉시스도 들어왔었어?"

"저쪽이 먼저 들어왔었는데. 고민 많이 되더라. 저 조합이면 묻지도 않고 투자할 판이라는데. 난 자꾸 이게 재미있나, 나한테 묻게 되고. 내가 재미 못 느끼는데 다른 사람들은 재미있나, 남한테 묻게 되고."

"저 조합인데도 확신이 안 생기는 시놉시스라……. 그럼 위험하긴 하지.”

찬재는 무릎 위에 사업 계획서를 내려놓고 팔짱을 꼈다. 그에게 이다는 설명을 이었다.

“물론 흥행이 될까, 안 될까. 헷갈리는 작품 중에 흥행하는 경우도 있다는 거 알아. 50 대 50 확률이지. 근데 보는 순간 이거 된다, 꼭 된다 싶은 작품을 만났는데. 이걸 마다하고 저 50 대 50 확률에 베팅하고 싶진 않았어.”

“잘 생각했다. 보통은 스타성, 화제성에 현혹되기 쉬운데. 드라마가 줄 수 있는 재미에 집중한 거, 정말 좋은 선택이야. 캐스팅으로 시청률 끌 수 있는 건 초반 잠깐이지. 결국 드라마가 재미없으면 시청자 채널 돌아가는 건 한순간이거든.”

찬재는 시원스럽게 칭찬을 건넸다. 그러자 이다가 싱긋 웃는 얼굴로 찬재와 눈을 마주쳤다.

“이 분야 탑이었던 사람한테 그런 평가 받으니까, 확신이 더 생기는데?”

“나 아직도 탑인 사람이야. 내 기록 아무도 못 깼거든. 그러니까 확신, 더 가질 수 없을 만큼 다 가져도 돼.”

찬재는 자신하는 눈빛으로 이다의 용기를 북돋웠다. 그가 전한 자신감에 이다는 더없이 든든해져 여유로운 마음에 농담을 던졌다.

“그 기록이 대체 얼마인 거야? 강찬재가 그 일 하는 동안 벌어들인 수익으로 태강 타워 지었다는 소문이 있던데. 사실인가?”

“짓고도 남았지.”

찬재가 태연하게 대답했다.

"진짜야?"

이다는 놀라워 눈을 크게 뜨고 물었다.

"내가 그 일 하는 동안 시청률 40% 넘긴 작품만 몇 갠데. 그 정도는 당연하지."

"난 그냥 농담으로 한 말이었는데……."

"태강 타워는 내가 올린 실적으로 내가 쌓은 건물이야. 아버지한테 거저 얻은 게 아니라, 내가 벌어 내가 챙긴 셈이지."

"와……. 너 진짜 대단하다."

이다는 높고 넓은 태강 타워 건물을 떠올리며 감탄했다. 이어 저도 모르게 혼잣말을 했다.

"나도 내가 번 돈으로 건물 하나 차리는 게 꿈인데."

"짓고도 남을 거야."

"그래 보여?"

"너 첫 단추 끼우는 폼부터가 벌써 베테랑이라, 못 할 거 없다고 본다."

"네가 그렇게 말하니까, 진짜 될 것 같네."

"진짜로 돼. 첫 단추 결과부터 두고 봐. 어디 내 말대로 안 되는 게 있나."

찬재는 단단한 눈빛으로 확언했다.

"좋아, 그럼 우리 같이 믿고 지켜보자. 첫 단추 시청률 얼마나 대박일지."

이다 역시 그처럼 확실하게 믿는 눈빛으로 말했다. 그리고 멀리 우뚝 솟은 태강 타워를 향해 차의 속력을 높였다.

* * *

이다가 끼운 첫 단추의 시청률은 몇 달 뒤, 드라마가 방영되고부터 확인되었다. 이다와 찬재를 포함한 모두의 예상대로 드라마 첫 회 시청률은 바닥이었다. 상대 드라마는 초호화 캐스팅에 해외 촬영으로 첫 회부터 진기록을 세운 반면 이다의 드라마는 동 시간대 꼴찌라는 성적표를 받아 들었다. 그러나 이다와 찬재의 예상대로 이다의 드라마는 3회 시청률이 큰 폭으로 올랐고, 회가 진행될수록 시청률은 떨어질 줄 모르고 높아져만 갔다.

신인 작가에 무명 배우 캐스팅으로 화제성이 전무했던 최약체 드라마의 역전승을 두고, 언론에선 골리앗을 넘어뜨린 다윗이란 비유가 난무했다. 좀처럼 PPL이 붙질 않아 제작 무산 위기까지 겪어야 했던 드라마의 기적 같은 흥행에 태강 그룹 측 투자 대비 이익은 기대치를 훨씬 웃돌았다.

드라마의 마지막 촬영 날, 처음으로 촬영 현장을 방문하게 된 이다의 마음은 덕분에 홀가분하고 편안했다. 마지막 촬영 장소가 장소이니만큼 이다가 느끼는 편안함은 배가되었다. 촬영 시간이 찬재의 퇴근 시간 후인 밤이라는 점도 달가웠다.

이다는 여러모로 흔쾌한 기분으로 찬재의 손을 잡고 촬영 장소에 도착했다. 밤이지만 촬영을 위한 조명이 밤공기를 제법 밝게 물들이고 있었다. 두 사람이 촬영 장소에 나타나자, 수차례 회의를 함께 나눈 제작 PD가 이다를 알아보고 달려와 인사를 건넸다.

"저희 드라마 믿고 지원해 주신 것만으로도 감사한데. 이렇게 장소 협찬까지 해 주시다니. 정말이지 저희가 어떻게 보답해 드려야 할지 모르겠어요."

"작가님이 꼭 여기 보고 쓰신 것처럼 장소 설정하셨던 걸요, 뭐. 이렇게 딱 맞는 장소 두고 괜히 다른 장소 섭외하느라고 기운 빼실 거 없죠. 그러잖아도 지금까지 고생 많이 하셨는데. 여기서 마지막 장면, 마음껏 편하게 찍으세요."

이다는 환한 미소와 함께 그녀에게 응원을 전했다. 그리고 곧 촬영이 시작될 것 같은 주위를 쓱 한 번 둘러봤다.

해가 저문 시각, 도심의 화려한 야경이 내려다보이는 높은 빌딩 옥상. 헬리콥터가 착륙할 수 있는 헬리 패드가 설치된 곳. 마지막 장면에 필요한 이 모든 조건을 충족하는 촬영 장소는 바로 이 태강타워의 옥상, 펜트하우스의 바깥이었다.

"어휴, 어쩜 말씀도 이렇게 감사한 말씀만 골라 하시는지. 아무튼 정말, 정말 감사합니다. 두 분도 편하게 지켜봐 주세요."

제작 PD는 거듭 인사하고서 다시 바쁘게 어디론가 달려갔다. 현장 상황이 어지간히 분주한 모양이었다. 이다는 제작 PD의 뒷모습을 잠시 바라보다 다른 사람들에게로 시선을 옮겼다. 그리고 촬영을 준비하는 그들을 신기한 듯 지켜보며 말했다.

"오늘 일석이조네. 드라마 찍는 것도 처음 보는데. 여기 헬기 오는 것도 처음 보고."

"헬기라……. 첫 화 때는 제작비 걱정에 살수차 하나 마음 놓고 못 부르던 드라만데. 마지막 화에 헬기를 다 띄우고, 이 드라마 뜨긴 엄청 떴구나."

찬재는 감회가 새로운 투로 감탄했다.

"그러게. 나도 잘될 줄은 알았어도, 이렇게까지 잘될 줄은 몰랐는데. 진짜 다행이야."

"아버지 너 자랑하고 다니느라 난리도 아니시더라."

"그래?"

이다가 금시초문인 눈으로 찬재를 봤다.

"나도 아까 건설 업체 미팅에서 들은 얘기야. 아버지 우리 앞에서나 덜 그런 척 무게 잡으시지. 밖에선 아주 막내며느리 팔불출이시던데? 아, 거기다 며칠 전엔 SJ 회장님하고 또 한판 뜨셨단다."

"뭐?"

"그쪽 요새 부도 막아 보겠다고 여기저기 손 벌리고 다니나 본데. 하필 약속 장소에서 아버지하고 딱 마주친 모양이야. 이 말 저 말 막 나가다 머리채까지 잡으셨다는데."

"아버님이……. 머리채를 잡으셨다고?"

이다는 도무지 상상이 가질 않아 못 믿겠는 표정을 지었다.

"나도 이건 믿어지질 않으니까, 직접 여쭤보자. 어차피 내일 찾아뵐 거잖아."

"그래."

그때, 촬영 스태프가 확성기에 대고 큰 소리로 외쳤다.

"5분이면 헬기 도착한답니다! 도착하면 바로 숲 들어가야 하니까, 다들 대기 부탁드립니다!"

안내가 끝나자 가뜩이나 분주하던 현장이 전쟁 직전처럼 급박해졌다. 막상 헬기가 가까워졌다니까, 찬재는 노파심이 되살아나 조심스레 질문했다.

"근데 진짜 괜찮겠어? 헬기 소리 엄청 큰데, 애 놀라지 않으려나?"

찬재의 눈길이 이다의 배를 가리켰다. 임신 5주 차라는 이다의 배는 겉보기에 아무런 티가 안 날 만큼 편평했다.

"모르고 있다 깜짝 놀라는 것도 아니고, 헬기 올 거 뻔히 알고 기다리는 건데, 뭘."

"이렇게 가까이에서 소리 들어 본 적 없잖아. 너도, 애도."

"시끄러운 것쯤이야, 귀 막으면 돼."

"애는 아직 손 없어서 귀 못 막을 텐데."

"귀는 있고……?"

"이 없어도 잇몸으로 먹는 게 인간인데. 귀 없다고 정말 전혀 못 들으려나? 어딘가 들을 구석이 있을 수도 있잖아."

찬재가 혹시나 하는 가능성을 제기했다.

"뭐, 정 그렇게 걱정되면."

이다는 찬재의 손을 잡아 자신의 배에 가져다 댔다. 그리고 이어 말했다.

"난 귀를 막을 테니까, 넌 여길 막아."

"그럴까?"

찬재는 좋은 생각이라는 듯 씩 웃고는 이다를 등 뒤에서 감싸 안았다. 찬재의 넓게 펼친 두 손이 이다의 배를 부드럽게 덮었다. 아기집의 앞도 뒤도 모두 제 몸으로 감싸 놓고 찬재는 이다의 어깨에 턱을 내렸다.

"여긴 소리 들어갈 틈 없이 단단히 막았으니까, 넌 헬기 오면 귀 잘 막고 봐."

"벌써 애 엄청 챙긴다, 너."

"애가 벌써부터 기특하잖아."

"뭐가?"

"너 한창 바쁠 때 지나서, 일 끝났을 때 여기 온 거 봐. 엄마 일 방해 안 하려고 타이밍 기막히게 맞춘 거지."

"오……. 듣고 보니 그런 거 같기도 하네."

이다는 정말 기특하단 듯이 찬재의 얼굴을 어루만졌다.

"하긴 임신 초엔 조심해야 하니까. 바쁜 일 끝나고서 와 준 게 다행이네. 이제 당분간은 좀 덜 바쁘게 일해야겠어."

"이다야……. 난 네가 이렇게 일을 좋아하는 여자인 줄 상상도 못 했다, 우리 첫 번째 결혼 때는."

"그때 실컷 놀았더니 여한이 없나 봐. 아니, 지금 하는 일이 너무 재미있어서 그런가? 그때처럼 놀 생각이 안 들어."

"그래서 일 계속하고 싶어?"

"응."

이다는 망설임 없이 바로 답했다.

"그럼 해야지. 아이 가졌어도 너 하고 싶은 일 하는 데 지장 없게, 내가 더 잘할게."

찬재가 장담하듯 약속하는 사이, 하늘에서 헬기 소리가 점점 뚜렷해졌다. 그렇지만 이다의 머릿속에서는 찬재의 목소리만 또렷이 되살아났다.

'나랑 연애하면 알게 될 거야. 내가 얼마나 놓치기 아까운 남잔지.'

'이러다가 나 놓치면, 네가 땅을 치고 후회하게 될 텐데. 그런 일은 없게 해야지.'

'넌 너만 생각해. 나 가지고, 너 하고 싶은 대로 다 해. 다른 건 아무 생각 안 해도 돼. 나만 믿어.'

그러네. 그 말 전부 사실이었네.

이 남자 놓쳤으면, 정말 땅을 치고 후회했겠네.

생각하는 이다의 귓속으로 촬영 스태프의 외침이 파고들었다.

"이제 슛 들어갑니다! 다들 조용히 해 주십시오!"

찬재는 하늘에 뜬 헬기를 확인한 뒤 이다의 귓가로 입술을 가까이했다. 그리고 이다의 배에 손을 그대로 둔 채 당부했다.

"너 이제 귀 막아야겠다."

찬재의 목소리가 살짝 묻힐 만큼 헬기 소리는 시끄러워져 있었다. 생각보다 크다 싶어 이다는 눈살을 찡그렸다. 혼자 귀를 막고 있기 미안해진 순간, 이다의 머릿속에 묘안이 떠올랐다.

"잠깐만. 우리 이러면 둘 다 귀 막을 수 있겠는데?"

이다는 찬재의 한쪽 귀에 자신의 귀를 맞대었다. 꼭 맞을 순 없었지만 얼추 소음이 막아지는 정도는 되었다. 그러고서 이다는 오른손으로 찬재의 오른쪽 귀를, 왼손으로 자신의 왼쪽 귀를 덮었다.

좀 우스운 자세이긴 하지만, 두 사람 모두의 귀와 이다 자신의 마음이 편할 수 있는 방법이었다. 그런 이다의 마음을 이해한 듯 찬재는 그녀가 만든 자세를 따르고 유지했다.

두 사람은 그대로 정면을 향해 시선을 옮겼다. 그리고 바라봤다.

우연한 인연에서 사랑으로, 배신과 음모 속에 역경을 함께 헤쳐 온 연인으로. 그렇게 서로에게 뗄 수 없는 운명이 된 두 사람의 드라마가 대단원의 막을 내리는 마지막 장면을. 드디어 끝이라는 후

련함과 이제 더는 볼 수 없다는 아쉬움을 함께 나누면서.

그러나 눈앞의 마지막 장면이 그들의 끝은 아니기에, 새로운 시작을 준비하는 기쁜 설렘을 무엇보다 중요하게 간직한 채로.

외전 2. One fine day

외전2

One fine day

얼핏 보아서는 공원 같은 장소였다. 깔끔한 잔디밭과 잘 자란 나무들, 군데군데 아름다운 천사 조각상과 작은 인공 폭포까지. 마치 소풍을 온 듯한 착각이 들 법한 이곳에 혜주의 유골함이 안치되어 있었다.

양지바른 잔디밭 위, 혜주의 안치단 앞에 이다는 꽃다발을 놓았다. 그리고 안치단의 유리문 너머를 바라봤다. 안쪽에 놓인 사진 속에서 혜주는 희미하게 미소를 띠고 있었다. 서 있는 이다와 액자 속 혜주의 눈높이가 얼추 비슷해서, 이다는 마치 혜주와 눈을 마주친 듯한 기분이었다.

잠시 지켜보던 이다는 혜주의 얼굴을 향해 손을 뻗었다. 둘 사이를 가로막은 유리문이 손에 닿았다. 이다는 그대로 혜주의 얼굴을 만져 보듯 유리문을 만져 보았다. 그리고 마음으로 혜주에게 말을 건넸다.

너를 잊지 않겠다고. 너는 내가 살아가는 내내 사랑하고 그리워할 가족이라고.

너를 소중하게 생각하는 사람이 분명 여기 있다고.

살아서는 단 한 번도 이야기를 나누어 본 적 없는 사이지만, 혜주에게 진심을 이야기하는 이다의 눈빛에는 조금도 어색함이 없었다.

이다는 긴 시간이 지난 후에야 발걸음을 뗐다. 아쉬운 듯 천천히 뒤로 한 발짝, 두 발짝 멀어진 이다가 멈춰 섰다. 그리고 이번에는 꾹 닫혀 있던 입술을 뗐다.

"또 보자."

자주 올 테니까 아주 잠깐만 안녕이라는 듯이, 이다는 가볍게 미소 지으며 어깨를 으쓱해 보였다.

순간 머리 위의 구름이 걷힌 덕분인지, 강렬해진 햇살이 혜주의 사진을 밝게 물들였다. 그러자 사진 속 혜주의 미소가 한결 환해진 것만 같았다. 착시라 해도 마냥 기쁜 모습이라서, 혜주를 마주한 이다의 미소에도 한결 환한 빛이 번졌다.

* * *

펜트하우스의 거실 바닥에서 강 회장은 책상다리를 틀고 앉아 세 살배기 손녀딸을 다리 위에 올렸다. 제 엄마를 쏙 빼닮은 아이는 할아버지를 등지고 앉아 얌전히 앞만 봤다. 아이의 시선 끝에는 벽걸이형 TV가 있었고, TV에서는 아침 드라마가 방송되고 있었다.

[당신, 부숴 버릴 거야!]

TV 속 여자가 소리치며 남자에게 물을 끼얹었다. 아이는 집중하는 얼굴로 눈을 깜빡깜빡했다.

"어째 이 시간에 하는 드라마들엔 꼭 저렇게 물벼락 맞을 놈들이 나와."

강 회장이 중얼거리자 아이도 입을 열었다.

"맨날 뿌순다면서, 진짜 뿌수는 거 안 나와, 왜?"

"다온이, 진짜 부수는 거 보고 싶으냐?"

"한다면 해야지."

다온이라 불린 아이는 담담하게 대답했다.

"그래, 그래. 한다면 해야지. 아암, 그렇고말고."

강 회장은 허허 웃으며 빗으로 다온의 단발머리를 정돈했다. 그런 다음 머리를 묶으려고 머리칼 끄트머리를 한 움큼 모아 쥐는데, 등 뒤에서 누군가가 강 회장의 머리칼을 움켜쥐었다. 고사리 같은 작은 손의 돌발 행동에 강 회장은 익숙한 듯 뒤도 보지 않고 말을 건넸다.

"아이쿠, 이게 누구야?"

강 회장은 다 알면서 모르는 척을 하며 다온의 머리를 머리끈으로 묶었다. 그러자 강 회장의 머리칼을 쥔 작은 손도 비슷하게 움직였다. 강 회장의 짧은 머리칼에 머리끈이 엉성하니 묶였다.

"할아버지 머리는 리온이가 묶었써."

강 회장의 등 뒤에서 다온과 비슷한 목소리가 건너왔다. 강 회장이 뒤를 돌아보자 다온과 비슷한 아이가 서 있었다. 그냥 비슷한 정도가 아니라 아주 똑같이 생긴, 쌍둥이 자매였다.

"오냐, 우리 리온이가 최고다. 최고야."

강 회장은 흡사 하회탈을 쓴 것처럼 눈이 휘어지게 함박웃음을 지었다. 그런데 품에 있던 다온이 고개를 갸우뚱하며 물었다.

"응? 할아버지 나는?"

"다온이도 최고지."

"아니야. 최고가 왜 둘이야? 최고는 하나야."

다온이 이상하다는 듯 눈을 동그랗게 뜨고 말했다. 그러자 리온이 다온의 옆으로 쪼르르 가서 강 회장을 마주 보며 맞장구를 쳤다.

"맞아! 일등은 한 명이야. 할아버지, 누가 최고야? 나야, 다온이야?"

"으, 응?"

강 회장은 순간 당황해 말을 더듬었다.

"누구야, 누구?"

"빨리, 할아버지. hurry hurry 해."

쌍둥이는 나란히 달라붙어 눈을 반짝이며 답을 재촉했다. 마치 모이 달라 재촉하는 아기 새들 같았다.

"하, 할아버지는……. 할아버지는……."

강 회장은 당장 대답이 떠오르지 않아 잠시 망설이다 주방으로 시선을 돌렸다. 주방 식탁에 마주 앉은 찬재와 세시가 강 회장 쪽을 바라보며 이야기를 하고 있었다.

"저 hurry hurry 해에서 왠지 네 향기가 나는데. 네가 가르친 거냐?"

"Of course! 형님, 애들 영어 교육은 저한테 딱 맡기십쇼. 제가 아주 실생활에서 자연스레 스며들게 가르치려고요. 영어 반, 국어 반. 딱 이렇게 황금비율로다가."

"No thanks다. no thank you."

찬재는 세시의 너스레에 피식 웃으면서 대꾸했다.

저 녀석들이 나 도와줄 생각은 하지도 않고! 태평하게 농담이나 나누고 있어?

강 회장은 괘씸한 듯 미간을 좁혔다가 다시 손녀들에게로 고개를 돌렸다.

"얘들아, 할아버지는 말이다. 너희들 아빠가 최고라고 하는 손녀가 최고란다."

"진짜?"

쌍둥이는 동시에 입을 모아 똑같은 질문을 던졌다.

"당연히 진짜지. 그러니까 아빠한테 가서 누가 최고냐고 물어봐. 이 할아버지는 화장실 좀 다녀오마."

말 끝나기 무섭게 강 회장은 냉큼 일어나서 화장실로 달려갔다. 쌍둥이는 쌍둥이대로 찬재를 향해 쪼르르 달려갔다.

"아빠, 아빠!"

"누가 최고야?"

"나랑 리온이랑."

"누가 최고야?"

"응, 누가 최고야?"

두 아이가 정신없이 번갈아 말했다. 졸지에 질문 폭탄을 떠안게 된 찬재는 난감한 표정을 지었다.

"아빠 빨리이."

다온이 찬재의 오른쪽 다리를 붙잡아 흔들었다. 그러자 옆에서 리온은 찬재의 왼쪽 다리를 껴안고 매달렸다.

"아, 왜 대답을 안 줘!"

“궁금해! 궁금해!”

아이들의 성화가 점점 거세지는 사이, 주방으로 누군가의 발걸음은 점점 가까워졌다. 찬재는 주방으로 들어선 발걸음의 주인공과 눈을 마주쳤다. 아침 운동 후에 샤워까지 마치고 나온 이다가 바로 발걸음의 주인공이었다. 건강한 아침을 보낸 이다의 얼굴은 상쾌하고 말끔했다.

“무슨 일이야? 왜들 이래?”

이다는 찬재와 아이들을 번갈아 보며 질문했다.

“애들이 아버지한테 자기들 중에 누가 최고냐고 물었는데. 아버지가…….”

“아빠가 최고라고 하는 손녀딸이 최고랬어!”

“맞아, 그랬어! 할아버지가 그랬어!”

아이들이 찬재의 말허리를 끊고 끼어들었다. 이다는 그런 아이들에게로 눈높이를 맞춰 무릎을 접어 앉았다.

“그래서 아빠한테 답 달라고 그러는 거야?”

이다의 질문에 아이들이 고개를 끄덕였다.

“그야 아빠한텐 둘 다 최고지.”

이다가 대신 답을 주자 아이들은 고개를 도리도리 저었다.

“아니야, 최고는 일등이야.”

“일등은 한 명이야.”

“그러니까 최고는 한 명이야.”

아이들은 나름의 논리를 펼쳤다.

“일등이 왜 한 명이야? 똑같이 만점 받은 사람 여럿이면 여럿일 수 있지.”

이다가 반론을 제기하자 다온이 검지를 세워 보였다.

"일등은 일이잖아. 일, 한 개."

다온의 말에 리온도 검지를 따라 세우고서 고개를 끄덕거렸다. 일등의 일이 한 명 셀 때의 일과 같은 줄로 아는 모양이었다.

이걸 어찌 쉽게 설명한다…….

이다는 잠시 궁리하다 말문을 뗐다.

"그럼 리온이하고 다온이는 아빠하고 할아버지 중에 누가 최고야?"

"어?"

뜻밖의 질문이 날아오자 두 아이는 어리둥절한 표정으로 눈을 깜빡였다.

"최고는 한 명이라면서? 그 한 명이 누구야? 아빠하고 할아버지 중에."

"……."

아이들은 한참 동안 멍하니 멈춰 있었다.

"엄마 궁금한데, 말 안 해 줄 거야?"

이다는 다정한 목소리로 재촉했지만, 아이들은 혼이라도 난 것처럼 눈꼬리를 축 늘어뜨린 울상이 되었다.

"엄마, 어려워……."

"할아버지 좋은데, 아빠도 좋아……."

"둘 다 최고야……."

두 아이가 번갈아 대답을 내놓았다.

"에이, 어떻게 둘 다 최고일 수 있어? 최고는 한 명이라면서?"

이다는 설마 그럴 리가 없다는 듯 눈을 동그랗게 뜨고 물었다. 그러자 쌍둥이는 우물쭈물 입술을 씰룩이다가 동시에 입을 열었다.

"아닌가 봐……."

마치 짠 것처럼 똑같은 말이 시무룩하게 흘러나왔다.

"그래, 그럼. 아닐 수도 있겠네."

이다는 싱긋 웃으면서 쌍둥이의 머리에 손을 하나씩 올렸다.

"할아버지하고 아빠한테도 최고는 한 명이 아닐 수도 있겠다. 그렇지?"

덧붙이며 머리를 쓰다듬자 두 아이가 고개를 끄덕끄덕했다.

"엄마한테도 그래. 리온이, 다온이 둘 다 최고야."

"엄마도 최고야."

쌍둥이는 다시 입을 모아 한목소리를 내면서 이다의 품에 파고들었다. 이다는 아이들을 끌어안고 찬재에게 시선을 보냈다. 그러자 찬재는 씩 웃는 얼굴로 두 엄지를 척 들어 보였다. 찬재의 눈빛이 아이들과 똑같은 말을 하고 있었다.

"와, 근데 신기하네. 애들 보통 할아버지보단 아빠를 더 좋아하지 않나? 어떻게 둘이 same, same일 수 있지?"

식탁 건너편에서 세시가 의아한 투로 질문했다.

"우리 애들은 할아버지가 완전 업어 키우셨잖아. 그럴 만해."

찬재는 당연하단 듯이 말했다. 낳기만 하면 키우는 건 내가 알아서 한다. 그렇게 호언장담했던 공약을 정말 말 그대로 실행해 온 강 회장이기에, 이다 역시 당연하단 표정으로 고개를 끄덕였다. 그런데 이다의 품에서 리온이 불쑥 볼멘소리를 냈다.

"세시 외삼촌은 최고 아니야."

"맞아, 맞아. 외삼촌 너무 쪼끔 와. 다온이가 보고 싶다 그랬는데, 안 왔어."

다온도 서운한 얼굴로 맞장구를 쳤다.

"아유, 외삼촌이 그래서 오늘 휴가 내고 왔지! 오늘 우리 My baby 같은 조카님들 가족 Picnic인데. 외삼촌 빠지면 밥알 빠진 김밥이고, 김빠진 사이다잖아. 안 그래?"

세시가 손으로 율동을 섞어 가며 어르자 쌍둥이는 솔깃한 듯 세시를 향해 눈을 반짝였다. 그때 강 회장이 슬그머니 주방에 들어섰다. 한바탕 곤란한 질문을 쏟아 내던 아이들이 잠잠해졌으니, 강 회장은 안심하고 말문을 열었다.

"뭣들 하고 있어? 출발 시간 다 됐는데. 다들 후딱 옷 챙겨 입고 나오도록 해."

강 회장은 퉁명하게 재촉하고서 뒤돌아 빠른 걸음으로 주방을 나섰다. 목소리는 퉁명했지만, 등을 보인 강 회장의 앞모습엔 흡족한 미소가 번져 있었다.

"그럼 슬슬 가 볼까?"

찬재가 운을 떼며 자리에서 일어나 이다에게 손을 내밀었다. 아이들의 눈높이로 앉아 있던 이다는 찬재의 손을 잡고 몸을 일으켰다. 그 모습을 지켜보던 쌍둥이가 서로 눈을 마주쳤다.

"우리도 손잡자."

몇 분이나마 먼저 태어난 리온이 먼저 손을 내밀며 말했다.

"좋으실 대로."

다온이 장난스럽게 이다의 말버릇을 흉내 내며 리온의 손을 마주 잡았다. 그러고서 쌍둥이는 찬재와 이다를 올려다봤다.

"아빠, 엄마랑 사이좋게 손잡고 와."

"우리는 우리 손 잡고 갈게."

쌍둥이는 야무지게 말한 다음 총총걸음으로 주방을 빠져나갔다.

"이야, 애들 벌써 저렇게 똘똘한데. 더 크면 얼마나 똑똑할 거야, 대체?"

세시가 혀를 내두르며 아이들의 뒷모습을 바라봤다. 그러다 짓궂은 표정으로 찬재에게 시선을 옮겼다.

"형님, 노후 걱정 좀 되시겠는데요."

"노후 걱정? 내가 왜?"

"제가 이다 성장 과정을 바로 옆에서 보고 자란 인간으로서 추정하건대 말이죠. 우리 쌍둥이 발달 속도가 아무래도 이다하고 비슷한 거 같거든요? 이거, 이거 한 몇 년 지나면 애들이 아주 말발로 형님 찜 쪄 먹고 쌈 싸 먹고 이겨 먹지 싶은데요."

"그럴 일은 없어."

찬재는 단호하게 확신했다.

"에이, 둘이 한편 먹으면 형님이 밀릴 텐데?"

세시의 물음에 찬재는 별걱정을 다 한다는 듯이 코웃음을 쳤다. 그러자 이다가 찬재와 마주 잡은 손을 들어 보였다. 그리고 자신만만한 얼굴로 되물었다.

"우리 둘이 한편인데, 뭘 걱정해?"

이다의 말이 바로 자신이 하려던 말이라서, 찬재는 그녀와 똑같은 표정으로 어깨를 으쓱했다.

"아, 맞아……! 애들 말발의 원조가 넌데. 네가 형님 편이지?"

세시는 깜빡했던 사실이 떠올라 손뼉을 마주쳤다. 그러고는 재빨리 두 사람의 뒤로 달려가 두 팔을 벌려 둘의 어깨에 척 얹었다. 둘의 얼굴 사이로는 세시의 얼굴이 끼어들었다.

"그럼 나도 이쪽 편입니다요!"

"이기는 편 우리 편이다, 이거냐?"

"Sure! Why not?"

세시는 찬재의 질문에 쾌활하게 반문했다.

"그래, Why not이다. Why not."

찬재 역시 흔쾌하게 받아 주며 세시의 허리에 팔을 둘렀다. 그러자 이다도 세시의 허리에 팔을 두르며 한마디를 보탰다.

"Of course지."

하나로 뭉친 세 사람이 훈훈한 미소를 함께하는데, 거실에서 쌍둥이의 목소리가 들렸다.

"엄마, 아빠, 외삼촌! 왜 안 와?"

"Move, Move!"

아이들의 성화에 마치 신호탄이 떨어진 것처럼, 세 사람은 누가 먼저랄 것 없이 발걸음을 움직였다. 발맞추어 나아가는 세 사람의 얼굴에서 미소는 떠날 줄을 몰랐다.

또 하루가 한 걸음씩 행복하게 흘러가는 모습이었다.

('로맨스가 가능해?' 마침)

로맨스가 가능해? 2

1판 1쇄 발행 2018년 12월 27일
1판 2쇄 발행 2020년 5월 29일

지은이 송정원
펴낸이 신현호
편집부장 예숙영
책임편집 최은지
편집디자인 한방울
영업 · 관리 김민원 조은걸 조인희
물류 이순우 최준혁 박찬수

펴낸곳 ㈜디앤씨미디어
출판등록 2002년 5월 1일 제117-90-51792호
주소 서울시 구로구 디지털로 26길 111 JnK디지털타워 503호
대표전화 (02)333-2513 팩스 (02)333-2514
전자우편 dncbooks@dncmedia.co.kr
디앤씨북스 블로그 http://blog.naver.com/dncbooks

ISBN 979-11-264-4535-6 04810
ISBN 979-11-264-4533-2 (SET)